RIJK

RIJK

De negen levens van De Gooyer

Stijn Aerden en Klaas Vos

2002

THOMAS RAP
AMSTERDAM

De uitgever heeft al het mogelijke in het werk gesteld eventuele fotorechten te achterhalen en te vermelden. Mochten er desondanks nog omissies bestaan, kan er contact worden opgenomen met de uitgever.

Omslag Volken Beck, Amsterdam
Fotografie omslag Claude Vanheye
met dank aan Luna-x, Amsterdam (beeldbewerking)
Vormgeving binnenwerk CeevanWee, Amsterdam
Druk Wöhrmann, Zutphen
ISBN 90 6005 687 6
NUR 671

Inhoud

Inleiding

'Een Nederlandse speelfilm is pas een Nederlandse speelfilm als Rijk de Gooyer erin meespeelt.' Dat is een uitspraak van Simon Carmiggelt. En hoewel die veel zegt over Rijk de Gooyer en over zijn vriendschap met de schrijver, heeft deze uitspraak vooral betrekking op één periode. In de jaren zeventig en tachtig leek er inderdaad geen film te kunnen worden gemaakt zonder dat de acteur erin ten tonele verscheen. Maar vraag aan iemand wie Rijk de Gooyer is en je krijgt per generatie een ander antwoord. De opa uit *Madelief* was eerst de man uit de reclamespotjes van KPN, Reaal en C&A, en dáárvoor de helft van het komische duo Johnny & Rijk. En de tijdsbalk gaat nog veel verder terug. Er is een Rijk de Gooyer die uit hoofde van de British Intelligence oorlogsmisdadigers opspoorde; een bakkersknecht die de nieuwe bestelauto van zijn vader in de poeier reed; een typetjesmaker voor de NCRV-radio – eigenlijk Nederlands eerste gereformeerde komiek; een muzikant met een eigentijdse hawaïsound; een revueartiest met een pratende marmot; een debuterend toneelspeler in een olifantkostuum... En pas vanaf 1972 is er echt sprake van Rijk de Gooyer als de filmacteur. Hij is dan zesenveertig jaar oud.

Het boek *Rijk. De negen levens van De Gooyer* is de neerslag van gesprekken die tussen 1999 en 2002 met hem zijn gehouden. In wisseldienst door Klaas Vos en Stijn Aerden – dat was met de waterval aan verhalen geen overbodige luxe. De laatste heeft er uiteindelijk een boek van gemaakt.

Twee bronnen zijn belangrijk genoeg om hier aan te halen. Ten eerste de verhalenbundel van Rijk de Gooyer zelf, *Gereformeerd en andere verhalen*, die twintig jaar geleden verscheen. Daaruit zijn enkele fragmenten in dit boek meegevlochten, als die in de lijn ervan te pas kwamen. Het had weinig zin om in die gevallen de meesterverteller nog eens over te gaan doen.

Ook de herinneringen die Herman Pieter de Boer uit de mond van Rijk de Gooyer optekende en eind jaren zeventig bundelde in *Krentenbollen, kogels en klatergoud*, zijn een dankbare en vrolijke inspiratiebron geweest.

Rijk. De negen levens van De Gooyer is een kruising tussen twee genres. Het schommelt tussen een biografie en een autobiografie. Het is een bundeling verhalen die Rijk de Gooyer graag wilde vertellen. Dat bekent: weinig herinneringen rondom de theemuts. Weinig huiselijke tafereeltjes. Het boek gaat voor het grootste deel over zijn 'werkend leven'. Waarbij we de aanzienlijke tijd die hij in allerlei kroegen heeft gespendeerd voor het gemak maar even tot zijn 'werkend leven' rekenen.

In dat opzicht is het dus meer een autobiografie: hij heeft dit ruikertje zelf voor u samengesteld. Daar staat tegenover dat ondergetekenden het weer als hun taak hebben opgevat de verhalen nog eens rond te draaien, tegen het licht te houden, van een context te voorzien, en waar nodig vrienden en collega's aan het woord te laten, zodat het boek toch weer meer is geworden dan alleen 'Rijk vertelt...'

De opzet is chronologisch-thematisch – eerst vooral chronologisch, en naarmate er in zijn leven verschillende 'ambachten' door elkaar heen gaan lopen, is er wat meer op kleur gesorteerd en gebundeld. Het resultaat is, naar we hopen, een levend portret. De bekentenissen van een geboren avonturier, een inzicht in diens ambities en motieven, en met een kijkje achter de schermen van de verschillende werelden waar hij zijn stempel op heeft gedrukt.

Stijn Aerden, Klaas Vos

I

Malle Jachie

Het sluisje

Er zal er vast al één zijn geweest, in de vijftiende of zestiende eeuw. Noem hem Rooie Riek. Een man die in de herberg op tafel ging staan en zijn benen in de lucht gooide op de klanken van een trekzak. Die aan de bar de grootgrondbezitter beledigde, een man aan wie hij eigenlijk met handen en voeten gebonden was. Of die zat te toepen aan een tafeltje in de hoek en wiens stem je overal bovenuit kon horen, vooral zijn bulderende lach. En die uiteindelijk door de groene ruiten van de herberg naar buiten vloog omdat hij ruzie had gezocht met iemand die net een maatje te groot was.

Ze zullen er ongetwijfeld geweest zijn, de voorvaders van Rijk de Gooyer. Stuk voor stuk vrije geesten, avonturiers, levensgenieters. Maar ongetwijfeld ook mopperkonten, narrige types. Mannen bij wie je als hun onderlip licht begon te trillen al wist: wegwezen! Die met een uiterst verfijnde radar je zwakke plekken opspoorden en daar vervolgens pesterig en genadeloos op gingen drukken. Allemaal Rijken. Allemaal Rijk. Zo kunnen ongetwijfeld eeuwen teruggaan, en de verhalen zullen allemaal dezelfde zijn. Maar geen van deze figuren kan bogen op een kleine vijftig speelfilms, tientallen theaterstukken, ontelbaar veel radio- en televisieprogramma's, platen, boeken en columns. Want de werklust van deze De Gooyer is weliswaar klein, zoals hij zelf graag roept, maar z'n discipline is enorm. Terwijl hij aan het werk was sliepen zijn collega-bon-vivants hun roes uit of stonden op de tennisbaan. Iets wat De Gooyer trouwens ook graag deed.

Het verhaal over Rijk de Gooyer begint in Utrecht. Daar werd hij op 17 december 1925 geboren, als helft van een twee-eiige tweeling. Hij kwam eerst – dat spreekt – daarna zijn zusje Ankie. Vader en moeder De Gooyer waren dolgelukkig. Niet dat het hen aan kinderen ontbrak, ze hadden er al zeven, maar het was meer dan ze op hadden durven hopen: het was een soort toegift van de Heer.

Dat laatste is niet onbelangrijk, want het milieu waarin het leven van De Gooyer zich van jongs af heeft afgespeeld is streng gereformeerd. God wikt, God beschikt en Zijn Woord, zoals opgetekend in de Statenvertaling, is het enige richtsnoer voor een goed en deugdzaam leven.

Rijk en Anna De Gooyer-Ceelen vernoemden de tweeling naar zichzelf. Nakomertjes waren ze: tussen Ankie en haar oudste broer Arie, leerling-journalist bij *De Standaard*, zat twintig jaar. Laatstgenoemde was dan ook al het huis uit toen de tweeling in de luiers lag.

Het huwelijk tussen vader De Gooyer en zijn vrouw was gelukkig. Hij droeg haar op handen vanaf het moment dat hij in 1905 in haar poëziealbum stond. Hij verwees in zijn bijdrage naar kapittel 3 vers 1 uit het boek Ruth. 'Mijne dochter, zoude ik u geene rust zoeken, dat het u welga?' Ondertekend door 'Uw liefh. Rijk'. Aan weerszijde van de opdracht waren ruikertjes weidebloemen geplakt.

De familie woonde aan de Utrechtse Bemuurde Weerd Westzijde, tegenover een eeuwenoud sluisje dat nog steeds in gebruik is – af en toe wordt het met een ratelend geluid geopend. Via die verbinding kun je naar de overkant lopen, naar de Oostzijde. J.C. Bloem, die er in zijn studententijd woonde, dichtte erover:

Het water stroomt nog door dezelfde sluis,
Als toen, en maakt het eendere geruis.

De Huizen, aan de waterkant daarneven,
Zijn feitelijk ook onaangerand gebleven.

Alleen nabijer is, voor wie ze ontvlood,
De zekerheid van de imminente dood.

Bloems studententijd was aan het begin van de twintigste eeuw, maar eigenlijk geldt het nog steeds: de Bemuurde Weerd is een vredig stukje gracht met statige koopmanshuizen die uitzien op het passeren van allerlei pleziervaartuigen, en vroeger sleepboten. En vanaf de sluis, in zuidelijke richting, zie je nog de Domtoren boven de huizen uitrijzen, die om het kwartier slaat. Het geluid waar Rijk de Gooyer vroeger in zijn stapelbedje naar luisterde.

Grote, statige huizen, maar nummer 1, waar de familie De Gooyer woonde, vormde daarop een uitzondering. Een smal, stof-

Vader De Gooyer als 'korporaal van de strozakken', 1915.

fig arbeidershuis, zo tussen de andere panden ingeklemd. 'Maar wel diep,' zegt Rijk de Gooyer. 'En het had een donkere tuin, waarin je je goed kon verstoppen.' Lang gewoond heeft hij er niet. Hij herinnert zich vooral de grote keuken, waar iedereen altijd bij elkaar zat. Daar hing wonderlijk genoeg ook de stortbak van de naastgelegen wc. En in het geval van nieuwe aanhang van broers of zussen, die zich voor het eerst op het toilet terugtrokken, was het vaste prik: hun billen hadden de bril nog niet geraakt of het water spoelde met luid geraas door. In de keuken zat de familie al klaar, met uitgestreken smoel of dubbel van het lachen. Alleen vader De Gooyer keek zuinig.

Maar zijn zoon Rijk is een familieman, een gezelschapsbeest – en die lange tafel vol pratende, lachende mensen vormde daarvoor het beginpunt. De oudste zoon Arie, dan Jo, Alie, Greet, Mien, Kees en Jannie – bij een vol huis zat iedereen met verloofdes of aanhang bij elkaar. Boven was nog een kamertje gereserveerd voor de Duitse huishoudster. 'Met enorme tieten,' maakt hij aanschouwelijk. Als je voor de Bemuurde Weerd 1 staat, is het een raadsel hoe het er allemaal ooit in heeft gepast.

Vader De Gooyer was bakker – hem zag je eigenlijk de hele dag niet. En moeder was vaak ziek, ze leed aan een chronische maagzweer. Later, dankzij nieuwe medicijnen, ging het wat beter, maar in zijn herinnering lag ze veel op bed. Rijk en Ankie mochten dan wel de oogappels van hun ouders zijn, in de praktijk werd hun opvoeding voornamelijk door zussen ter hand genomen. En dat wrong nog wel eens. Bij het kammen van de haren, het nagelknippen en de sessie in de tobbe ging het er bepaald niet zachtzinnig aan toe. Als vader thuiskwam, begon kleine Rijk onbedaarlijk te huilen, om diens medelijden en aandacht te wekken. Dat lukte ook aardig. Maar lang duurde het mededogen niet. De volgende wasbeurt stond dezelfde zuster hem weer op te wachten, met glinsterende ogen. Zo is hij als het ware grootgeschrobd.

De kunst van het vertellen, het gemak om in het middelpunt van de belangstelling te staan, heeft hij van zijn moeder. De manier

De Gooyer senior met zijn dochters Ankie (links) en Jannie (rechts).
Rijk junior op de fiets. De Bemuurde Weerd, 1928.

waarop zij in verhalen dingen tot leven kon roepen. Iedereen hing aan haar lippen. Ze zou, aldus Rijk, een geweldige actrice zijn geweest. Haar theatrale talenten wendde moeder De Gooyer echter vooral aan om anderen tot het geloof te bekeren. Van haar heeft Rijk de liefde voor taal meegekregen, de lust tot lezen. Op straat hield ze halt, om met een schuin hoofd kennis te nemen van een gebruiksaanwijzing die daar in de goot voorbijdreef. Alles las ze – alles wat los en vast zat: kranten, kerkbladen en vooral veel stichtelijke werken.

Net als aan vaders kant telde de familie van Rijks moeder veel dominees. En als over theatrale kwaliteiten gaat, mag grootvader Cornelis de Gooyer niet worden uitgevlakt: een predikant uit de

Veluwezoom. Die zich in 1886 had aangesloten bij de Doleantiebeweging van Abraham Kuyper, die zich teweer stelde tegen de vrijzinnige opstelling van de hervormde kerk. Thuis hing zijn geschilderd portret: een strenge man met een klein brilletje. Hij kon in zijn preken zo donderend tekeergaan, in zulke vlammende taal, dat de politie hem een keer van de kansel heeft gehaald. Twee agenten loodsten hem over het gangpad naar buiten – dominee zelf oreerde driftig verder.

Een en ander zal ertoe geleid hebben dat de zoon van Cornelis de Gooyer alles wilde worden behalve predikant. Het liefst beroepsmilitair – dat was zijn eerste wens. Toen dat niet mocht werd het banketbakker. Dat klinkt als een slap compromis, maar was het niet: hij bleek een man met hart voor zijn vak. Eerst kwam hij in de zaak van zijn schoonvader. Later, nog voor de geboorte van de tweeling, promoveerde hij tot chef van De Korenschoof, een grote broodfabriek in Utrecht. De hele familie promoveerde mee, want de familie behoorde nu tot de betere middenstand van Utrecht. De acht thuiswonende kinderen kwamen niets tekort, en mochten studeren wat ze wilden.

Typerend voor vader De Gooyer was zijn combinatie van idealisme en onverzettelijkheid. Aan het begin van zijn huwelijk had hij zich als bakker aangemeld bij Walden, de kolonie van Frederik van Eeden in Bussum. De bekende schrijver-psychiater wilde een lans breken voor een nieuw soort woongemeenschap. Toen echter bleek dat de kinderen Van Eeden niet met die van De Gooyer mochten spelen, omdat weliswaar alle kinderen gelijk heetten, maar sommigen toch wat gelijker dan anderen, schold hij de Tachtiger de huid vol en pakte zijn biezen. Maar De Gooyer was ook een ijdele man, die het liefst wekelijks bij de kapper zat en bij de kleermaker maatkostuums liet vervaardigen. En ook een autoritaire man, iets waar zijn zoon Rijk zich wel in herkent. Niet opgelegd autoritair, want vader De Gooyer dwong niets af, hoefde dat ook niet: het leek alsof de omgeving zich automatisch naar hem voegde. Zoals Rijks moeder, die elke avond om tien uur gedwee naast hem in bed kroop – hij moest immers om vier uur weer op – terwijl ze niets liever deed dan beneden onder een lampje een boek lezen.

Het tientje van ds. Zinkstok

Als kind werd Rijk door een oudere zus naar bed gebracht. Voor het slapengaan eerst een dankgebedje, handjes boven de deken en zoet slapen gaan. Maar de deur van de slaapkamer was nog niet dicht of hij liet zich uit zijn stapelbed zakken om voor het raam naar buiten te kijken: naar trams die voorbijkwamen, de kroeg aan de overkant, waar luidruchtig volk in- en uitliep. Volgens vader De Gooyer rauwe, losgeslagen types: heidenen, met wie het slecht zou aflopen. De kleine Rijk nam dat voetstoots aan maar voelde ook dat het aan hem trok, die vreemde wereld.

Zondags moest hij mee naar de dienst in de gereformeerde Westerkerk. 'Wat voor katholieken de geur van wierook en kaarsen was,' zegt hij, 'was voor gereformeerden 4711 – eau de cologne – vermengd met de lucht van pepermunt en mottenballen.' Dit laatste tot behoud van het zondagse pak. Het bloed kroop waar het niet gaan kan, want vader De Gooyer, die alles behalve predikant had wilde worden, stond vaak als ouderling voor te lezen uit de Schrift. Rijk mocht plaatsnemen op de eerste rij, de ouderlingenbank, helemaal op het hoekje. Van daaruit keek hij naar de verrichtingen van zijn vader. Zo zijn er heel wat komieken ontstaan, op de houten banken opziend naar hun galmende vaders, in een mengeling van trots of plaatsvervangende schaamte. Maar galmen kón vader De Gooyer, vooral als hem de beurt viel de tien geboden, de Wet des Heren, voor te lezen. 'Ik ben de Heere, uw God, die u uit Egypteland, uit het diensthuis, uitgeleid hebt!' Zijn blik was vertoornd alsof hij nooit persoonlijk voor die inspanning was beloond.

Van de paar honderd preken die de jonge Rijk over zich heen

heeft gehad is weinig blijven hangen. Alle predikanten waren saai en lang van stof. Eén uitzondering herinnert hij zich: dominee Zinkstok uit Zeist. Ook die was even belerend als de rest, maar probeerde er tenminste iets van te maken. En hij trok volle kerken. Soms zaten ze tot onder de kansel. 'Gemeente,' riep Zinkstok bijvoorbeeld, 'ik heb hier een tientje!' Als bewijs zwaaide hij met een bankbiljet. 'En nu zult u zich afvragen: hoe komt dominee Zinkstok aan dit tientje? Dat zal ik u vertellen. De afgelopen week had ik een zeeman op bezoek, een zeeman die schipbreuk had geleden op de Atlantische Oceaan. Zijn schip was vergaan en hij had zich ternauwernood kunnen vastklampen aan de mast. Drie weken had hij rondgedobberd, beste gemeente, ten prooi aan haaien, honger en dorst! En in arren moede was hij gaan bidden. Hij had de Here God om redding gesmeekt en uitgeroepen: "Heer, als U mij spaart, geef ik dominee Zinkstok een tientje!" En gemeente,' zei hij dan, en keek veelbetekenend rond… 'hier ís dat tientje. Het thema van vandaag luidt dan ook: nood leert bidden.' Na afloop van zo'n dienst liep vader De Gooyer hoofdschuddend de kerk uit. Hij vond het allemaal maar niks. Opsmuk. Theater. Goedkope retoriek.

Op zondag waren er twee diensten, een om tien uur en een om vijf uur. Na de eerste verzorgde vader het middagmaal en speelde op het harmonium, het gereformeerde huisinstrument bij uitstek. Bij mooi weer ging de familie uit wandelen. Bij de tweede dienst mocht de tweeling thuisblijven. Onder begeleiding van een oudere broer of zus luisterden ze naar de radio. De NCRV. Voor de zekerheid stak moeder de spoel waarmee je de VARA, met Ome Keesje, kon ontvangen in haar handtas. Die ging mee naar de kerk. De NCRV zond op zondagen alleen kerkdiensten uit of orgelspel met zang van Johannes de Heer. Dat ging snel vervelen. Dan kwam de sjoelbak op tafel. Of halma. Of mens-erger-je-niet. Rijk de Gooyer heeft er een bloedhekel aan spelletjes aan overgehouden. Dit ter geruststelling voor alle televisiequizzen die hem later probeerden te strikken: het lag niet aan hen. Het kwam allemaal door Johannes de Heer.

Vader De Gooyer toonde zich als ouderling en lid van de gereformeerde gemeenschap iemand die zich hechtte aan oude mores en gewoonten. Dat viel vooral op toen zijn omgeving wat rekkelijker werd. Het besluit bijvoorbeeld om psalmen niet meer alleen op hele, maar ook op halve noten te zingen, zodat de muziek minder dreinerig klonk, was voor hem onbespreekbaar. Hij zong van achter zijn lessenaar luidkeels tegen de halve noten in. Ook als de anderen klaar waren ging hij onverstoorbaar verder, net zo lang tot ook zíjn versie – de enige júiste versie – van de psalm was uitgeklonken. Moeder De Gooyer, die vooraan in de kerk zat, probeerde zich intussen zo klein mogelijk te maken.

Zoon Rijk zat inmiddels allang niet meer vooraan, maar op het balkon, onzichtbaar achter een pilaar. Een goede plek om Dick Bos te lezen of je huiswerk te doen.

'Kinderen des verbonds' werden gereformeerde kinderen wel genoemd, en velen beschouwden een dergelijke opvoeding als zwaar of drukkend, vooral met terugwerkende kracht. Schrijvers als Jan Wolkers en Maarten 't Hart hebben er een heel oeuvre aan te danken. Maar het typeert de kleine De Gooyer al dat hij ook hier alleen de krenten uit pap pikte. Gereformeerden kennen een rijk verenigingsleven. En de knapenvereniging Ora et Labora (Bid en werk) organiseerde eens per jaar een feestavond met opvoeringen. Daar stond hij met zijn neus vooraan. Toneel was uit den boze, maar voordragen mocht – dat diende een opvoedkundige taak. Dus leerde hij hele stukken van 'Keesje het Diakenhuismannetje' van Nicolaas Beets uit het hoofd. Die reciteerde hij tot groot plezier van zijn gehoor.

Schuldbesef, de aanwezigheid van Gods alziend oog – andere kinderen deed het huiveren, maar hij lag er niet wakker van. 'Waarom zou ik? Ik masturbeerde niet,' zegt hij triomfantelijk. Achter een pilaar Dick Bos-boekjes lezen was maar het begin. Niet veel later was die bank leeg: zat hij op zondagmorgen aan de rand van zwembad De Kikker in Utrecht-Noord. Wel even kort bij anderen informeren naar de inhoud van de preek en of er nog iemand was flauwgevallen, voor het geval daar thuis naar werd gevraagd. Ook schroomde hij niet om geld te vissen uit het blauwe VU-busje, met de strenge beeltenis van Abraham Kuyper erop, dat bij elk rechtgeaard gereformeerd gezin in de gang hing. De opbrengst was bedoeld ter stimulering van de protestantse wetenschap, maar je kon er ook uitstekend voor naar de film. Als je met een mes de tandjes in de gleuf uit elkaar wrikte, rammelde het kleingeld er zo uit. In de ogen van de gereformeerden een dubbele zonde: het was diefstal van de gemeente, maar ook de bioscoop gold als werelds en zondig.

Niettemin, of juist daardoor, trok het witte scherm. Een matineetje in het Citytheater aan de Voorstraat was de ultieme ontsnapping uit het grijze en brave vooroorlogse Utrecht. 'Voor dertig cent zat je op de zogenaamde knip- en scheerplaatsen,' zegt hij, 'helemaal vooraan, met je neus zo dicht op het doek, dat je vanzelf de houding aannam van iemand in de stoel van de herenkapper.' Daarnaast kocht hij het tijdschrift *Cinema & Theater* om er plaatjes van Hollywoodsterren uit te knippen. Shirley Temple bijvoorbeeld als Lollipop. In het zicht van de eeuwigheid misschien kleine vergrijpen, maar er komt nog meer. Wat staat er bijvoorbeeld op het belemmeren van een predikant in het uitoefenen van zijn ambt?

Elke keer als dominee-hoogleraar Schilder uit Kampen in Utrecht moest preken, logeerde hij bij de familie De Gooyer in de Adelaarstraat. Hij kreeg de mooiste kamer van het huis, want een belangrijk man mocht het aan niets ontbreken. Vader en moeder De Gooyer liepen zich de benen uit het lijf, tot ergernis van de jonge Rijk. Schilder was namelijk verschrikkelijk lang van stof: bij hem kon een ochtenddienst gemakkelijk uitlopen tot halfeen 's middags. Op een zondag, nadat ze weer een lel van een preek te verstouwen hadden gehad en predikant Schilder zich te goed deed aan een zorgvuldig bereide maaltijd van vader, besloot hij dat er moest worden ingegrepen. Terwijl Schilder zich had teruggetrokken om een uiltje te knappen draaide Rijk de deur op slot en verstopte de sleutel. Op zijn slaapkamer nam Rijk geconcentreerd het christelijke familieblad *De Spiegel* door, toen het bonken begon. Zijn ouders deden meerdere, vergeefse pogingen de deur open te krijgen, en belden uiteindelijk in wanhoop de brandweer. En zo werd de dominee ontzet: over het balkon en via een brandweerladder moest hij naar beneden klauteren, met de aantekeningen voor zijn preek onder de arm. Die middag duurde de dienst langer dan ooit.

Zoals gezegd: de gereformeerde opvoeding drukte niet zwaar op de ziel van de jonge De Gooyer. Geen nachtelijke visioenen over een wrekende God, geen angst voor vingerzwaaiende ouderlingen. Als je hem er nu naar vraagt, haalt hij de schouders op. 'Kaal en onaantrekkelijk was het wel, dat geloof. Maar liever een goeie sleur dan helemaal geen sleur, zei mijn moeder. Je wist niet beter. Op een enkeling na was de hele wereld gereformeerd.' Hij is op catechisatie geweest en heeft zelfs nog belijdenis gedaan. Om zijn ouders te plezieren. Maar naarmate hij ouder werd, ontdekte hij hoe spannend het leven buiten de kerk kon zijn, en probeerde hij zich er zoveel mogelijk aan te onttrekken.

In de oorlog ontstond er binnen de kerk onenigheid over een geloofskwestie. Moest je kinderen al vlak na de geboorte dopen? De traditionele synodalen meenden dat dit later moest gebeuren, op het moment dat een mens er klaar voor was. Je moest het geloof volledig kunnen beamen. De vrijgemaakte gereformeerden van artikel 31 verzetten zich op fundamentele gronden: God beschikt, of iemand er klaar voor is of niet. Het was het zoveelste schisma binnen de protestantse kerk. In 1926 werd er nog gedebatteerd over de vraag of de slang in het paradijs nu wel of niet had gesproken – door vrolijke buitenstaanders ook wel het 'palingoproer' genoemd. Maar het idee dat het nu midden in de oorlog gebeurde, terwijl de wereld in brand stond, was ridicuul in de ogen van De Gooyer. 'Het idee dat buurtbewoners met wie je voorheen als vrienden omging, je opeens niet meer gedag zeiden. Dat artikel 31'ers naar een andere bakker of kruidenier gingen omdat die synodaal waren of juist andersom.' Hij wilde niets meer met de kerk te maken hebben. Pikant detail tot slot is dat de voorman van de artikel 31'ers de Kampense hoogleraar Schilder was.

In iets van een hiernamaals gelooft Rijk de Gooyer wel. En met een 'zekere voorbeschikking' heeft hij ook vrede. Maar als het gaat om wat er van zijn opvoeding is blijven hangen komen er vooral algemeenheden naar boven. 'De essentie is natuurlijk het naleven van de tien geboden,' zegt hij, 'en je daaraan houden is allejezus moeilijk. Gij zult niet begeren uws naasten vrouw, noch zijn os en de hele handel... Ga er maar aan staan.' Zijn gereformeerde achtergrond speelde alleen nog wel eens op bij onverwachte gebeurtenissen. Zo herinnert John Kraaykamp zich een voorval in de kantine van de AVRO-studio.

'Er stiefelde een groep mensen langs ons tafeltje die een rondleiding door het hele gebouw kregen. Blijkbaar hoorde daar ook een blik op peuzelende AVRO-medewerkers bij. Eén mevrouw klampte ons aan.

"Ik wou u even bedanken," zei ze.

"Voor wat mevrouw?" vroeg ik.

"U heeft zoiets fijns gedaan. In uw televisieshow."

"O ja, vond u het leuk?"

"Mijn man zat voor de televisie, en papa heeft zo om u moeten lachen. Hij heeft geschâterd."

"O, wat fijn," zeg ik. Ik kon er weinig mee. Maar die vrouw ging maar door. "Hij heeft zo ont-zet-tend moeten lachen," zei ze. "En toen opeens was het stil. Mijn man heeft zich doodgelachen." Om eraan toe te voegen: "Ja, hij was ernstig ziek, hoor. Hartpatiënt."'

'Ik was sprakeloos,' zegt Kraaykamp, 'hoe moet je daarop reageren? En op dat moment mengde Rijk zich in het gesprek en kwam met een troostrijk verhaal over haar man, die nu in handen van de Heer was, weg uit het aardse tranendal... over levenskracht en weet niet wat al, hij lulde maar door. Maar: prâchtig, ik wist niet wat ik hoorde. Ik zat hem met open mond aan te kijken. De vrouw weg, in tranen. Ik met een dikke strot. Fascinerend.'

Van zijn gereformeerde jeugd is Rijk uiteindelijk vooral het plichtsbesef en verantwoordelijkheidsgevoel overgebleven. En daarbij nog eens aan een reusachtige bijbelkennis. Zijn latere sparringpartner Maarten Spanjer lag eens samen met hem in een slaapvertrek op de boot van een wederzijdse vriend, en hoorde De Gooyer in zijn slaap voortdurend mummelen. 'Wie is dat toch, die Malle Jachie?' vroeg Spanjer de volgende ochtend. 'O, iemand uit de bijbel,' zei De Gooyer en daarmee was de kous af. Het bleek om de profeet Maleachi te gaan, de hekkensluiter van het Oude Testament, met een exposé over 'huwelijken met vreemde vrouwen en ongeoorloofde echtscheidingen'. Die kennis steekt hij overigens niet onder stoelen of banken. 'Ik heb het altijd een prachtig boek gevonden,' zegt hij. 'Vooral in de Statenvertaling. Neem het verhaal van de verloren zoon,' zegt hij, en tuurt met zijn blauwe kijkers in de verte. '"En hij zijn goed met hoeren verdoend hebbende, zat neder en at van het draf der zwijnen." Zeg nou zelf, daar kan toch geen Reve tegenop?'

De Zwarte Hand

De krul was heilig. Rijk had steil haar, maar kapper Van der Laan legde er met fixatief een slag in die bij het opdrogen keihard werd. Daarna begon het paraderen. Langs de Adelaarstraat, waar ze in 1930 heen waren verhuisd, over de Bemuurde Weerd en de Korte Weerd, richting Wijk c, een beetje de Jordaan van Utrecht, waar Anton Geesink opgroeide. 'Hé badborstel!' riep een vriendje. Maar daar trok hij zich niets van aan. Die was gewoon jaloers. Met de krul staat hij nog op de trouwfoto van een van zijn zussen, als twaalfjarige bruidsjonker. Apetrots kijkt hij in de lens. 's Avonds legde hij het hoofd voorzichtig op het kussen om de slag erin te houden, soms zelfs met een baksteen onder zijn nek. Maar tever-

Als bruidsjonker met verse krul, 1939.

geefs. Een goeie krul haalde de ochtend niet.

Het nieuwe huis, Adelaarstraat 26, lag om de hoek van de Bemuurde Weerd. Nieuwbouw, fris en netjes, en bovendien ruimer dan het vorige huis. Precies wat vader De Gooyer zocht. De Vogelbuurt was een wijk van kleine middenstand, arbeiders en ambachtslieden. En net als het naburige Wijk C een buurt waar je snel volwassen wordt. Rijk heeft er van zijn vijfde tot zijn twaalfde gewoond. Al snel gloeide er een shaggie onder zijn wipneus. Dat bekostigde hij door aan het pikkie van Tonny de Vries te zuigen, een kouwelijk jongetje dat op pantoffels liep. Een 'consult' was goed voor tien cent, net genoeg om een pakje Ibis-shag met vloei te kopen. Of om een uur een fiets te huren. 'Jaren later,' zegt hij, 'heb ik nog wel eens een brief van Tonny gekregen. Hij was inmiddels directeur van een heel duur hotel in Miami geworden, en leefde samen met een vriend.'

Bertje Koorn, ook zo'n vriend. Een gereformeerd jochie met eihoofd. *Bertje Koorn is geboren met een pispot om zijn oren*, zongen ze altijd. Bertje sleepte hem mee naar de hoeren, hij zou trakteren. 'Waar die het geld vandaan had,' zegt Rijk, 'geen idee. Misschien jatte hij het uit de kas van zijn vader, die kruidenier was.' Op naar de Rooie Brug ging het, waar de hoeren zaten. Bertje ging eerst, en kwam terug met een rood hoofd. 'Nu jij,' zei hij, wat munten uit zijn zak opdiepend. 'Net om de hoek zit nog een bloedgeile blonde.' Maar Rijk durfde niet meer.

Dan waren er nog Henkie Nijland, de zoon van de groenteboer, Hakkie de Beer – door Rijks moeder steevast 'het joodje' genoemd – en Guus Ferket, zoon van limonadefabrikant bij hen om de hoek, op de Gruttersdijk. Van hem leerde hij plat-Utrechts, tot afschuw van de hele familie, omdat in huize De Gooyer ABN hoog in het vaandel stond. Iets wat de aantrekkingskracht ervan alleen maar zal hebben vergroot. 'Plat-Utrechts, mooi plat-Utrechts,' zegt hij, 'met zijn a-klanken.' Rijk legde zijn oor te luisteren op de automarkt bij de Croeselaan.

Hij staot nieuw op z'n klompies – dat betekende dat er nieuwe banden om zaten. *Die auto komp vaan een sterfgevaal* – dat kwamen ze erg vaak, merkte hij. *Denk eraan daet-ie grote staapen neemp. Aas tie hoes mot je een klein bietsjie bijchoken. Waach ef, ik saal em effe laote praote. Ke je hore waat die zeg!*

Hij raakte er zo bedreven in dat toen hij later bij de radio begon spraaklessen moest nemen bij Hetty Blok. Vooral als hij in vervoering raakte, was het Utrechts in hem niet meer te stoppen.

Achter het huis hadden Rijk en zijn vriendjes een hut gemaakt in een leegstaand pakhuis in de buurt. Daar zetelde De Zwarte Hand, een geheim genootschap waarvan hij voorzitter was – niemand had de leiding durven betwisten. De organisatie werd serieus ter hand genomen, met notulen, een gestencild krantje en contributie voor nieuwe leden. Onlangs is Rijk er teruggeweest, in het voorjaar van 2002. De Gruttersdijk, de Adelaarstraat en de Flieruilensteeg, waar de limonadefabriek en de loodsen stonden. Begrijpelijkerwijs was er in de wirwar van doorgangetjes en keurige poortjes niets meer van terug te vinden. Geschrobde tegels, bloeiende afrikaantjes, fris wapperende was... De zesenzeventigjarige liep er met een stijf been een beetje verstoord tussendoor.

Op Koninginnedag was de Vogelwijk het centrum van vrolijk en luidruchtig vermaak. Koekhappen, zaklopen, blikken gooien en tonnetjesteken. Vooral dat laatste onderdeel was populair. De mannen bouwden op de Gruttersdijk een reusachtige houten stellage – met dank aan houthandel Koper – en roetsjten daar vervolgens op een tonnetje vanaf, onderweg proberend een stok door een ring te steken. Lukte dat niet, dan kregen ze een bak water over zich heen. Mannen in onderbroek, vrouwen in bh's... dat alles onder een stralende zon. In zijn herinnering was het de fijnste dag van het jaar. Vooral omdat er weer eens wat gebeurde in die stad. En dat het in zijn herinnering altijd zonnig was, is niet zo gek. Want Koninginnedag was op 31 augustus, de verjaardag van Wilhelmina.

Hoge schoenen, echte schaatsen

Een sporter was hij niet, de jonge Rijk. Voor een deel was dat te wijten aan de Engelse ziekte, waarmee de tweeling geboren werd. Ankie hield er een kromme rug aan over, waar ze later nog vaak aan geopereerd zou worden. Voor Rijk bleven de gevolgen beperkt: twee zwakke enkels, gestoken in orthopedisch verantwoorde hoge schoenen van het merk Forma Natura. 'Stel je daar nog een paar afgezakte sokken bij voor,' zegt hij, 'en een plusfour: zo'n opbollende broek, op de kuit met riempjes en gespjes dichtgemaakt. Hoge schoenen onder een plusfour, een gruwel. Ik voelde me een lulletje rozenwater.' Ook schaatsen was lastig, op doorzwikkende enkels. Maar het zou en het moest, dus bleef hij oefenen op de grachten. De nieuwe houten schaatsen die hij daartoe op zijn verjaardag kreeg, zullen het zwieren niet bevorderd hebben: zijn voeten glipten er steeds af.

Voetballen deed hij wel, met de vriendenclub SDW (Samenspel Doet Winnen), maar dat was meer voor de gezelligheid. Bij het korfballen verfijnde hij vooral de techniek van het afhouden van de meisjes. En de ijver waarmee hij op de ulo in de touwen klom, en vooral zich weer naar beneden liet glijden, prikkelde een andere lichamelijke behoefte dan een sportieve. Toen de gymnastiekleraar dat in de gaten kreeg, moest hij bij dat onderdeel op de bank blijven zitten. Uiteindelijk is het vooral het water en de sporten daaromheen die hem het meest aantrokken. Wie hem door de Amsterdam grachten ziet varen in zijn pruttelboot, ziet een man in zijn element: iemand onder wiens gezag niet alleen het eigen schip maar het totale grachtenverkeer ressorteert. En te oordelen aan het onvermijdelijke biertje in zijn rechterhand heeft hij de zaak onder controle.

Leren zwemmen heeft hij overigens niet. Hij werd er een keer in geduwd, zo ging dat in die tijd. De eerste keer was in het Noorderbad door jongens die dachten dat hij het kon. Hij peddelde als een hondje naar de kant en merkte: hé, zo kan het ook. Die ontdekking kwam goed van pas. 't Zwarte Water, het onooglijke grachtje langs de Gruttersdijk, was vroeger niet van een reling voorzien, zodat hij en zijn vriendjes er beurtelings invielen. Hij zwemt nog steeds zo – de schoolslag heeft hij nooit onder de knie gekregen. Maar voor het vele snorkelen en duiken dat hij in zijn leven heeft gedaan, was dat precies afdoende.

Waar kwam die liefde voor het water vandaan? Misschien van het 'geruis', zoals J.C. Bloem het noemde: het rustgevende grachtenwater waaraan hij als kind in slaap viel. Misschien door de Gereformeerde Zeeverkennersvereniging, waar hij zich als vroege puber meldde. Zijn zussen en broers waren hem voorgegaan. Op zaterdagen toog hij naar Loosdrecht, waar de boten lagen. Eerste schipper van de zeeverkennerij was de latere tv-presentator Johan Bodegraven, en stuurman was ene Arie K., zoon van een predikant, die altijd aan de matroosjes zat te friemelen en vreemd begon te hijgen als hij de jongens in hun pakjes hees. Toen daarover de eerste klachten binnenkwamen, is hij met zijn gezin naar Drente verhuisd.

Hoogtepunt van de zeeverkennertijd was de komst van de wereldjamboree in 1937. Voor heel Nederland was dat trouwens een happening. *Negentien-drie-zeven, dan zal je wat beleven, dan komt de jamboree naar Nederland: Jamboree! Jee-em-bo-rie!* Weken van tevoren werd het al gezongen, uit volle borst. De zeeverkenners zakten met boten af naar Vogelenzang, waar het evenement plaatsvond. Daar zetten ze hun tenten op naast een groep Amerikanen, die hoog op hun meegebrachte paarden zaten, en tegenover een regiment Polen, jongens van adel die met een eigen vliegtuig gekomen waren. Ze droegen de prachtige uniforms, met lange capes. Uitrustingen waar Rijk met open mond naar stond te kijken. 's Avonds bleek bovendien hoe praktisch die capes waren, toen er meiden onder werden meegevoerd, om in de Poolse tenten lol te trappen. Voor een jongen van twaalf was het allemaal nieuw en hoogst opwindend. Vooral toen hij, als hoogtepunt, de grote lord Baden-Powell een hand mocht geven.

Maar zijn liefde voor water? Die deelde hij in ieder geval met zijn moeder. Voor haar was de tocht per rijnaak naar Duitsland die ze af en toe met haar zuster maakte, het hoogste en het heerlijkste wat ze kende. Zij organiseerde ook de familievakanties naar zee, naar Katwijk, badplaats voor gereformeerden. Dit tot tegenzin van vader, die het liefst naar de Veluwe ging. 'Er is niets mooiers dan de Veluwe,' zei hij altijd. Als geboren Bilthovenaar zwoer hij bij de geur van bos. Maar zij had hierin het laatste woord. Voor drie weken huurde ze een huis, groot genoeg voor het hele gezin. En van die periode voegde hij zich dan één week bij hen. Langer durfde hij ook niet, doodbenauwd dat er buiten zijn aanwezigheid iets mis zou gaan op de bakkerij.

Het Schrijverke

O krinklende winklende waterding,
met 't zwarte kabotseken aan,
wat zien ik toch geren uw kopke flink
al schrijven op 't waterke gaan!

De zomer van 1937 werd, behalve door de komst van de wereldjamboree, nog om een andere reden gedenkwaardig. Het jaarlijkse schoolreisje zou naar Valkenburg gaan, met een bezoek aan de grotten en het Romeinse openluchttheater. Daar zou ook de grote voordrachtswedstrijd plaatsvinden tussen afgevaardigden van een tiental christelijke scholen uit het land. De Gooyer mocht de eer van de Utrechtse Burgerschool (de ulo) hooghouden. Om voor te dragen koos hij het gedicht 'Het Schrijverke' van de Vlaamse priester-dichter Guido Gezelle. Een gedicht over een watertorretje dat over de vijver schiet – het schrijft als het ware iets op het water. En wat schrijft het? 'Den heiligen Name van God' natuurlijk.

De wedstrijd stond onder auspiciën van de Nederlandse Spoorwegen, die als hoofdprijs een dagkaart hadden uitgeloofd. Op het station in Utrecht gierden de zenuwen al door zijn keel. Normaal zou het met de kleine De Gooyer op de heenreis alleen maar geintrappen zijn geweest, gekletter met asbakjes en moppengetap, maar nu zat hij stil aan het raam, eindeloos dezelfde tekst voor zich uit te lispelen: *Wat zijt gij toch, blinkende knopke fijn, dat nimmer van schrijven zijt moe?* Het bezoek aan de grotten ging geheel aan hem voorbij, evenals de kennisquiz tussen de middag. En uiteindelijk in het Forum aangekomen was hij nóg niet uit zijn lijden verlost. Er werd geloot wie mocht beginnen, Rijk moest als achtste.

De eerste kandidaat was een meisje. Toen zij ging staan, bleek dat zij ook 'Het Schrijverke' had gekozen. Kon gebeuren. Op christelijke scholen was het een favoriet gedicht. Ze deed het bovendien niet onaardig. Daarna kwam er slungel uit de Rijnmond. En ook die begon over het 'krinklende winklende waterding'. Door zijn zware Rotterdamse tongval won het gedicht niet bepaald aan lyrisch raffinement, maar de bijval was behoorlijk. Toen ook de derde kandidaat met 'Het Schrijverke' op de proppen kwam, werd Rijk onrustig. Nog vier kinderen te gaan, daar zat ongetwijfeld nog een Schrijverke tussen; hij kon onmogelijk met datzelfde gedicht aankomen, hij zou zich belachelijk maken. Gelukkig kende hij nóg een gedicht uit het hoofd. Een komische voordracht in Veluws dialect. Over een man die last had van een vliegenplaag. Hij had het van zijn vader geleerd. *Vliege, vliege, a'k oe kriege, slao'k oe plat, klets* – zo ging het refrein, en bij het woord 'klets' sloeg hij de handen tegen elkaar, alsof hij een vlieg plette. *Hee, die doar ha'k haost had!*

Dat was de keus waar hij voor stond. Of het hooggestemde maar inmiddels grijsgedeclameerde 'Schrijverke', of 'Vliege' van pa. Nog twee Schrijverkes volgden – ze klonken zwak, uit beschroomde keeltjes. En toen Rijk ging staan en zijn rug rechtte, had hij het in een fractie van een seconde besloten. *Vliege, vliege, a'k oe kriege,* begon hij. Het was een overweldigend succes. Zijn eerste applaus in een echt theater. Hij nam het met een buiging in ontvangst en wist zeker: ik word acteur. Onder een klaterende ovatie kreeg hij van een conducteur, compleet met pet en spiegelei, de dagkaart van de Nederlandse Spoorwegen overhandigd.

Samen met z'n vader stippelde hij de dagreis uit. Zo'n kans kreeg je maar één keer, was diens standpunt, dus moest je eruit halen wat erin zat. Vanuit Utrecht zouden ze gaan naar Amsterdam, het Rijksmuseum, om via de Alkmaarse kaasmarkt met de Lemmerboot over te steken naar Leeuwarden en Groningen. Onder de Martinitoren konden de meegebrachte boterhammen worden genuttigd om vervolgens over Zwolle, en De Bedriegertjes in Arnhem, langs 's-Hertogenbosch, het Vrijthof in Maastricht te bereiken. Als het dan nog niet donker was zouden ze de Rotterdamse havens aandoen, alsook het Vredespaleis in Den Haag, om vervolgens terug te keren naar huis. Ziedaar, een bliksembezoek langs de belangrijke steden van ons land; gezellig en leerzaam tegelijk. En het werd hun zomaar in de schoot geworpen. Vader liet er de bakkerij graag een dagje voor in de steek.

Maar naarmate de dag naderde, groeide bij Rijk de tegenzin. Een volle dag door het land worden gesleept, hij had zich bij een hoofdprijs wel iets anders voorgesteld. Hadden ze hem maar het geld gegeven. Acht gulden: dat was goed voor veertig pakjes shag en zesentwintig keer naar de bioscoop. Een buurman die maandelijks naar Groningen moest, bood uitkomst. Na enig onderhandelen nam hij de kaart over voor zes gulden en een stevige handdruk. Probleem was wel dat de NS de wederwaardigheden van de jonge dagtochtwinnaar wilden vastleggen. Voor de Vliegenkoning en acteur-in-de-dop geen enkel probleem: die verzon wel wat. 'Kortom, een gezellige en leerzame dag,' besloot hij zijn verhaal voor de camera. En hij bedankte de gulle gever nog eens hartelijk voor het prachtige geschenk.

II

Bezettingsjaren

De Kalimazoo

De zomervakanties bracht Rijk soms door bij een tante in Den Haag. Daar ging het er gelukkig wat wereldser aan toe. Hij kwam in aanraking met andere muziekgenres dan de psalmen van Johannes de Heer. En in de zomer van 1938 nam een oudere neef hem mee naar een optreden van Duke Ellington in het Scheveningse Kuhrhaus. 'Ik raakte geëlektriseerd,' zegt hij. Het was een bonte grenspaal, een markeringspunt aan het begin van zijn puberteit. Hij kocht zijn eerste grammofoonplaat, Ellingtons 'Mood Indigo'. En snel daarna volgde aanschaf van een Kalimazoo, een Amerikaanse viersnarige gitaar. Een tweedehandsje, gekocht bij Staffhorst in de Drieharingenstraat. Zijn lievelingsbroer Kees leerde hem erop spelen.

Lollipop had de verhuizing van de Adelaarstraat naar Tuindorp, waar de familie inmiddels woonde, niet overleefd. Boven zijn bed hingen nieuwe helden: Tyrone Power bijvoorbeeld, en Errol Flynn die in *The Adventures of Robin Hood* (1938) speelde, een film die hij wel tien keer zag. Zijn hart ging uit naar stoere mannen als Philip Dorn – eigen naam Frits van Dongen – die als eerste Nederlander in Amerika doorbrak, en mooie, ongrijpbare actrices als de Oostenrijkse La Jana, die naast Dorn in *Der Tiger von Eschnapur* (1938) speelde. Ook een film waar hij geen genoeg van kreeg. En 's nachts stond hij nog wel eens voor het raam van zijn slaapkamer, schuin boven de voordeur, en keek naar buiten. Want uiterlijk was er veel veranderd, maar de dromer in hem, die over andere vertes, over avontuur fantaseerde, was gebleven.

Autoracen nam in die dagdromen een belangrijke plaats in. Auto's sowieso, die hadden iets magisch, waarschijnlijk ook omdat er nog zo weinig van waren. Hetzelfde gold voor vliegtuigen. Charles Lindbergh híng al boven zijn bed, later kwam daar nog het portret van Wim Parmentier bij. Dat was de piloot van de *Uiver*, die in 1944 de Melbourne Race won voor de Engelsen, Duitsers, Italianen en Fransen. In Nederland veroorzaakte het de zogenaamde Uiverkoorts. Er waren speciale Uiverspeldjes, Uiversigaren, Uiverliedjes, speciale Uivermenu's met Uiversalade en Uiversaus. Het heroïsche zat hem vooral in de tegenslag die de bemanning – bestaande uit Parmentier, Moll, Prins en Van Brugge – onderweg te verwerken had gekregen. Een noodlanding in het zicht van de finish, waarna ze toestel weer uit de modder omhoog moesten sleuren, de lucht in. Als baron von Münchhausen die zich aan zijn eigen haren uit het moeras trok. Hij vond het allemaal geweldig.

Beter brood

In 1938 werd de brood- en banketfabriek De Korenschoof opgeheven om als meelfabriek verder te gaan. Alle bakkers en bezorgers die nu op straat stonden, smeekten De Gooyer om voor zichzelf te beginnen en hén in dienst te nemen. En zo gebeurde het. Aan de Nieuwe Kade vond hij een geschikt pand voor een eigen zaak: De Gooyer's Bakkerijen.

'Waarom bakkerij*en*?' vroeg moeder nog. 'Wat is dat voor zotheid? Je hebt er toch maar één?'

'Eén voor brood en één voor banket,' was het antwoord. 'Dat maakt samen twee.'

In werkelijkheid was de concurrentie zo groot dat elk slimmigheidje hielp. Max de Raat zat vlakbij, een van de oudste en koninklijk goedgekeurde bakkerijen. Dan had je Do Schat van het gereformeerde Lubro. Lubro stond voor Luxe Broodjes, wat vader De Gooyer ertoe bracht zijn zaak pesterig Bebro te noemen: Beter

Brood. Die concurrentie werd op alle fronten uitgevochten, wonderlijk genoeg ook in de kerk. Vijf jaar lang leverde vader De Gooyer het brood voor het Heilige Avondmaal ('Neemt dit brood, dit is Mijn lichaam...'), tot de kerkenraad besloot dat het genoeg was en ook een andere broeder een kans moest krijgen. Het ging om casinobrood, met de korsten eraf, eerst in plakken en vervolgens in ruitjes gesneden. Dat alles op een zilveren schaal. Het eerste Avondmaal dat De Gooyer dit brood proefde, baste zijn stem door de kerk: 'Hm, slecht gerezen!' Waarop moeder De Gooyer weer in elkaar kromp.

Van chef was De Gooyer nu directeur geworden, en dat had – zoals gezegd – een verhuizing tot gevolg gehad. Van de Vogelbuurt waren ze naar Tuindorp vertrokken, een gloednieuwe onderwijzerswijk aan de rand van stad. Als je hun straat, de Professor J.W. Dieperinklaan, uitliep, keek je uit over de weilanden.

Rijk zat in het tweede jaar van de ulo, toen de oorlog uitbrak. Ze waren aan het voetballen toen de eerste Duitse vliegtuigen overkwamen. Een moment dat in zijn geheugen staat gegrift. Op 14 mei daalde er vanuit Rotterdam een asregen op Utrecht neer. Over de Biltstraat marcheerde het Duitse leger de stad binnen. Fraai in het gelid, met gestaalde tred, in martiale uniformen. Als veertienjarige puber stond hij ernaar te kijken, de mond ietsje opengezakt.

Wat hun vader zo graag had gewild, beroepsmilitair worden, was Kees inmiddels gelukt. In 1939 was hij aan zijn opleiding begonnen aan Koninklijke Militaire Academie in Breda. Maar toen eenmaal bij de Grebbeberg de gevechten uitbraken, werden de cadetten binnengehouden. De legertop hield hen nog even achter de hand voor later: zij zouden als elitekorps de verdediging van de vesting Holland op zich kunnen nemen. Dat dat niet meer zou hoeven, konden ze toen nog niet weten.

Een familielid dat wél in de vuurlinie stond, was de man van Rijks oudste zus Jo. Hij was gelegerd in het Brabantse Lage Zwaluwe. Toen er na de capitulatie maar geen bericht van hem kwam, is zus Mien – de op een na oudste zus – op de motorfiets op onder-

De Gooyer Bakkerij aan de Nieuwe Kade, ca. 1938.

zoek uitgegaan. Naar verluidt heeft ze op de Moerdijkbrug alle lijken omgedraaid tot ze het lichaam haar zwager vond. Hij bleek op de eerste oorlogsdag al te zijn gesneuveld.

Vader De Gooyer nam zijn kinderen mee naar de Grebbeberg. Als ramptoeristen, tussen andere nieuwsgierigen, hebben ze daar staan kijken: de kapotgeschoten kazematten, verwrongen pantservoertuigen en omgewoelde aarde. Daarna volgde er een bezoek aan Ouwehands, het dierenpark in Rhenen. Een onbegrijpelijk dagje uit – nu nog, als Rijk de Gooyer eraan terugdenkt – waarschijnlijk bedoeld als een verhuld soort rouwverwerking.

In dat eerste woelige oorlogsjaar had Rijk het zwaar. Hij hoorde flarden informatie over de strijd, zoals die in overal Europa geleverd werd. Het maakte hem onrustig. De verhuizing had wel een goede vriend opgeleverd: Piet Wiersma, een Indo met de nuchterheid van zijn Friese achternaam. Wiersma had het beter getroffen dan Rijk: die zat op de christelijke hbs, een school die, aan de verhalen te horen, in ieder geval een stuk volwassener was dan de zijne. Het allerliefst was Rijk naar de hbs-A gegaan, het grote gebouw aan de Van Asch van Wijckskade. Maar die school was katholiek, zodat hij er niet eens van durfde te dromen. Een dubbele aanleiding voor een overstap diende zich aan toen hij in de derde klas dreigde te blijven zitten, en bovendien op een onbewaakt ogenblik de leraar Engels had gemolesteerd. 'Gemolesteerd is een groot woord,' zegt hij nu. 'Die man had me aan mijn oor de bank uit getrokken en dat pikte ik niet. Ik verkocht hem een stomp en hij zakte ineen. Wist ik veel dat het een maagpatiënt was.'

De leiding van de school kwam praten. Maar aan vader De Gooyer hadden ze in dit geval een slechte. Docenten hoorden leerlingen niet aan hun oren uit de bank te trekken, zeker niet zijn zoon, zijn oogappel. Dus werd het alsnog de christelijke hbs.

Piet Wiersma had natuurlijk overdreven. Zo leuk was het daar ook weer niet. Maar hoe leuk kan een hbs-B zijn als bètavakken je niet interesseren? Elke ochtend begonnen de lessen met gebed, waarbij de hele klas ging staan. Nou ja, de hele klas... Omdat De Gooyer het eerste jaar nog achterin zat, gebruikte hij dat moment om even vlug zijn huiswerk over te kijken.

Je had wel op school wel 'leuke bidders', zoals hij zich herinnert. De leraar geschiedenis bijvoorbeeld. Als die man aan zijn gebed begon, verkrampte hij tot op het bot en hield de handen samengewrongen tussen de benen. Met samengeperste ogen en een smartelijke trek om de mond bleef hij een paar seconden zitten, alsof hij op de wc zat maar niet kon. Dan knalde het eruit: 'Heer, o Heer, wij staan hier need'rig voor Uw aangezicht...'. Dan opende hij voor een moment de ogen en overzag de klas. 'Behalve De Gooyer,' zei hij dan, 'die zit nog op z'n krent. Maar die krijg ik straks nog wel.' Daarna smeekte hij de zegen af voor de werkdag die komen ging. En hij bouwde dat gebed uit met gebeurtenissen die mensen in de omgeving in hun greep hielden. Toen er in Noord-Holland een polder was ondergelopen, en er een oude boer en vijf stuks vee waren verdronken, refereerde hij aan de bruiloft te Kana. 'Heer, o Heer!,' jubelde hij, 'wat een water! Maar Gij kunt 't in wijn veranderen.' Een moment dat De Gooyer ook even de ogen sloot, om het zich goed voor te kunnen stellen: koeien die slobberend voorbijdreven in een grote plas donkere bordeaux.

In de feestelijke kerstuitzending van het programma *Klasgenoten*, in 1985 bij de VARA gepresenteerd door Koos Postema, kwam de klas uit 1942-'43 bij elkaar. 'Hij lette nooit op, hield je altijd van je werk. Hij was, kortom, storend,' zei een dame met een uilenbril. En de trek om haar mond verried dat ze hier geen grapje maakte. Een ander dame viel haar bij. 'Hij bracht je uit je concentratie,' knikte ze. 'Dat was wel eens vervelend.' 'Rijk was Rijk,' bracht een wat gezelliger exemplaar in het midden. Verder was het een gezelschap van ietwat stijve mannen, die zich veertig jaar naar dato nog vrolijk maakten om bijnamen van leraren. Over Van der Wal, van geschiedenis: de Kwal. De broodmagere gymnastiekleraar, Hofsteden, die de Lat werd genoemd. En de Pudding – dat was enigszins corpulente dominee Van de Akker, die na een sprongetje van het podium altijd even bleef natrillen. Er werd beschaafd om gelachen, tot de Lat en de Pudding daadwerkelijk zélf de studio binnenkwamen.

Rijk de Gooyer voelde zich er als puber al niet thuis, in die derde klas, en veertig later, toen iedereen geworden was wat die had móeten worden, werd duidelijk waarom. Daar zat De Gooyer in spijkerbroek en trui, scheef in zijn bank. 'Ik denk,' zei een oud-klasgenoot met een beige stropdas, 'dat het leven van hem zich op een heel ander vlak afspeelde dan het mijne.'

Twee uitzonderingen waren er. Naast Rijk de Gooyer zat Piet Wiersma. Een gedistingeerde Indische man, met zilvergrijs haar, in lichte watergolf, die vriendelijk mee lachte, de lange handen over elkaar gelegd. Hij dacht er duidelijk het zijne van. Hoe streng en christelijk hij de school had gevonden, wilde Postema weten. Wiersma formuleerde bedachtzaam. 'Ik wil hier niks vervelends zeggen over de leraren of over de school zelf,' luidde zijn antwoord, 'maar ik heb er een verschrikkelijk nare tijd gehad.'

De andere uitzondering was meteen het hoogtepunt van de uitzending. Het was de binnenkomst van Leentje Okkerse. Zij zat een jaar lager en was meer dan twee jaar zijn vriendinnetje. Een vrouw met een open, vrolijk gezicht. 'Een niet-alledaagse, spannende jongen,' zei ze over Rijk. Ze was geboren in Sevilla – 'Niño mimado,' schreef ze boven haar liefdesbrieven, 'lieve jongen' – en was een exotische verschijning met grote bruine ogen. Maar ook een braaf christelijk meisje. Dus kwamen de prille pubers niet veel verder dan urenlang praten op het hoekje van de straat, achter het elektriciteitshuisje, en kon hij 's nachts alleen maar dromen van haar volle boezem. Hij deed haar een gouden vulpotlood cadeau, gekocht op een van zijn spijbeldagen in Amsterdam. 'Iets wat ik helaas heb terug heb gestuurd toen het uit was,' zei ze met een fijn mondje. 'Ik heb het nooit meer teruggezien.' Onder de aftiteling draaide het nummer van Rijk de Gooyer dat op haar geïnspireerd was: 'Nellie van den Heuvel uit de vierde klas'. Op de muziek van 'Tie A Yellow Ribbon'.

Het was een mooie zomer, maar die is voorbijgegaan.
O, Nellie van den Heuvel, zou jij nog bestaan?

Langzaam kreeg de bezetter greep op het alledaagse leven. In de bioscoop draaiden alleen nog Duitse films, waaronder een grote stroom propagandamateriaal. *Münchhausen* – in Agfacolor! – van Erich Kästner vormde daarop een zeldzame uitzondering. Voor iemand wiens idolen Spencer Tracy, Humphrey Bogart en Richard Widmark waren, bleef het behelpen. Het merkwaardige was: het soort filmsterren waarmee hij zich identificeerde waren niet bepaald *beauty boys*, en leken met het jaar ruiger te worden. Genoemde Widmark onderscheidde zich in de film *Kiss of Death* door als een psychopathische huurmoordenaar een oud vrouwtje met rolstoel en al van de trap te gooien. 'Ach ja,' zegt De Gooyer dromerig, als hij eraan terugdenkt.

Om naar films voor achttien jaar en ouder te kunnen zette hij een hoed van zijn vader op en trok de jas van een oudere broer aan.

De Gooyer senior als chef van de broodfabriek De Korenschoof in Utrecht, ca. 1925.

Sommige portiers hadden niets door, anderen lieten hem met een knipoog voorbij. Zo zag hij in 1942 *Die goldene Stadt* van regisseur Veit Harlan: beeldschone dienstbode (gespeeld door Harlans echtgenote Kristina Söderbaum) gaat kopje-onder in de grote stad. Een eersteklas *Blut und Boden*-draak, daarover bestond geen enkele twijfel, maar er werd in geneukt (zo ging tenminste het gerucht), dus die moest je zien. Aan zijn arm liep Leentje Okkerse. Ook haar verwachtingen waren hooggespannen. Zij had een jas van haar moeder aangetrokken en een geleend hoedje met een voile op het hoofd gezet. Bij de kassa aangekomen informeerde de portier naar hun leeftijd. 'Achttien,' bromde Rijk. De rand van zijn hoed viel tot ver over zijn ogen. 'Ook achttien,' zei Leentje en kleurde rood achter haar voile. Die kon het dus vergeten. Als goed cavelier had Rijk natuurlijk van de voorstelling af moeten zien. Hij had met Leentje iets anders moeten gaan doen. Dat vond hij achteraf ook. Maar op dat moment won de opwinding het van de hoffelijkheid. 'Ik bel je vanavond,' hoorde hij zich laf roepen. En liet de verbouwereerde Leentje compleet met hoed en voile bij de kassa achter.

Propaganda of niet, het was een prachtige film. Dienstbode afkomstig van het platteland moet wennen aan het grote, wufte Wenen. Maar de rijke familie waarbij ze in dienst treedt is allerhartelijkst en elke avond schrijft ze een opgetogen brief naar huis. Tot de zoon des huizes, een ellendige nietsnut, zich aan slaapkamerdeur meldt. Ze verzoekt hem weg te gaan, eenmaal, tweemaal, vraagt het met klem. Maar hij luistert niet. Integendeel. Hij werpt haar op bed, geheel gekleed – evenals hijzelf overigens – en begint aan haar te friemelen en te plukken. Terwijl het licht langzaam dooft, klinken er geluiden van gehijg en gesmoord protest: 'Nein, Toni, nein...!'

De scène waar alle jongetjes zo hoog van opgaven.

Als de dienstbode drie maanden later zwanger blijkt, wordt ze ontslagen. Ze keert met haar schamele bezittingen terug naar het platteland, maar ook haar ouders keren zich van haar af. Ten slotte dwaalt ze eenzaam door het moeras, waar ze verdrinkt.

Voor de zestienjarige Rijk het meest ontroerende dat hij ooit had gezien. De tranen stonden in zijn ogen. En zo kon het dat hij naar buiten liep, recht in de armen van een ouderling die op de hoek van de Voorstaat stond te posten. 'Gek genoeg altijd na afloop van de film,' zegt hij, 'nooit voor aanvang. Het straffen schonk blijkbaar meer bevrediging dan het behoeden voor de zonde.' Veel zwartkijkers verlieten daarom de bioscoop ruim voor het einde van de film. Maar Rijk was daarvoor te veel een filmliefhebber, en kon een vroegtijdig vertrek niet over zijn hart verkrijgen.

Rijk is weg

Straf? Ach nee. Rijk was de oogappel van zijn vader, die werd niet snel boos. Hij sprak zijn zoon hooguit vermanend toe. Bovendien vond hij het klikken van de ouderling minstens even laakbaar als het bezoeken van onzedige films.

Twee keer ging het anders. De eerste keer toen hij als achtjarig jochie stelselmatig weigerde levertraan te slikken, en door zijn leraar hiertoe gedwongen werd ten overstaan van de hele klas. Niet bepaald een staaltje hogere pedagogie, en toen die publieke *Beschimpfung* hem te veel werd besloot hij dan ook weg te lopen. Eerst naar zijn lievelingsbroer Arie in de hoofdstad, daarna de wijde wereld in. Dus liep de achtjarige Rijk een stuk de Amsterdamsestraatweg af en stak zijn duim in de lucht. Maar de eerste lift, van een vrachtwagen, strandde meteen al op het politiebureau in Maarssen. Daar pikten zijn ouders hem weer op. Zonder eten naar bed. Dat was nog doenlijk.

Een andere keer is hij wel door zijn vader geslagen. Dat was zes jaar later, toen hij zich had aangemeld voor een 'weerkamp'. Op school was een man verschenen die iedereen een gratis schooldiploma in het vooruitzicht stelde. Je hoefde je alleen maar aan te melden voor een opleiding in Duitsland, waar je les kreeg in zweefvliegen, schermen, schieten... kortom alles wat een jongenshart sneller doet kloppen. Tweede voorwaarde was dat je toestemming van je ouders had. Dus nam Rijk 's middags het formulier, met zijn eigen hanenpoot er al onder, nog even mee naar huis voor akkoord. Daar kon hij meteen op bed gaan liggen, met de broek naar beneden. En met een gebroken schieter – een platte houten schep waarmee je het brood uit de oven haalt – kreeg hij ongenadig op zijn lazer. 'Precies wat ik nodig had,' zegt hij zestig jaar later. 'Eigenlijk wist ik het toen ook al: ik had hem op zijn vaderlandslievende ziel getrapt.'

Hij spijbelde vaak. Zo vaak dat ze op school niet eens cijfers hadden om hem op aan te spreken. Een familiekwaal kwam daarbij vaak van pas: trietoogjes. Even wrijven en ze zagen er angstaanjagend rood uit.

'Rijk jongen, wat heb je?'

'Ik zie niets meer op het bord, meneer.'

'Ga dan maar snel naar huis.'

Een fijn middagje om te gaan zwemmen. Of naar Heck's lunchroom te gaan, het café waar hij als veertienjarige zijn eerste pilsje dronk. Oorlogsbier. Niet bepaald een traktatie, maar in Heck's kon je ook biljarten en de Ramblers traden er op, zodat je de hele middag van de straat was. Later werd het café Musica, op de hoek van het Neude en de Loef Berchmakerstraat. Een artiestencafé waar ook mannen als Willy Walden, Piet Muyselaar en Toon Hermans kwamen.

Onnodig te zeggen dat alcohol – voorzover je het al kon krijgen – binnen de gereformeerde gemeenschap uit den boze was. Je dronk sap of vruchtenbowl, als er een feestje was. Een bowlstel met bijbehorende glaasjes was dan ook het uitgelezen huwelijks- of jubileumgeschenk. Samen natuurlijk met gebaksbordjes, want ook een plakje cake hoorde erbij. Helaas had de zoontje van de banketbakker al genoeg zoetigheid in zijn leven gezien – de lust daartoe was wel vergaan. Dus was het simpel: alles wat van thuis mocht, gooide hij in zijn pet. Hij zocht zijn vertier om de hoek: plekken waar de gereformeerden hun kille vingers niet achter kregen. De bioscoop, het café, en ten slotte in het grootste hellehonk denkbaar – het theater.

Piet Kohler met zijn klucht *De Boemelbaron* was de eerste voorstelling die hij 'clandestien' zag. Daarna volgde het duo Johnny and Jones, *Two Kids and a Guitar*, in het NV Huis aan de Oude Gracht, waar hij stiekem naar binnen was geglipt – het optreden was namelijk alleen voor joden bestemd. In het Rembrandt Theater, eveneens aan de Oude Gracht, zag hij een revue met Gerard Walden (broer van Willy), diens vrouw Berry Kievits en vooral Toon Hermans, die een imitatie van de clown Buziau ten beste gaf, waar hij helemaal van ondersteboven was. Zozeer zelfs dat hij de voorstelling wel vijf, zes keer bezocht om de conference woordelijk uit te kunnen schrijven. Zo had hij zijn eerste 'eigen' nummer, dat hij triomfantelijk op schoolfeesten ten gehore bracht. Een nummer dat hem ook aan het begin van zijn latere carrière uitstekend van pas zou komen.

Hamervilt en varkenshaar

'Rijk, we worden schatrijk!'

De stem van Evert Vastenburg. De Gooyer was inmiddels weer van school gewisseld. De christelijke hbs, waar hij opnieuw dreigde te blijven zitten, verruilde hij voor een bijzondere hbs, de FC De Munnik. Een school voor jongens en meisjes die niet konden leren of dat niet wilden. De Gooyer was er een van de laatste categorie. Bij de FC De Munnik waren de klassen waren niet groter dan acht leerlingen, zodat iedereen de aandacht kreeg die hij nodig had. In de groep van Rijk zat een echtpaar dat alsnog het diploma wilde halen, en een achterlijke jonkheer die al een stuk in de dertig was maar nog steeds door zijn ouders werd aangemoedigd de middelbare school af te maken. En *last but not least* was daar Evert Vastenburg. Een handige jongen met een scherpe tong en ongebreidelde fantasie. Met kattensprongen redde hij zich uit de meest onmogelijke situaties, waarin hij zich zelf eerst had gemanoeuvreerd, want hij was een ideeënman. 'Rijk, we worden schatrijk' – dat was zijn vaste binnenkomer. En dan volgde er een plan, zo geniaal en tegelijk zo simpel dat je niet begreep dat je er niet zelf op gekomen was.

Op een lentedag in 1944 zat Rijk op zijn kamertje, naast de kist met het gelooide konijnenvel, te tokkelen op z'n hawaïgitaar, toen Vastenburg binnenkwam.

'Rijk,' riep hij, 'we worden schatrijk!'

Hij had een landmeterkijker bij zich en een rood-witte stok, die hij tegen de deur zette. Uitleg volgde er niet. Rijk moest meekomen. En zo ging het op de fiets met houten banden richting Buitenpolder. De Gooyer trappend, Vastenburg achterop.

Op het erf van een flinke boerderij nam Evert plaats achter de landmeterkijker en vroeg Rijk, met de gestreepte stok, een flinke afstand verderop in het gras te gaan staan. Daarna om een paar stapjes naar links te doen, dan naar rechts... Ja ho, stop! Naar achteren...! Het ging allemaal met luide stem en brede gebaren, precies zoals echte landmeters doen. En het duurde niet lang of de deur van de boerderij ging open en de nieuwsgierig geworden boer kwam naar buiten.

'Wat heeft dit allemaal te betekenen?' vroeg hij.

'Er komt hier een nieuwe lichtmast,' zei Vastenburg en loerde vakkundig door z'n kijker. De boer keek naar Evert. De boer keek naar Rijk.

'En kan dat ding niet ergens anders worden gezet?' vroeg hij.

'Stukje naar links nog, De Gooyer!' dirigeerde Evert. En op licht beledigde toon: 'Meneer, we zijn uitvoerders van overheidsbeleid.'

'Valt er ehm... nergens over te praten?'

Vastenburg keek even op van zijn kijker. 'Ach ja,' zei hij. 'Praten kan altijd.' Even later vertrokken ze met een forse ham, twee kilo boter, een boerenkaas, een zak tarwe en een roggebrood. De houten fietsbanden kraakten.

Een andere keer wist Vastenburg een vleugel te staan, een opknappertje. Duizend gulden, dat moesten ze samen ophoesten. Maar uiteindelijk, pochte Vastenburg, zou het instrument op sokken het tienvoudige opbrengen. De vleugel werd naar een onverwarmde garage van een kennis gebracht, waar ze erachter kwamen dat het vilt op de hamertjes ontbrak: door de motten opgevreten. Geen nood. Voor een paar honderd gulden – die De Gooyer weer even moest voorschieten – wist hij op de markt een stuk vilt op de kop te tikken. Ze knipten het in reepjes en plakten het met engelgeduld op de 88 hamertjes. De pianostemmer, die het project moest bezegelen, borg zijn stemsleutel weer op. Hij had het in één blik gezien. 'Gooi maar weg, jongens,' zei hij. De stembalk was op drie plaatsen gebroken. Evert stelde voor de vleugel dan maar in de kachel op te stoken. Want hout was schaars en zo had hun aankoop toch nog enig nut.

Bij een volgend project had Vastenburg het op levende have gemunt. Hij wist van een boer in Harmelen die meermalen door de ondergrondse was bedreigd. De man moest zijn als represaille een varken afstaan. De ondergrondse had zijn komst al aangekondigd: een dezer dagen zouden ze het beest komen halen, en als de boer het waagde om zich te vertonen zouden ze hem voor zijn raap schieten. Vastenburg wist precies wannéér de exercitie zou plaatsvinden: over twee dagen. En zijn plan was weer even simpel als geniaal, zij moesten één nachtje eerder komen. Dan konden ze doen alsof ze de ondergrondse waren en er zelf met het beest vandoor gaan. Dus togen ze door het donker met de handkar naar Harmelen, waar ze de boerderij aantroffen en een groot lodderig varken dat hen achterdochtig opnam. Rijk kreeg de bijl aangereikt die ze samen met een groot slagersmes uit Utrecht had meegenomen.

'Precies tussen de ogen: baf, dood!' was Everts advies. 'Fluitje van een cent,' voegde hij er nog aan toe. Misschien had Rijk de ogen niet moeten sluiten toen de bijl op het hoogste punt was; want het ding kwam precies op de snuit van het beest terecht, dat oorverdovend begon te gillen. De lichten in de boerderij gingen aan, maar ook weer uit. Precies zoals Evert voorspeld had. De boer durfde niet naar buiten te komen. Evert pakte kordaat het slagersmes en stak het varken in de keel. Het bloed spoot eruit en het beest gilde en rochelde. Met het varken op de handkar ging het door de regen en het duister terug naar Utrecht. Onderweg gingen er ook nog drie kippen onder het zeil, die Evert uit de omgeving rausde. Met touw en blok werd het varken omhoog gehesen naar Everts kamer.

Om een varken te ontharen, wist Vastenburg, moest je hem uren en uren koken. In een zinken teil, met een brander eronder, stonden de hompen vlees te borrelen tot ze roze kleurden. De slager die er uiteindelijk bij werd gehaald schudde zijn hoofd. Hij nam wat doorgesudderde vellen mee in ruil voor een pakje sigaretten, en liet de rest in de water achter. Evert heeft er nog erwtensoep van gemaakt. 'Niet eens onsmakelijk,' zegt Rijk achteraf, 'al zaten er nog haren in.'

Vastenburg zou zich na de oorlog nog ontpoppen tot oplichter van formaat. Hij had het tijdschrift *Arts en Economie* opgericht en vestigde zich als beleggingsadviseur. Door zijn functie had hij toegang tot een grote bestand van artsen die wel wat geld te besteden hadden, en Vastenburg raadde hen aan in projecten te beleggen: hotels in Taiwan, kuurbaden en golfterreinen in Kuala Lumpur, een oliebron in Alaska – als het maar ver weg was. Toen hij binnen was, vertrok hij met de noorderzon. De Gooyer had het de artsen kunnen voorspellen. Zelf was hij in de oorlog nog een keer door zijn vriend bedonderd. Rijks zuster Jo, die al vroeg oorlogsweduwe was geworden, kon moeilijk van haar pensioentje rondkomen. Maar ze bezat wel een gouden tientje, dat Evert voor haar te gelde zou maken. Geen punt. Op de zwarte markt kon hij er gemakkelijk driehonderdvijftig gulden voor krijgen! 'Ik heb hem het tientje namens mijn zuster gegeven,' zegt De Gooyer. 'En toen hij zich een week later meldde, trok hij zijn allertreurigste gezicht. "Het spijt me verschrikkelijk," zei hij. "Ik ben tijdens het onderhandelen in een kroeg betrapt door een mof. Maar ik zweer je, De Gooyer, ik heb jouw naam niet genoemd!"'

Wit, grijs en zwart

Dezelfde striktheid die vader De Gooyer in zijn geloof hanteerde, had hij ook ten opzichte van de oorlog en de bezetter. Je had goed en kwaad. Zwart en wit. Dat gold voor alle aspecten van het leven in die dagen, inclusief het bakken van brood. Nu was brood in de oorlog van inferieure kwaliteit, grijs en grauw, gemaakt van regeringsmeel.

Het rees niet goed. Het brood van De Gooyers bakkerijen vormde daarop echter een positieve uitzondering. 'Misschien omdat hij er restjes echt meel doorheen mengde,' denkt Rijk. 'Misschien omdat hij een geheim recept had – iets wat mee het graf in is gegaan.' In ieder geval kwam het gerucht over het kwaliteitsbrood ook de vijand ter ore. De *Ortskommandant* vroeg of hij wilde leveren aan Duitse kazernes. De Gooyer weigerde. 'Ik bak niet voor de vijand,' zei hij.

Zijn vrouw respecteerde het standpunt, al vond ze dat hij er goed aan deed om onder te duiken. Dat vond hij onzin. Hier gold een soort martiale erecode: hij was aan het begin van de Eerste Wereldoorlog korporaal en 'commandant van de strozakken' geweest, dus was het 'militairen onder elkaar'; die begrepen elkaar en respecteerden elkaars besluit. Ondertussen bleef hij wel brood leveren aan het verzet en iedereen die om welke reden dan ook ondergedoken zat. De vraag is of aan de (oud-)militaire code heeft gelegen, of dat hij gewoon geluk heeft gehad. Feit is wel dat hem gedurende de oorlog geen haar is gekrenkt.

Bakker Schat leverde wel aan de Wehrmacht, en liep daarmee binnen. In de ogen van De Gooyer dus fout. Het feit dat er achter de ovens van Schat, die inderdaad hard stonden te loeien, ook een drukpers van de ondergrondse stond, die ook op volle toeren draaide, deed daarbij niet ter zake. Zoon Rijk ging ondertussen gestaag door met het verzuimen van lessen en het halen van onvoldoendes. Vooral voor wiskunde. Dat vak werd gegeven werd door Kuiper, een NSB'er, die Evert Vastenburg na een conflict al van school had gestuurd. Wilde Rijk overgaan en iets tegenover zijn lijst met karige cijfers zetten, dan was een voldoende voor dat vak noodzakelijk. Op een nacht, aan het einde van het schooljaar, werd vliegveld Soesterberg door de Engelsen gebombardeerd. Vroeg in de ochtend volgde er een razzia in Tuindorp – alle jongens werden in bussen naar het vliegveldje gebracht om kraters te dichten. Alle jongens, behalve Rijk. Want die had de nacht met een vriendinnetje op een boot in Loosdrecht doorgebracht. Dus die stond die ochtend verbaasd op het schoolplein.

'Wat doe jij hier?' vroeg Kuiper, die het gebouw uit kwam lopen.

'Onderwijs genieten, meneer.'

Kuiper lichtte hem in over het bombardement en de razzia in Tuindorp. En in een seconde bedacht hij een plan. 'Ik mag het u eigenlijk niet vertellen,' zei hij, 'maar ik *hoefde* niet.' De interesse van Kuipers was gewekt. 'O nee?' zei die. 'En waarom dan niet?' Schoorvoetend vertelde Rijk dat hij lid was geworden van de Jeugdstorm, zónder dat zijn ouders het wisten uiteraard. En dat hij daarom bij de razzia was overgeslagen. 'Maar ik loop er niet mee te koop,' zei hij, 'dat snapt u.' Dat snapte Kuiper heel goed. En hij deed zijn verstandige leerling een aanbod. Rijk mocht een inhaalproefwerk komen maken om zijn cijfers op te krikken. De privé-repetitie vond plaats in een leeg lokaal, want Kuiper zelf had een bestuursvergadering. Dus sprong Rijk nog even op de fiets om bij een vriend een wiskundeboek te halen. Hij maakte het proefwerk vlekkeloos – wel zette hij er voor de zekerheid nog een paar foutjes in, om het geloofwaardig te houden, en slaagde met een negenenhalf.

Na de oorlog verdween Kuiper in een kamp en kreeg De Gooyer zijn einddiploma, met een schouderklopje van het schoolhoofd. *Wegens moed, beleid en trouw aan het vaderland bewezen.* Want inmiddels had hij aan de zijde van de Binnenlandse Strijdkrachten, de Amerikanen en de Engelsen gevochten. Maar zijn moeder, aan wie hij later de list tegenover Kuiper opbiechtte, schudde het hoofd. 'Liegen... over zoiets!' Wat dat betreft was ze net als haar man. Je had goed en je had kwaad. Wit en zwart. Maar in oorlogstijd, vond Rijk, was alles geoorloofd.

Het meisje met het dode haar

Wiesje Paap was de eerste. Eerlijk is eerlijk. De dochter van de tekenleraar op de ulo. Rijk mocht Wiesjes hand vasthouden. Haar vader kon absoluut geen orde houden. En hij geneerde zich dood tegenover zijn dochter, die het allemaal moest aanzien. Als de proppen papier weer eens om zijn oren vlogen, stuurde hij Wiesje altijd als eerste de klas uit. Dan bleef haar de aanblik van zijn verdere afgang bespaard. Op zijn veertiende gaf Rijk haar een fles parfum. Het eerste cadeautje dat hij ooit aan een meisje gaf. *Soir de Paris.* 'Een goedkoop parfum dat nog steeds bestaat.' Hij had overigens niet zelf gekocht, maar van de wastafel van zijn zus gejat. Er was al wat uit, maar aangevuld met water merkte je daar niks van. Wiesje was in de zevende hemel. Met Soir de Paris rook ze als een echte vrouw.

Op de christelijke hbs was er Leentje Okkerse. Een verkering van bijna drie jaar, zij het van het type knipperlicht. Want Leentje was dan wel mooi en lief – Piet Wiersma had ook een oogje op haar – maar ook erg braaf. Dus kwam Jannie de Vaal. Van de slagerij annex krokettenautomaat aan de Nobelstraat. Alle jongens jaloers, want Jannie was hot. Letterlijk. Hij wachtte haar 's ochtends op, en zo fietsten ze samen naar school. Hij met zijn tas achteloos over het stuur gegooid, zij peddelend met houten schoentjes ernaast. De bezetting duurde al een tijdje en schoeisel en goede kleding was schaars. Maar uit een Engelse kabelballon had een kleermaker een windjack genaaid dat er wezen mocht. Vader betaalde met broodbonnen. Stikheet was hij wel, de jas. Zelfs op een winterdag liep het zweet over je rug naar beneden. 'Maar je hield je groot,' zegt hij. 'Zeker tegenover Jannie!'

Om zijn eigen kwalificatie te gebruiken: Jannie was bloedgeil. Daar fietste je graag een straatje mee om. Op weg naar zwembad De Kikker deden ze het. In de berm. Voor het zingen de kerk uit, want condooms waren kostbaarder dan sigaretten.

Jannie was zo wild dat ze thuis niet meer te houden was. Ze werd naar een internaat gestuurd. Rijk bracht haar naar de trein. Ze stonden héél dicht tegen elkaar, de jassen om elkaar heen geslagen. Zijn broek opengeknoopt, haar slipje naar beneden. En omringd door medereizigers deden ze het, giechelig maar behoedzaam. Maar Jannie ging voorbij. Ze wilde wel zes keer per dag, en dat redde Rijk niet. Dus ging ze op zoek naar een man die dat wél kon.

Toen kwam Ieke Tanamal. Een Indonesisch meisje. Hij had het geluk van een Duitse soldaat drie condooms te kunnen kopen. En om er zo lang mogelijk profijt van te hebben waste hij ze na gebruik uit en hing ze op zijn kamer op stokjes te drogen.

Die borg hij als een haas weer op als zijn ouders naar de radio kwamen luisteren. Die stond namelijk onder zíjn bed. Op een dag kwam buurman Goud onverwacht binnen, om Radio Oranje te horen. Zelf had de lafaard zijn radio allang ingeleverd, maar met een brede smile nestelde hij zich af en toe op het bed van Rijk, om zich van de ontwikkelingen in Londen op de hoogte te stellen. De man zag de kapotjes, die Rijk zo snel niet had kunnen wegtoveren, maar zei niks. Diezelfde avond bleek hij toch te hebben geklikt. Moeder De Gooyer wist wel wat het waren, kapotjes. Vader De Gooyer niet. 'Bah!' riep die, toen het hem was uitgelegd. 'Zulke dingen heb ik nog nóóit gebruikt!' Wat moeder kon beamen. Buurman Goud is sindsdien nooit meer naar de geheime radio komen luisteren. Want net als met de ouderling en *Die goldene Stadt*, was vaders standpunt: wat zijn zoon had gedaan was misschien niet helemaal gepast. Maar verlinken had hij ook niet hoog zitten.

Je eerste liefde vergeet je nooit. Waar was Wiesje Paap gebleven? Zijn eerste liefde, de dochter van de tekenleraar? 'Wiesje kreeg tyfus,' zegt Rijk. 'In een paar dagen tijd was ze al haar haar kwijt.' Daar was de prille liefde niet tegen bestand. 'Toen ik haar jaren later nog eens tegenkwam,' zegt hij, 'bleek ze veel mooier haar te hebben dan toen, met grote, prachtige krullen.'

De witte bende

Behalve aan meisjes was in de oorlog ongeveer aan alles gebrek.

'Die kennen we toch?' zegt De Gooyer. 'De mop van die kettingroker? Die man die er in no time al zijn tabaksbonnen doorheen had gepaft. De stemming in huis te snijden, zijn vrouw wordt er gek van. Op een gegeven moment besluit ze naar de sigarenboer te gaan en smeekt om een pakje Consi-sigaretten. Na wat gesteggel zegt de sigarenboer: "Vooruit dan. Maar voor wat hoort wat." En om in hemelsnaam thuis de vrede te bewaren verdwijnt ze met hem achter een gordijntje. Daar doet ze haar rok omhoog en trekt haar broek naar beneden. Roept de sigarenboer: "Je hebt een hele zwarte kont!" Waarop de vrouw: "Ja, vind je het gek. De kolenbonnen waren ook al op."'

Van roodbruine tabletjes Santé maakte je in die dagen thee, het had in elk geval de goede kleur. Koffie kon van alles gemalen zijn, behalve van koffiebonen. Met Klop-Op en Albumona kreeg je slagroom, althans iets wat daarop leek. En Rijks opa van moederskant stopte gedroogd Trufolium in zijn pijp, een surrogaattabak van kersenblad. Van zijn laatste spaarcenten had hij er driehonderd kilo aan balen van in huis gehaald – de zolder bezweek er bijna onder. Het was eind 1944, en de bezetting kon nog wel even duren, dacht hij. Het spul walmde en stonk als de neten. En na de oorlog zijn die wolken ook nog even blijven hangen. Want opa was aan het einde van de oorlog negentig; hij zou honderd worden. Sommige mannen droegen 'gekeerde' pakken: als de stof versleten was, keerde de kleermaker de handel binnenstebuiten. Het vestzakje zat dan aan de andere kant, evenals de rij knopen, maar de trotse eigenaar kon weer even vooruit. Kledingwinkels kwamen met de wonderlijkste aanbiedingen. *Van twee lakens maken wij een regenjas. Van één laken een windjack.* Alle vrienden van Rijk liepen in het wit, die hadden thuis een of meer lakens losgepraat. Met een paar witte kabelkousen eronder was het helemaal af. 'De witte bende' noemden ze zichzelf.

In die sobere dagen gaf Rijk een feest dat maar liefst veertien dagen voortduurde. Een festijn van orgieachtige proporties achter de geblindeerde ramen van *iemand anders* huis. Dat kwam zo: overbuurman Oskam ging met zijn vrouw twee weken logeren in Brabant. En omdat er in de buurt zoveel werd ingebroken, vroeg hij Rijk of hij op diens woning wilde passen. Hij had een collectie van tweehonderd platen: Duke Ellington, Coleman Hawkins, The Andrew Sisters, Count Basie... Inclusief een pick-up. Geen spullen om onbeheerd achter te laten. Dat vond Rijk ook. Toen de eerste avond de eerste gasten gearriveerd waren, trok Rijk boven wat kasten open en stuitte op het pak van meneer Oskam. Double-breasted, duur van stof. Een droomkostuum. Zoals het alleen werd gedragen door sterren op het witte doek. Clark Gable, Gary Grant, Victor de Kowa... En het zat hem als gegoten! De rest van de twee weken liep de gastheer piekfijn rond op zijn eigen feest.

De avond voordat de Oskams thuis zouden komen werd alles eruit geperst. Een knalfeest. Tot Rijk even naar de overkant rende om een nieuwe grammofoonnaald te halen. Aan de huiskamertafel zat het zojuist teruggekeerde echtpaar. 'Ach ja, ik weet het, Rijk,' zei meneer Oskam. 'We zijn een dagje te vroeg. Maar welbedankt voor het oppassen.' De kleine huisbewaarder kon niets uitbrengen.

'Geef de sleutel maar,' knikte Oskam vriendelijk. 'Vanavond slaap je weer in je eigen huis.' Rijk dacht aan de situatie aan de overkant: lege flessen, peuken, de vloer bezaaid met grammofoonplaten, de verplaatste meubels, de smerige wc. 'Ik heb de sleutel niet bij me,' zei hij snel. 'Die ga ik wel even halen.'

'Prima,' zei meneer Oskam, 'dan loop ik even mee.' Al op het tuinpad was het gejoel van de gasten en de harde muziek te horen.

'Jongens!' schreeuwde Rijk, toen hij de voordeur openduwde. 'Hier is meneer Oskam!'

'Gezellig!' klonk het uit de keuken.

'Wie?!' riep iemand boven.

'Kan iemand de Boswell Sisters nog eens opzetten?'

Rijk stoof de trap op.

'Wij nemen een bad, goed?' zei een jongen daar, die naakt uit de echtelijke slaapkamer kwam. Er dribbelde een meisje achteraan, ook bloot.

'De man die woont hier, lul!'

Oskam, beneden bij de trap, bleef bewonderenswaardig kalm.

'Rijk,' zei hij, 'jij stuurt iedereen weg. Daarna ruim je de boel op en gaan we praten.'

Het duurde enige tijd voor het hele gezelschap was vertrokken. Alleen Piet Wiersma bleef. Die hielp met het boenen van de vloer, het verzamelen van de platen, het opmaken van de bedden, het terugschuiven de meubels, het verwijderen van peuken uit alle hoeken en gaten, het schoonmaken van de wc's...

'Zo,' zei meneer Oskam, toen Rijk zich met kloppend hart bij hem meldde. 'Je snapt zeker wel dat ik niet snel meer een beroep op je zal doen?' Dat begreep Rijk.

Was er verder nog iets gebeurd waar hij van moest weten? De Gooyer schudde het hoofd. 'Niets meneer.' En net wilde hij de kamer verlaten, opgelucht natuurlijk, toen hij werd teruggeroepen.

'O ja, en Rijk,' zei Oskam en knikte in zijn richting, 'trek je ook mijn pak nog even uit?'

Sarina, het kind uit de dessa

Piet Wiersma. Half Fries, half Indonesisch. Een stille, gedecideerde jongen. Tikkeltje serieus. Sportief, atletisch zelfs. Je zou kunnen zeggen: in alles het tegenovergestelde van Rijk. Toch waren het de allerbeste vrienden. Sterker nog, van hun twaalfde tot hun twintigste weken ze nauwelijks van elkaars zijde. Piet zat dus ook in het bandje dat Rijk oprichtte, De Manakora's, samen met twee andere jongens uit Tuindorp, Bertje Kips en Jan Waaier. Manakora was een Hawaïaans eiland, en hawaïmuziek was het helemaal. De jongens draaiden de bakelieten platen van Sol Hoopii, de grondlegger van het genre, en gaven af op de gelikte navolgers, de Kilima Hawaiians. Later waren er De Kilauea's, onder leiding van Theo Ehrlicher, een beroepsorkest uit de Haag dat vaak optrad in combinatie met de Samoa Girls, in ruisende rieten rokjes. Pia Beck was daarbij. En helemaal wild waren de jongens uit Tuindorp van de Maui-Islanders. Die beheersten het zogenaamde Hawaiian Swing-genre, waarin de originele palmboomsound met jazzy invloeden werd vermengd. Dat maakte de muziek minder weeïg, minder braaf.

De Manakora's hadden geen eigen repertoire, maar maakten met hun covers wel grammofoonplaatjes, die ze in Utrecht lieten persen. Op glasplaat. Vlak voor de brand in zijn boerderij in Giethoorn uit 1974 heeft hij ze nog eens gedraaid. Ze vielen hem niet tegen, al zegt hij het zelf. Maar in de hitte van het vuur zijn ze allemaal gesprongen. Daar kan natuurlijk de hand van vader De Gooyer in worden gezien, als een berispend gebaar van gene zijde. Maar dat is onwaarschijnlijk. Vader De Gooyer vond het jengelmuziek, dat hawaïspul, zeker. Maar in strijd met de gereformeerde mores was het niet. Een beetje muziek en pret maken mocht. Zolang het maar niet op zondag gebeurde.

Natuurlijk gebeurde het óók op zondag. Er speelde zich in die periode wel meer af, waarvan het goed was dat vader er niets van wist. De Manakora's speelden op bruiloften en partijen. En in de zomer van '44 stonden ze op het terras van café De Driesprong in Loosdrecht, om vervolgens met de pet rond te gaan. Het weekend erop kon je ze vinden bij jachthaven De Otter, en zo kwamen ze ook terecht in café-restaurant Het Kompas. Daar werden feesten voor zwarthandelaren georganiseerd. 'Vierkante, vlezige koppen en worstige handen,' herinnert Rijk zich. 'Ordinaire lui, die bulkten van het geld. Ze smeten ermee. In het gat van mijn gitaar stak ik de briefjes die ze toestaken.' En terwijl het drankgebruik angstwekkende vormen aannam, met het knijpen in de borsten en de billen van vrouwen als in een tafereel van Breughel, speelden de jongens vrolijke muziek. Klanken uit Hawaï.

'"Sarina"! Nu moeten jullie "Sarina" spelen!' brulde een van de proleten, een Utrechtse bunkerbouwer. Met 'Sarina' doelde hij op het nummer 'Sarina, het kind uit de dessa'. 'Sá-rí-ná!' riep hij en ramde met zijn bierpul op tafel. En dan spéélden de jongens 'Sarina', want dat leverde steevast honderd gulden op. Die zomer logeerde Rijk in De Driesprong. Hij had zijn vader wijsgemaakt dat het vanwege de *Arbeitseinsatz* was; en dat hij naar Duitsland gerepatrieerd zou worden als hij niet onderdook. De waarheid was dat het avontuur harder trok dan de schoolbanken. En de wens om erbij te horen, bij die volwassen, wat ongure wereld, was zo groot dat zijn vermogen des onderscheids eronder leed.

Zo was Han Boeschoten, eigenaar van De Driesprong, een NSB'er. Een gematigde, maar toch. In zijn etablissement ontving hij onder anderen de zoon van de geliquideerde SS-generaal Seyffardt, en Willy van der Hout, alias Willem W. Waterman, alias Willy van der Heide (die onder dat laatste pseudoniem later de Bob Evers-reeks publiceerde). De twee maakten samen het satirisch maandblad *De Gil*, waarin propaganda werd gemaakt voor het Derde Rijk. In het weekend voegde zich daar Joep Kessler bij, zoon van de Shell-topman. Hij moest van zijn vader bij de SS, maar weigerde. Als compromis meldde hij zich bij een Duitse afdeling die 'bouwde' aan een 'zuiver arische' generatie. Daartoe was hij doordeweeks te vinden in een *Befruchtungslager*, een bevruchtingscentrum. Zijn uiterlijk was er geschikt voor, bovendien was er zwaarder werk denkbaar. Maar het liet hem allemaal niet onberoerd. Hij raakte aan de drank en heeft zich na de oorlog opgehangen.

Een kleurrijk gezelschap, kortom, daar in De Driesprong. Met als kersje op de taart Anton van der Waals, landverrader nummer één. En een van de belangrijkste pionnen van de Duitsers tijdens het *Englandspiel*, waarbij Britse geheim agenten en marconisten onder dwang valse berichten naar het thuisfront stuurden, waardoor nieuwe arrestaties konden worden verricht. Van der Waals verhuisde veel, maar woonde in die tijd tegenover het restaurant, in een huis waar voor de oorlog de joodse schilder Ernst Leyden had gewoond. Hij beweerde altijd dat hij dubbelspion was, zo kon hij overal biertjes drinken en iedereen op de schouder blijven slaan. 'Feit was wel,' zegt De Gooyer, 'dat hij in De Driesprong altijd kwam waarschuwen als er razzia's op til waren. Zo kon het gezelschap altijd op tijd over de plassen vluchten.'

III

De grote oversteek

Verzetsjaren

Spijbelen, rondhangen in cafés, geld jatten voor bioscoopbezoek, muziek maken op feesten en partijen, meisjes versieren. Het leek wel een gewoon jongensleven. 'Dat was het ook,' zegt hij. 'Doordat ik naar school ging, ontliep ik de kans gevorderd te worden door de *Arbeitseinsatz*.' Eén keer is hij opgepakt, samen met Piet Wiersma. Ze hadden op Koninginnedag met carbidbussen een groot vuurwerk afgestoken. Dat viel echter onder 'ongeoorloofde uitingen van vaderlandsliefde'. Als straf moesten ze de tuin van Anton Mussert aanharken, aan de Maliebaan, nog een flinke lap. Noch Mussert zelf, noch diens tante, die bij hem inwoonde, hebben ze die middag gezien.

Een blauwe maandag waren ze lid van een verzetsgroep, zij het met weinig voldoening. Ze waren de jongsten, Piet en hij, en dat zouden ze weten. Terwijl de harde kern zich bezighield met het afleveren van wapens, en met gedempte stemmen sprak van geheime missies (droppinkje hier, droppinkje daar), werden de jongens afgescheept met lullige karweitjes. De oom van Wiersma had op zolder een draaibank, en daar moesten ze uit vooroorlogse zilveren munten de beeltenis van koningin Wilhelmina zagen. De hoofdjes werden aan een speld gelast, in een zilverbadje gedoopt en aan iedereen verkocht die het achter de revers wilde dragen. Als teken van goed vaderlanderschap. De opbrengst ging naar het verzet. Ook knipten ze uit oranje papier w'tjes, die ze 's nachts op straat uitstrooiden. 'Toegegeven, een lulliger vorm van verzet bestaat niet,' zegt hij. 'Maar toch, je deed wát. Veel mensen hielden zich afzijdig. Dat haatte ik. Of mensen die riepen dat verzet zinloos was, dat je je maar beter kon schikken in je lot. Dat was wel het lafste excuus dat je kon bedenken.'

Verzet was er in soorten en maten. Je had het symbolisch verzet. Op de verjaardag van prins Bernhard een anjer in het knoopsgat dragen bijvoorbeeld. De heel stoere jongens verstopten er een scheermesje in, zodat een WA-man die aan de bloem trok zich zou verwonden. Hij heeft het altijd onzin gevonden. Onnozele acties, onnodig gevaarlijk ook. Vaak in vechtpartijen ontaardend. Een andere geliefde verzetsdaad was het treiteren van overlopers. Ook in het keurige Tuindorp. Net over de Zaagmolenkade woonde de musicus Cor Bal met zijn vrouw. Bal was NSB'er. Rijk ziet het echtpaar nog staan schrobben op hun geveltje, waarop die nacht BOLDOOT IS GOED, BALDOOD IS BETER! was gekalkt. 'Pakkende tekst,' zegt hij. 'Maar de aanblik van die wat schlemielige mensen, een emmertje sop tussen hen in... Het wekte vooral mededogen.'

Volgens de geschiedenisboekjes hebben de communisten en de gereformeerden zich tijdens de Tweede Wereldoorlog het duchtigst geweerd. Wat in het laatste geval verwarrend is, omdat er onder de Hollandse SS heel veel gereformeerden waren. Alsof het binnen die zuil vooral van belang was de dingen *die* je deed goed te doen en met overtuiging; belangrijker nog dan de vraag in dienst van wie of wat. Die vlucht in uitersten bleef ook in de kerk niet zonder gevolgen. Daar hield men zich hardnekkig op de vlakte. 'Een anti-Duitse preek heb ik toen nooit gehoord,' zegt De Gooyer. 'Predikanten waren veel te bang van de kansel te worden geplukt. Er zat altijd wel een verrader in de kerk.'

Het verzet ontwikkelde zich in stilte, achter zware gordijnen van verduisterde huizen. Zo had zich bij de familie De Gooyer een onderduiker gemeld. Meneer Onderwijzer, zo had vader De Gooyer hem geïntroduceerd: 'Meneer Onderwijzer blijft logeren.' Verder werden er geen mededelingen gedaan. Het was een joodse man met een keppeltje die aan tafel ostentatief lang bad. Vanaf het eerste moment was er animositeit tussen Onderwijzer en Rijk. Vooral omdat de man, als vader naar de bakkerij was, ongevraagd de opvoedkundige taak op zich nam. En met grote toewijding, omdat hij verder toch weinig om handen had. Meneer Onderwijzer had een naaimachine meegebracht, een elektrische Singer, in die tijd een modern ding. Die naaimachine heeft nog een paar jaar bij familie De Gooyer gestaan. Want op een dag ging meneer Onderwijzer tegen de uitdrukkelijke instructies van vader De Gooyer in de straat op, en keerde niet meer terug. Opgepakt, bleek later, afgevoerd naar Auschwitz.

De Singer stond er nog. Tot na de oorlog een familielid van Onderwijzer het apparaat kwam ophalen. Om te testen werd de stekker in het stopcontact gestopt. De machine deed niks: er ontbrak een klein maar uiterst vitaal onderdeel. 'O,' zei het familielid, en glimlachte verlegen. 'Dat heeft hij er vast uit gehaald, uit angst dat u hem zou gebruiken.'

Het verzet van de achttienjarige De Gooyer bleef niet steken in het uitzagen van Wilhelmientjes en het afsteken van carbidbussen op Koninginnedag. Het jongetje dat vroeger voor het slaapkamerraam keek naar het leven aan de overkant van de straat, zat nu op de De Munnik-hbs met dezelfde verlangende blik in zijn ogen. De school was weer begonnen: eindexamenjaar, en de motivatie was kleiner dan ooit. Binnen ging het over organische verbindingen: dichlooretheen, methylamine... Buiten wachtte de echte wereld, daar waren de geallieerden opgerukt tot aan de grote rivieren. Op 17 september was operatie Market Garden van start gegaan. De slag om Nijmegen was gewonnen, die om Arnhem op dramatische wijze verloren. Trichloormethaan, tetrachloormethaan... Aan de overkant van de Waal, onder de Betuwe, lagen de Engelsen en de Amerikanen. Het idee dat bevrijd gebied zo dichtbij lag.

'De Gooyer!'

'Ja, meneer.' De stem van de scheikundeleraar. Of het ook achter in de klas was doorgedrongen dat er een groot proefwerk op stapel stond. Eentje over alle stof tot nu toe. Zo'n toets zou bij voorbaat een ramp worden. Via afkijken en slinksigheden was hij zover gekomen, maar de zegetocht kon niet voortduren. En de blik dwaalde weer af, naar buiten. Voor alles was er een tijd en een plek. En dit was duidelijk de verkeerde plek.

De Waalsprong

'Piet!' riep hij, 'Piet! We gaan door de linies!' Piet Wiersma had er oren naar. Eerst onder het juk uit van de bezetter, en daarna –zijn grootste wens – met de troepen mee naar Nederlands-Indië. Daar zaten zijn ouders in een Jappenkamp. Ook Evert Vastenburg wilde mee. Natuurlijk. Gebeurde er weer eens wat. Het was ook een voorgevoel. Nederland was in een mum van tijd bevrijd, riep iedereen. De geallieerden hoefden alleen nog de grote rivieren over te steken. Maar De Gooyer vertrouwde het niet. Voor hetzelfde geld bogen ze naar het oosten af – vielen ze eerst Duitsland aan. En dan kon het allemaal nog maanden duren. Precies zo zou het gaan, met de lange hongerwinter van '44 als gevolg. De rivieren over, de bevrijders tegemoet – dat was het plan. Thuis liet hij een briefje achter: 'Ben even tennissen.' En aan Ieke, zijn vriendin, vroeg hij of zij het zijn ouders wilde vertellen, 's avonds, als ze al een eind op streek waren.

Met wat boterhammen, geld en hun identiteitsbewijzen gingen ze op weg; lopend, af en toe een stukje meeliftend op een vrachtwagen. Bij Culemborg zouden ze de Lek oversteken, maar er waren te veel Duitsers. Een stukje oostelijker, ter hoogte van Lienden, ging het wel. Daar konden ze met het laatste pontje overvaren. Inmiddels was het donker en de mensen van het Rode Kruis drukten hun op het hart onderdak te zoeken. Straks ging de avondklok in en juist nu, met de geallieerden voor de deur, maakten de Duitsers korte metten met iedereen die de regels overtrad. Bij twee fruitboeren vonden ze onderdak. Maar daar stond wel wat tegenover: ze moesten hun gastheer helpen bij de appelpluk. Zo stonden de avonturiers de volgende dag in de boomgaard. En de dag daarop wéér, want de boer liet ze niet gaan voor het helemaal geklaard was. Af en toe kwam Evert voorbij, met een grasspriet in de mond. Die had weer geluk gehad, en was bij een rijke boer terechtgekomen die voor het openstellen van zijn huis geen tegenprestatie vroeg.

Een plaatselijke knecht kende de weg. Eerst naar Opheusden, een plek waar weinig Duitsers zaten, dan richting de Waal. Hij zou zelf wel gidsen. Blijkbaar had hij ook genoeg van het appels plukken. Zo sjouwden de jongens door de uiterwaarden in zuidoostelijke richting. Zonder Evert overigens, die halverwege was afgehaakt. Die vond het wel weer genoeg avontuur voor één week. Achteraf kun je het een voorteken noemen. Een punt waarop het jongensboek plotseling ophield een jongensboek te zijn en waar het grimmig werd. Een pantservoertuig, beschoten – deels uitgebrand, waaruit het lijk van een Engelse soldaat hing. Zwartgeblakerd. De jongens stonden ernaar te kijken. Het was hun eerste lijk, en bepaald geen aangenaam gezicht.

Ze waren nietsvermoedend de frontlinie binnengewandeld, een appel in de hand. Toen ze in de buurt van Kesteren waren, werden ze opgeschrikt door een Engelse luchtaanval. Het sonore geluid van laag overkomende jagers. De eerste bommen vielen, in hoogopspattende klei. De drie jongens zetten het op een lopen en doken in een greppel. Precies op tijd. Maar ongelukkigerwijs ook precies tussen een paar SS-ers, die dezelfde greppel hadden uitgekozen. '*Machen Sie hier? Mitkommen!*' De boerenknecht zette het meteen op een hollen en werd in de rug doodgeschoten.

Wiersma en De Gooyer werden meegevoerd naar het Duitse veldhoofdkwartier in Kesteren. Het was een onooglijk boerderijtje aan de rand van het dorp. Een majoor stond aan het tafeltje waaraan de jongens zaten. 'We waren op weg naar onze tante in Opheusden,' begon Rijk te kakelen. 'De ouders van Piet zitten in Indië, maar zijn tante woont in Opheusden en die betaalt zijn schoolgeld. En we dachten: u met uw onoverwinnelijke Duitse leger hebt Opheusden allang ingenomen. Daar kunnen we dus veilig heen.' Beetje liegen, beetje stroop smeren – in tijden van oorlog is alles geoorloofd. En het leek te werken.

'Als jullie zoveel vertrouwen hebben in het Duitse leger,' zei de Duitse majoor, 'waarom komen jullie er dan niet bij? *Na Jung, was sagt ihr dazu?*'

'Dat zou geweldig zijn,' zei Rijk. 'Maar we willen ook graag eerst ons eindexamen halen.'

De majoor knikte begrijpend. Maar Wiersma ontplofte. 'In het Duitse leger?!' riep hij verontwaardigd. 'Wij? Nooit! Ik haat jullie Duitsers!' Een actie waarover de jongens nog lang konden napraten in de appelkelder, want daar werden ze vervolgens opsloten. Een vochtige ruimte met laag plafond, en één raampje met spijlen, waardoor wat vaal licht naar binnenviel. Het voorportaal van de dood, daar gingen ze vanuit. Want na Piets uitbarsting hoefden ze op weinig coulantie meer te rekenen. Maar tot hun verbazing was het niet de majoor maar een vriendelijke soldaat die de volgende ochtend op de drempel verscheen. '*Sie können gehen*,' zei hij. De jongens stonden beneden aan de trap, de ogen knipperden tegen het licht. '*Komm*,' zei de soldaat. Hij wees hen de weg: ze konden het best langs de rails naar Tiel lopen, dat was de veiligste route. Van daaruit moesten ze maar ergens over de Waal zien te komen.

Niet dat ze de soldaat vertrouwden, maar veel keus was er niet. Ze liepen de straat af met opgetrokken schouders, op het ergste voorbereid. Maar het schot in de rug bleef uit. Die Duitser had hen gered.

Achteraf gezien was het vooral de kwaadheid – het onbegrip over en weer – dat hen door de nacht had geholpen. Hoe kon Piet zo stom en egoïstisch zijn geweest? *Hij* moest toch zo nodig mee – waarom had hij dan zijn kop niet gehouden? En Piet, vanuit zijn standpunt: hoe kon Rijk zo kruiperig doen, zo onwaardig? En liegen – en daar hem ook nog in betrekken? In 1984, toen De Gooyer het keldertje nog eens bezocht en gebukt onder het lage plafond liep, kwam het allemaal weer boven. Ook Piets onverstandige uitbarsting. Aan de ander kant: hij was halfbloed-Fries, rechtdoorzee, koppig. Piet was compromisloos, daarom mocht Rijk hem zo graag. Ook in 1944, lopend langs het spoor naar Tiel, was de kwaadheid snel gezakt. Ook al omdat ze beseften dat ze aan de dood waren ontsnapt. Alsnog liepen de rillingen over hun rug.

Het was een prachtige zondagochtend toen de jongens aankwamen in Tiel. Duitse tanks bezetten de Waalkade en daartussendoor scharrelden de gelovigen, als elke zondag, naar de kerk. Aan de overkant van de rivier lonkte bevrijd gebied. Even buiten de stad lag een haventje met woonboten. Van daaruit wilden ze oversteken. Maar hoe precies? Uit een van de boten, uit een luik, stak een hoofd omhoog.

'Ik zie jullie naar de overkant kijken,' zei het hoofd.

'Dat klopt,' zei Piet Wiersma. Hij probeerde onverschilligheid in zijn stem te leggen. Je kon niet weten of het een verrader was.

Uit het hoofd stak een pijp. Toen het hoofd verder uit het luik omhoogkwam, bleek het toe te behoren aan een al wat oudere man.

'Wíllen jullie naar de overkant?' vroeg hij.

'Stel dat we dat willen,' zei De Gooyer.

Ze mochten binnenkomen voor een kopje koffie. Een vriendelijke dame die een beetje op prinses Juliana leek – maar dat leken alle vriendelijke dames – zette twee dampende mokken neer. De koffie smaakte vreemd. Achteraf waarschijnlijk omdat het echte was. Het wantrouwen zakte, hoewel Piet hardnekkig bleef zwijgen. Ook toen Rijk hun hachelijke avontuur tot nu toe uit de doeken deed. Uiteindelijk, toen er ook nog stamppot op tafel kwam, hun eerste echte maaltijd in dagen, klonk er een piepklein stemmetje uit zijn richting. 'Lekker mevrouw.' De man kende iemand van de ondergrondse, een zekere Wagenaar, die Engelse piloten en goede vaderlanders aan de overkant zette. Wagenaar bleek bereid onmiddellijk te komen. Hij stond met zijn rug naar de deur en keek de jongens argwanend aan. De rand van zijn hoed viel donker over zijn ogen.

'Avontuurzoekers,' zei hij. 'Ik ben geen excursieleider.'

Dus werd het zwemmen. Wagenaar gaf ze een wachtwoord mee

– 'North State' –, waarmee ze aan de overkant veilig voet aan wal konden zetten. 'Want achter de dijk,' zei hij sonoor, 'liggen de jongens van de stoottroepen en die schieten je zo voor je raap.'

'Raap,' giechelde Piet nerveus. Wagenaar keek hem vermoeid aan. Hij had hier inderdaad met twee idioten van doen. Ze moesten rustig doorzwemmen, in één tempo – zich twee kribben laten afdrijven, en daar aan land gaan. 'En niet vergeten,' zei Wagenaar... 'North State!' De man van de woonboot zou voor schapenvet zorgen. Een goede remedie tegen de kou, als je je er helemaal mee insmeerde. Maar toen ze in de vroege ochtend klaarstonden was er van schapenvet geen sprake. Wel van een maggibus, die de man speciaal had klaargezet om hun identiteitskaarten, de knijpkat, Piets horloge en geld droog te houden. Alle kleren werden gebundeld met een touw. En wat henzelf betrof: 'Neem maar een stevige borrel,' zei de man, 'dat houdt je warm.' In het donker bracht hij ze naar het punt waar de mitrailleursnesten en het versperringen begonnen. Daar sloegen ze een paar bellen jenever achterover, trokken de geleende jassen uit, en namen poedelnaakt afscheid van de man, die vervolgens verdween in de nacht.

De afstand door het natte gras naar het water, in tijgersluipgang onder het prikkeldraad, was al een bezoeking op zich. De mitrailleursnesten met soldaten links en rechts waren zo dichtbij dat je hun sigaretten zag gloeien. Ze hoorden de mannen op gedempte toon met elkaar praten. Als een van de twee met de bepakking aan het draad bleef haken, moest de ander hem geduldig, en vooral geruisloos losmaken.

Zo waren ze al verkleumd en buiten adem toen ze bij het water aankwamen. En toen moest de meesterproef nog beginnen. Piet ging eerst, met alle kleding in een bundel op zijn nek. Hij liet zich in het water zakken, langzaam, zijn adem stokte. Het water was ijsen ijskoud. Daarna Rijk, duizelig van de alcohol. Hij had de maggibus en twee paar schoenen om zijn nek. Zwemmen kon hij wel, maar op zijn manier, als een hondje, niet te lang. Piet zwom beter – hij was sowieso de atleet.

Op driekwart van de oversteek ging er opeens een groot zoeklicht aan en klonken schoten. Onduidelijk was of de Duitsers hen gezien hadden of alleen op het geluid afgingen. Waarschijnlijk het laatste. De jongens doken onder water. Het licht ging weer uit. Maar deze extra inspanning, plus de sterke stroming, begonnen Rijk naar beneden te trekken. De maggibus en de schoenen hingen als een molensteen om zijn nek – die moest hij kwijt. Eerst de schoenen, die vanzelf wegdreven, daarna de maggibus. Toen het echt niet meer ging, en het zwarte water zich boven hem sloot, pakte Wiersma hem vast en sleurde hem mee. Aan de overkant kropen ze aan wal. De Gooyer uitgeput. Piet krabbelde drijfnat overeind. Hij was door het dolle heen. 'Partizanen,' riep hij, 'hier zijn we! Hááállo! North State, North State!' Hij maakte kattensprongen, zwaaide en gilde en gooide de bundel kleding, die hij net zorgvuldig op het droge had gebracht, met een sierlijke boog terug in het water.

Naakt renden ze door de uiterwaarden, op zoek naar kleding en onderdak. Het eerste wat ze vonden, waren de resten van een gebouw. Hoogstwaarschijnlijk het oude Veerhuis, waar het nu heerlijk koffiedrinken en uitmijters eten is. Daar sprong Wiersma – die definitief de koldèr in zijn kop had – door het enige raam dat nog heel was naar binnen. De spanning en de jenever waren hem waarschijnlijk te veel geworden. Rijk begon te lopen, zomaar. Hij zou wel zien waar hij uitkwam. Dat bleek Wamel te zijn. Een volkomen uitgestorven Betuws dorpje. Als gevolg van het Duitse granaatvuur waren alle bewoners geëvacueerd. Een spookdorp dus, waar alleen nog een spookklok in de houten toren sloeg. Bij een willekeurig huis, vlak bij de zwart opdoemende kerk, schoof hij een raam omhoog en stapte naar binnen. Hij wikkelde zijn gekleumde lichaam in een tafelkleed en viel meteen in slaap. Hij was op dat moment maar vier stappen verwijderd geweest van een bedstee met kussens en een warme deken – zo bleek de volgende dag, toen hij in het huis op onderzoek uitging. In de kast geen fraai kostuum à la meneer Oskam, wel een Wamelse borstrok. Verder een lange onderbroek en een paar klompen. Aldus gekleed stapte hij naar buiten. Het geluid van zijn klompen weerkaatste tegen de gevels. Zo begaf hij zich in oostelijke richting, de kant op van Beneden-Leeuwen.

Halverwege de Hogeweg viel hij in handen van de Binnenlandse Strijdkrachten – de mannen van prins Bernhard – herkenbaar aan hun blauwe overalls en oranje armband. De Gooyer prevelde het wachtwoord.

'North State.'

'Je tante,' zei de patrouilleleider. Het wachtwoord bleek niet te kloppen. Opnieuw werd hij meegenomen voor ondervraging, ditmaal in het hoofdkwartier van de BS, aan de Zandstraat in Beneden-Leeuwen. En ze vertrouwden hem voor geen cent, zoveel was duidelijk. Ongelooflijk als hij erop terugkijkt. 'Net ontsnapt aan de mof, dreigde nu executie door goede vaderlanders.' Maar voor de tweede keer stond het geluk aan zijn kant. Onderweg kwamen ze een motorordonnans tegen. En daartussen zat Lou Baltussen, zoon van een Utrechtse notaris en oud-klasgenoot van Rijk. Die kon de commandant uitleggen dat deze banketbakkerszoon geen kwaad in de zin had. In het hoofdkwartier, een boerderij in Beneden-Leeuwen, zag hij Wiersma terug. Ook in lange onderbroek. Die dingen waren blijkbaar populair in de Betuwe. Piet hadden ze de nacht ervoor uit zijn schuilplaats geplukt. Ze waren op het geluid afgekomen van een dier in doodsnood, zo had het geklonken, en hielden de karabijn al in de aanslag. Het kon een valstrik zijn. Maar het bleek een blote Wiersma, totaal van streek.

Drie dagen zouden de jongens in Beneden-Leeuwen blijven. De stoottroepen schoten met stenguns op lege jerrycans. Ze hadden een speciaal oefenterrein ingericht. Plotseling kwam er een man hinkend achter een groentekas vandaan. Een vloekende BS-er, per ongeluk door een collega in het been geschoten. De Gooyer: 'Die stenguns waren goedkoop en bloedlink. Als je er eentje neerzette, ging die al af. Een beetje doorladen, en de loop werd zo roodgloeiend dat die kromtrok – niet bepaald een aanbeveling een zuiver schot. Een automatisch vuurwapen heette het, maar wel eentje door een fietsenmaker in elkaar gezet. Nee, dan de Amerikaanse *Tommy gun*. Of de Duitse *Schmeizer*. Die waren top!'

Later hoorden de jongens dat ze dubbel aan de dood waren ontsnapt. Elke avond lagen twee scherpschutters aan de dijk, gespitst op het overroeien van Duitse verkenners. Alles wat voet aan wal zette kon rekenen op een warme ontvangst. Daar zou het roepen van 'North State' niets aan geholpen hebben. Bij hoge uitzondering hadden de mannen er tijdens de grote oversteek van Wiersma en De Gooyer niet gelegen: die nacht lagen ze een eindje verderop in een hooiberg te slapen.

Ze mochten wel een keer mee terug de Waal over, om gestrande Engelse parachutisten op te pikken. De oversteek vond plaats net buitenaf, op veilige afstand van de laatste Duitse mitrailleursnesten. Een stuk logischer dan de plek die zij hadden uitgekozen. 'Maar dat is achteraf,' zegt De Gooyer. 'En achteraf kijk je een koe in zijn kont.'

Partizanenmoed

Eens per week kwam er een legertruck om de Engelsen van de First Airborne Division uit Beneden-Leeuwen op te halen. En die gelegenheid grepen de jongens aan om weg te komen. Samen met een groep van zeventien gestrande parachutisten reden ze richting Nijmegen, waar ze zich meldden bij de poort van de Prins Hendrikkazerne, waar de opleiding van het KNIL was gevestigd: het Koninklijk Nederlandsch-Indisch Leger. Dat was Piets grootste wens: naar Indië gaan om te vechten tegen de Jappen, die zijn ouders gevangen hielden. Rijk was solidair. Avontuur was avontuur, en Nederlands-Indië leek hem prachtig. Dat vuur doofde echter snel toen ze aan de opleiding begonnen. Ze werden getraind door grauwende en snauwende oud-kolonialen. Machtswellustelingen die je het liefst een stomp voor je kop gaven of je in je maag stootten met de kolf van hun geweer. Bovendien vormde de groep rekruten niet bepaald het puikje de Nijmeegse gemeenschap. 'Tuig van de richel,' zegt De Gooyer.

De commandant heet IJs, een roetzwarte Surinamer die van de weeromstuit Sneeuwwitje wordt genoemd. Iedereen had een bijnaam. Wiersma was de 'blauwe', aangezien hij een Indo was, De Gooyer heette gewoon 'klootzak'. Ook het uniform viel tegen. Een blauwe overall, een paar door het Duitse leger afgekeurde Robinson-schoenen en een lullige helm, model pispot. 'Je ziet ze nog wel eens tijdens de herdenking op de Dam,' zegt hij. 'Een soort omgekeerde koekenpan.' Het wapen dat ze droegen was een oude karabijn. Maar het ergst waren de karweitjes waar de pas binnengekomen knil'ers mee werden opgescheept. Zo moest er elke middag in de stadsgaarkeuken warm eten worden gehaald. Dat ging in grote gamellen op een kar, die knarsend door een van hen werd voortgetrokken. Op houten wielen met ijzerbeslag. Iedere dag, precies om halfeen. Probleem was alleen dat Nijmegen om het middaguur altijd onder zwaar geschut lag. Duitse V1's en granaten, bedoeld om de Waalbrug te raken, en met alle afzwaaiers vandien. Maar Sneeuwwitje zag er geen aanleiding in de stamppotdivisie een uur eerder of later op pad te sturen. 'Echte militairen zijn niet bang,' vond hij.

'Hoorde je een granaat aankomen,' zegt De Gooyer, 'dan dook je snel in een portiek, de kar op straat achterlatend. Die is op een dag vol getroffen. De hutspot vloog alle kanten op. Een incident waarbij ook een jonge knil'er werd gedood, helaas – ook díe zat onder de hutspot.' Het was de eerste militaire begrafenis die hij meemaakte, met saluutschoten en al. Dan maar niet naar Indonesië. Een mens moest rekbaar zijn in oorlogstijd. Maar wat dan wel? Hoe kwamen ze daar weg? Het antwoord op die vraag diende zich een paar dagen later aan. Er kwam een jeep het kazerneterrein oprijden met twee Amerikanen erin. Prachtige uniforms, witte shawls, mooie revolvers. Ze waren van de tweeëntachtigste luchtlandingsdivisie.

'The Goeyer?' vroeg de man aan het stuur.

'That's me,' zei Rijk.

Of het klopte dat hij het gebied van de Ooij goed kende?

'Als mijn broekzak,' antwoorde de groene kniller. Een staaltje hoger blufwerk, want hij wist niet eens waar de Ooij lág. Maar de Amerikaanse luchtlandingsdivisie leek hem aantrekkelijker dan de koloniale reserve. *Scrambled eggs, Lucky Strike, Coca-Cola, corned beef*... Hij was al achterin gesprongen. 'Let's go!' Hij moest de yanks er alleen nog even van overtuigen dat ze ook zijn vriend gingen halen. Piet Wiersma, evenals hij groot kenner van de Ooij.

De Gooyer werd gelegerd in café Van Kerkhoff in Erlecom, bij Hanneke Jansen, een vrouw van in de zeventig, die geweigerd had zich te laten evacueren. Hij kreeg er juist eerste instructies van sergeant-majoor Sanders, een uit Duitsland gevluchte jood, toen plotseling Wiersma kwam binnenlopen, gestoken in een kek bruin uniform, met bijpassende laarzen. Op zijn kop stond een kwartiersmuts. 'Hè hè, daar ben je!' zei hij. En op zijn jasje wijzend, met een brede grijns: 'Jij krijgt ook zo'n yankenpak.'

Het was precies andersom gegaan. Wiersma was al eerder door de Amerikanen opgepikt, en had net zo lang de kwaliteiten van De Gooyer geroemd tot ze die ook waren gaan halen.

De twee jongens brachten mevrouw Jansen de 'edele beginselen' van het roken bij – op een gegeven moment pafte het arme mens een aantal pakjes per dag – en gingen 's avonds op patrouille met *Dutch Bill*, zoals hij door de Amerikanen werd genoemd. Willem Stappershoef was zijn echte naam, een slager met een grote Chevrolet. Taak van de patrouille was zoveel mogelijk Duitse militairen binnen te brengen voor verhoor. De premie was dertig gulden per soldaat. Zo moesten de mannen hun salaris bij elkaar sprokkelen. Ze traden niet officieel toe tot het Amerikaanse leger. Eigenlijk waren ze franc-tireurs: vrijschutters, partizanen, die bij gevangenneming ook geen enkele bescherming genoten – ze konden zonder pardon geliquideerd worden. Maar dat wisten ze toen nog niet: dat soort dingen hoor je altijd pas achteraf.

Ze kregen een korte opleiding, waarin hun de werking van de verschillende wapens werd uitgelegd. De kleine karabijn bijvoorbeeld, en de fosforgranaat, die een ondoordringbare nevel verspreidt. 'Spul dat in je kleren gaat zitten,' zegt De Gooyer, 'waarna er maar één ding op zit: in het water springen, en wel zo snel mogelijk, anders ben je er geweest.' De bazooka was voor hem het mooiste speelgoed dat ertussen zat. 'Vanaf je schouder kun je er een tank mee onschadelijk maken. De afgeschoten raket boort zich door het gepantserde staal en ontploft dán pas. Je blaast zo'n ding dus van binnenuit op.' En maar oefenen. De Gooyer met de bazooka. Een varken dat het ongeluk had zich in een belendend weitje op te houden, werd in het vizier genomen met verbluffend resultaat: 'Het spek hing in de bomen.'

Op zijn eerste nachtelijke patrouille had hij zijn gezicht zwartgemaakt en liep met zoveel wapentuig als hij kon dragen aan de staart van de groep. Hij rammelde aan alle kanten. Het was een stille avond – niks aan de hand, maar hij kwam gebroken terug. En meteen begreep hij waarom veel partizanen alleen een dolk bij zich droegen. Op hun verkenningstochten vingen eerst ze het 'trage wild': uitgebluste Wehrmacht-soldaten die zelf ook het liefst naar huis wilden. Die werden verhoord, vaak op onzachtzinnige wijze – 'je kon ze buiten horen kermen' – en terug over de grens gezet. Daarna werd het lastiger. Toen deze oude garde 'op' was, stuitten ze op de meer fanatieke en taaie SS'ers, die zich als *snipers* in de vele steenfabrieken hadden verschanst.

Op een dag werd Wiersma door de luitenant meegenomen op een speciale missie. De Gooyer zou hem tot na de oorlog niet meer terugzien. Wat was er precies gebeurd? Wiersma zweeg in alle talen. Het kwam erop neer, volgens De Gooyer, dat ze hem als verkenner achter de vijandelijke linies hadden gedropt, waar hij op een Duitse patrouille was gestuit. In de schietpartij die daarop volgde was Wiersma in zijn bil en zijn pols geschoten; de luitenant werd dodelijk getroffen. Hij had de rest van de oorlog in krijgsgevangenschap, in Kaliningrad (Koningsbergen), doorgebracht. 'Ik heb sterk het idee dat hij daar gemarteld is,' zegt De Gooyer. Uiteindelijk werd hij door de Russen bevrijd. Maar van zijn grote droom, piloot worden, kon door die schotwond niks meer terechtkomen. Wiersma heeft moeten berusten in een loopbaan als steward.

Op 27 november 1944 was ook het geluk aan De Gooyers kant even uitgewerkt. Met zijn patrouille liep hij in een Duitse hinderlaag op open terrein. De SS'ers schoten eerst een lichtkogel af en openden vervolgens vuur. De Gooyer liet zich vooroververvallen, tastte naar een fosforgranaat en maakte toen een grote fout. Hij moest de granaat vanuit líggende positie gooien, zo was het hem geleerd. Maar hij richtte zich op. 'Misschien uit een reflex, misschien om beter te kunnen mikken' – achteraf kan hij er alleen naar gissen. Het gevolg was dat hij werd geraakt. Door een pistoolschot, zo dichtbij waren ze. Daarna ging het in een reflex: opspringen, rennen, duiken, en neerploffen achter een dijkje, waar de anderen inmiddels ook dekking had gezocht. Er kwam bloed uit zijn buik. Sanders richtte er kort de zaklamp op en bromde iets geruststellends. Volgens hem was het niks.

Maar tijdens het lopen werd het bloedverlies snel groter, en ook het ademhalen ging zwaar. Op een brancard hebben ze hem uiteindelijk naar het ziekenhuis gebracht. Eerst naar het Amerikaans hospitaal, daarna naar het Nijmeegse Canisius. Daar werd hij geopereerd. Zijn milt was aan flarden geschoten, z'n maag geperforeerd, longvlies geschampt... Niet te geloven hoeveel schade één kogel kon aanrichten. Hij zou hij er vijf weken liggen. Met veel sceptische gezichten om het bed. Eigenlijk gaven ze hem weinig hoop. De warmwaterkruik, waar hij van ellende maar uit dronk omdat de verpleegsters hem geen vocht gaven – waarschijnlijk was hij van onderen nog niet 'waterproof' – werd hem weer afgepakt. Artsen kwamen af en toe kijken, schudden het hoofd en verdwenen weer. Soms veranderden hun blik van sceptisch in ongeduldig of licht getergd. Alsof ze hier voor de gek gehouden werden.

Een arts krabbelde wat op het formulier dat aan zijn voeteneind hing en liep weer door. Toen hij uit zicht verdwenen was wipte De Gooyer het papier los met zijn teen, en haalde het naar zich toe. *Patient still living,* stond erop. 'Momenten waarop je je weer even realiseert, dat het ook gemakkelijk anders had kunnen lopen,' zegt hij.

Behalve de oorlogsinvalidenuitkering die hij na de oorlog zou ontvangen, viel het hem ook een onderscheiding ten deel. Op een zekere dag stapte er een struise vrouwelijke sergeant de zaal binnen, die op elk bed een *Purple Heart* legde: het gewondeninsigne van het Amerikaanse leger. Een dankbetuiging voor bewezen moed en heldhaftigheid. Niet gek voor iemand die even was gaan tennissen. Aan de andere kant, ze waren er niet zuinig mee. Ook een soldaat die dronken met zijn jeep tegen een boom was gereden, kreeg er een. Evenals de man op het bed naast Rijk. Die lag er met kinkhoest.

Montgomery achterna

Op een merkwaardige manier is het zijn ook geluk geweest, die vijf weken in het ziekenhuis. Ondanks het verlies van zijn milt, want die was er in zijn geheel uit gehaald. Zijn divisie was inmiddels naar Bastogne vertrokken en daar in een fuik gelopen. Op sergeant-majoor Sanders na had niemand het incident overleefd. Maar Sanders was dan ook een ijzervreter. Na de oorlog zou hij terugkeren naar zijn ouderlijk huis in Berlijn – de familie Sanders was daar in 1938 verdreven – om bij de nieuwe bewoners tien jaar achterstallige huur op te eisen.

Eenmaal ontslagen uit het ziekenhuis meldde De Gooyer zich weer bij het Amerikaanse leger. Hij wilde actie. Maar de vraag is of ze dat bij het loket helemaal hadden begrepen. Want hij werd tewerkgesteld in Eindhoven, bij een instantie die geld uitkeerde aan gedupeerde boeren. Die konden een schadeclaim indienen wanneer ze aantoonbaar schade hadden opgelopen als gevolg van de geallieerde opmars. Die 'aantoonbaarheid' moest De Gooyer onderzoeken. 'Zelden zo'n stelletje klootzakken meegemaakt,' zegt hij. 'Ik heb ze uitgescholden. Staan klagen als er een tank over je bietjes rolt. Wees blij dat ze je komen bevrijden! Ik vertel het je: ze kregen geen cent van me, geen cent! Ik heb die instantie nog heel wat geld bespaard.'

Een keuring om piloot te worden liep uit op een deceptie. Kleurenblindheid – De Gooyer kan rood en groen niet onderscheiden – was zelfs in oorlogstijd een onoverkomelijk bezwaar. Meer dan ooit frequenteerde hij de clubs voor militairen. Vooral de Amerikaanse. De bourbon vloeide rijkelijk, er waren sigaretten in overvloed en de muziek was op niveau. Onder anderen Bing Crosby, Bob Hope en Marlene Dietrich werden voor een avondje ingevlogen. Wat dat betreft dachten ze niet klein. Heel anders dan de Engelsen, waar je de hele avond met slechts één lauwe *pint* het geriedel van een tweederangs artiest moest aanhoren. Op een avond raakte De Gooyer aan de bar in gesprek met een Engelse officier. De Gooyer luchtte zijn hart over het dodelijk saaie baantje dat hij had. De officier luisterde en knikte. Misschien had hij wel wat. Belangrijk was wel dat De Gooyer zijn talen sprak.

'Geen punt,' zei de blufkoning. De British Intelligence Service zocht personeel. In België was een opleidingcentrum voor nieuwe rekruten, die straks mee Duitsland in zouden trekken, om de gegevens van de vijand na te trekken. Er waren veel tolken nodig bij verhoren en arrestaties. Het klonk hem als muziek in de oren. De volgende dag meldde hij zich voor een screening in het gebouw van het *Eindhovens Dagblad*, daar zat het kantoor van de Army Intelligence. Behalve de Brit met wie hij de nacht daarvoor had zitten drinken, was daar ook een Nederlandse officier, ene Lindemans. *De* Lindemans, volgens De Gooyer. 'Tot op de dag van vandaag ben ik ervan overtuigd dat hij het was. Ik heb tegenover de beruchte King Kong gezeten, de klusjesman van prins Bernhard. Degene die ook alle vrouwen voor hem regelde. Hij móet het geweest zijn. Uit latere gegevens zou blijken dat hij toen al gevangenzat, maar ik twijfel daar sterk aan.'

Hoe het ook zij, De Gooyer werd goedgekeurd en trad toe tot de *intelligence*-afdeling van de Royal Air Force in het Belgisch Ukkel, bij Brussel. Dit was het onderwijs dat voldeed aan al zijn wensen. Direct toepasbaar en doorspekt van avontuur. Ze analyseerden er ondervragingstechnieken, bestudeerden de hiërarchische structuur van het Duitse leger en vooral van de Partij. Daarbij hoorde het zich inprenten van de gezichten van belangrijke oorlogsmisdadigers. Belangrijk onderdeel uit het lessenpakket was de vraag: wie is arresteerbaar? Bij de Engelsen luisterde dat nogal nauw. Iemand onder de rang van *Obersturmbannführer* lieten ze lopen, tenzij die echt oorlogsmisdaden had begaan. Maar ook SS'ers waren in de ogen van de Engelsen niet per se fout. De Waffen-SS beschouwden ze als het equivalent van hun eigen commando's: een elitekorps binnen het leger. Kampbewaarders stonden wel hoog op de verlanglijst. Maar die waren vaak weer geen lid van de SS. Van de restgroep, de grijze muizen, moest uit ondervraging blijken hoe fout ze waren geweest. Ter illustratie mochten de rekruten aanwezig zijn bij het verhoor van de SS-groep die Mussolini had bevrijd uit de handen van de partizanen. Volgens de Engelsen waren er, in de strikte zin des woords, geen 'oorlogsmisdaden' gepleegd. Die konden weer gaan.

Wel herinnert hij zich hoe goed de Engelsen geïnformeerd en gedocumenteerd waren. 'Tot aan foto's van de gebitten van de grote jongens toe.' Het was een stoomcursus. De opleiding zou drie maanden duren, maar zelfs dat haalden ze niet: na drie weken was het al voorbij. Montgomery en Patton wachtten niet. De Engelse veldmaarschalk en de Amerikaanse generaal begonnen maart 1945 aan hun grote offensief en de Intelligence trok erachteraan, in jeeps. *RAF Security Section of nr 83 – Group Police Unit,* zo heette zijn onderdeel officieel. De Gooyer was sergeant – wat je noemt een bliksemcarrière. De unit bestond van een man of dertig, een internationaal gezelschap met een Schot aan het hoofd: majoor Gilruth, in eigen tijd advocaat in Edinburgh.

Het plan was bij Wesel de Rijn over te steken. Voor sergeant De Gooyer een indrukwekkend gezicht om te zien hoe dat werd ondervangen. De aanval werd geopend met bombardementen, daarop volgden de parachutisten; met stormboten staken infanterie en lichte artillerie over, en de genietroepen bouwde een pontonbrug, waarover het zware materieel Duitsland introk. Helemaal achteraan volgde De Gooyer in zijn jeep.

'Wat stampen we lekker hè?' zei de muis die naast een olifant de brug overstak.

's Nachts werd het front verlicht, zodat het vechten kon doorgaan. Een sprookjesachtig gezicht – hoewel je dat over een oorlogssituatie moeilijk kan zeggen, maar het is wel zoals hij het zich herinnert. Via meerdere fronten drongen de geallieerden Duitsland binnen, soms over bruggen die nog intact waren, zoals die in Remagen, anders over aangelegde pontons. Duitse piloten voerden daar aanvallen op uit, zodat ze onder een hels kabaal van fluitende granaten en langsscherende Messerschmitts de overkant moesten bereiken.

De geallieerde opmars sneed als een mes door de boter. Het was eerder een wedloop met de Russen – wie is er eerst in Berlijn? – dan een gevecht tegen de Duitsers. Soms maakten die zich sneller uit de voeten dan de geallieerden zich realiseerden. De Gooyer reed met zijn jeep het vliegveld Rheine op en trof daar geen niemand behalve enkele tientallen vliegtuigen van de Luftwaffe, zij het zonder brandstof. Toen hij dat meldde aan zijn commandant reageerde die blij verrast, en zette een kruisje op de kaart. 'Vliegveld Rheine? Dat hebben we nog niet eens ingenomen!'

In Wesel begon het werk van de Intelligence. De eerste die van zijn bed werd gelicht was de *Ortsgruppenleiter*. Iemand van de Partij. Daar zat nog twee man boven: de *Kreisleiter* en *Gauleiter*. Ook die waren ook snel gevonden, want het burgerapparaat was laf, volgens De Gooyer. 'De een lapte de ander erbij. Als je iemand arresteerde die *Ortsgruppenleiter* was geweest, zei die meteen: 'Klopt, maar alleen van '40 tot '41. Daarna was het Herr Jannings.' 'O, en waar woont die?' Daar en daar... Hup, dan haalden we Herr Jannings op. Die was het weer van '42 tot '43. Zo haalde je de hele bups binnen. Een soort sneeuwbaleffect – geen één die zijn bek hield. Zelden heb ik zo'n stelletje verraders meegemaakt. En het was altijd: "*Ich war gezwungen.*"'

Krijgsgevangen verdwenen in kampen, de nazi's in lokale gevangenissen. De bevolking leek opgetogen. Wel waren er groepen fanatieke nazi-aanhangers die zich organiseerden tot de zogenaamde Wehrwolf. Het duurde nooit lang, maar gemene speldenprikken waren het wel. Als hun unit een huis vorderde, meestal een fraai huis, om van daaruit te kunnen opereren, luidde de nadrukkelijke order: niet aan lichtschakelaars, deurknopen en kranen zitten, zonder zorgvuldige controle. De meest onverkwikkelijke boobytraps waren degene die de Wehrwolf onder hun eigen gesneuvelde soldaten aanbracht. De mensen van het Rode Kruis die de lijken borgen bliezen zichzelf op die manier op. Het antwoord was weinig fijnzinnig: touw aan de voet van de dode Duitser, even trekken, en als het lichaam inderdaad was ondermijnd was de ruiming meteen volbracht.

De Wehrwolf spande ook ijzerdraad over de weg. Voor een open voertuig of motorfiets levensgevaarlijk. 'Je reed zo je eigen kop eraf.' Voor op de jeep hadden ze daarom een haak gemonteerd, maar alles ondervangen konden ze niet. Dat bleek toen ze een weggetje namen dat omhoogkronkelde naar een brug over een rivier. Midden in die brug had de Wehrwolf een groot gat geslagen, waar de jeep in vastliep. Het voertuig bungelde boven het water. De korporaal naast De Gooyer vloog met zijn gezicht door de ruit en gilde als een varken. 'Maar toen we het bloed wegwasten,' zegt De Gooyer, 'bleken het drie kleine sneetjes te zijn. We moesten hem voor de spiegel zetten om hem tot bedaren te brengen. De aansteller.'

Zelf brak De Gooyer zijn pols en neus. De pols ging in het gips, maar aan cosmetische correcties deden de Engelsen niet. En daarmee was hij verlost van zijn eeuwige, in zijn ogen kínderachtige wipneus. 's Avonds werden de legertenten opgeslagen. De vijf slapies moesten alleen nog de boer op om stro te halen. Ze sliepen op zogenaamde *paillasses* – strozakken. En deze 'paljassen' moesten elke avond gevuld worden. Maar Rijk vertikte het. 'Ik ga in het land van de vijand niet op stro liggen,' was zijn standpunt. Bovendien was zijn vader al 'commandant van de strozakken' geweest, dat vond hij vernederend genoeg. 'Ik ga voor een echt matras,' zei hij, 'goedenavond.' En hij reed in zijn jeep naar een *Bauernhof* in de omgeving. Het angstige boerenechtpaar dat daar woonde, haalde opgelucht adem toen hij alleen *eine richtige Springfedermatratze* vorderde, en gingen hem voor naar de slaapkamer. 'Ik had het liefst het hele ledikant meegenomen,' zegt hij. 'Maar met vijf man in een tent is dat toch een beetje krap.'

Hij had zijn matras. Wat zouden ze lachen, die andere vier, als ze hem zagen aankomen. Maar die triomf bleef uit. Want de jongens die op stro uit waren, keerden niet terug. Er verscheen een motorordonnans met de mededeling dat ze op een mijn gelopen waren. Drie waren op slag dood. De vierde, Jan Mayen, raakte zwaargewond en was naar het hospitaal gebracht.

'Zoiets hakt erin,' zegt hij. 'Zo'n bericht blijft je je hele leven bij.' Desalniettemin reed hij diezelfde avond nog even terug naar de boerderij om ook het ledikant op te halen. Voor de vierde – of is het inmiddels de vijfde? – keer was hij aan de dood ontsnapt. Als enige van de unit kon hij verder, dus kreeg hij de taken van de anderen erbij. Want opnieuw gold: Montgomery en Patton wachtten niet. De opmars ging voort. En sergeant De Gooyer kreeg een *warrant card*, wat inhield dat hij de bevoegdheid had om zelfstandig tot arrestatie en verhoor over te gaan. Hij was negentien jaar oud.

Bergen-Belsen

De veroveringsroute van de First Airborne liep via Wesel, Rheine, Osnabrück, Hannover, Celle, Lüneburg naar Hamburg. Rheine was net als Osnabrück een volledig verlaten stad, met een vliegveld waar honderd Messerschmitts stonden. Vanwege benzinegebrek aan de grond gebonden. Een mooie middag, vond een Canadees, om een stukje te gaan vliegen. *No worries*, hij kende die toestellen van binnen en van buiten. Ze gooiden er één vol benzine en inderdaad kreeg de man het ding aan de praat. Maar veel verder dan honderd meter kwamen ze niet: voor het toestel het luchtruim had gekozen doken ze in een sloot, en moest de Canadees schoorvoetend toegeven dat hij als werktuigkundige wel wist hoe een vliegtuig in elkaar zat, maar er nooit in gevlogen had. In de ogen van Rijk de Gooyer is elke nieuwe ervaring er één, dus ook deze. 'Tot op de dag van vandaag kan ik zeggen dat ik ooit in een Messerschmitt gevlogen heb. Iets waarmee je vooral op verjaardagen in Duitsland hoge ogen gooit.'

Op 15 april 1945 kreeg de Intelligence bericht van de fronttroepen dat er een concentratiekamp was ontdekt. Dat de kampen bestonden, wist De Gooyer. Hij had er tijdens zijn opleiding over gehoord. Maar hoeveel van die kampen, en wat er zich precies afspeelde, was nog niet duidelijk. Het bleek om Bergen-Belsen te gaan. Het beeld van de geallieerden die het kamp binnentrokken, is inmiddels te beschrijven. Daar is zestig jaar documentatie overheen gegaan. Maar voor de jonge jongens die aan kwamen rijden in hun jeeps was het een krankzinnig inferno. De overlevenden, slecht gekleed en mager tot op het bot; de lijken, die, voorzover nog niet in kalkputten gegooid en ondergespit, op stapels lagen te wachten. De stank van verrotting en bederf.

Ze konden direct aan het werk. Om te beginnen om de groepen uit elkaar te houden. De uitgemergelde slachtoffers waren bezig kampcommandant Josef Kramer te lynchen. En met hem de andere kampbeulen – ze werden door de stakerige handen van de graatmagere overlevenden gegrepen, in een laatste krachtsinspanning zich te wreken. 'Mij, de Heere, komt de wrake toe' – daarmee was De Gooyer opgevoed, maar in deze vorm van snelrecht kon hij zich ook wel vinden. De Engelsen dachten daar anders over. Geen veroordeling zonder rechtspraak. En dus sloegen ze met de kolven van hun geweren de lichamen uit elkaar. De kampbeulen kwamen bij de Intelligence voor verhoor: Kramer zelf, dokter Klein, die medische experimenten uitvoerde op gevangenen, en de vrouwelijke kampcommandant Irma Greese. De eerste twee werden ter dood veroordeeld. De laatste kreeg levenslang, maar werd zwanger van een Amerikaanse soldaat en was tien jaar later al weer op vrije voeten.

Om bewoners uit de omgeving te confronteren met alle gruwel die zich onder hun neus hadden afgespeeld, liet de majoor van de RAF de omliggende dorpen leeghalen, om ze door het kamp te sturen: mannen, vrouwen, kinderen, niemand uitgezonderd. 'Had u het zich zo voorgesteld?' Dat soort vragen werden er gesteld. 'Wist u dit?' Ze wisten het niet. Ze vielen flauw, zowel mannen als vrouwen.

Bergen-Belsen. In feite een *Durchgangslager*. Er waren geen gaskamers. Daarvoor moesten de joden doorreizen naar Auschwitz of Dachau. Maar vanwege de voortdurende honger, mishandelingen en de voortwoekerende epidemieën kon het kamp – waar ook zigeuners, communisten en criminelen zaten – gemakkelijk voor een vernietigingskamp doorgaan. Hoe konden er in de buurt van zoiets mensen wonen die niets in de gaten hadden? Van 1944 tot 1945 liep het aantal gevangenen op van 15.000 tot 60.000. Tienduizenden zijn er verdergedeporteerd, duizenden zijn er omgekomen, waaronder Anne Frank en haar zusje Margot, en het artiestenduo Johnny & Jones. Alleen Ischa Meijer is er geboren.

'Later, tijdens het lezen van Hanna Lévy-Hass,' zegt hij, 'en van haar dagboek uit Bergen-Belsen, drong het nog eens goed tot me door wat al die mensen hebben doorstaan.' Zijn eigen houding ten opzichte van de Duitsers is door deze onuitwisbare ervaring gekleurd. 'Direct na Bergen-Belsen, toen ik oog in oog had gestaan met het verschrikkelijkste nazi-kwaad, was die haat het grootst. Ik kon niks meer van Duitsers hebben. Ik reed er bij wijze van spreken dwars overheen als ik er een zag. Het is mijn volk niet,' zegt hij. 'Nog steeds niet. Ik zal er ook nooit op vakantie gaan. Al zijn de wegen nog zo breed, de *Brötchen* nog zo *frisch* en de *Springfedermatratze* in de hotels er van de beste kwaliteit. Ik doe het niet. Ik hou ook niet van de Duitse taal. Ik beheers haar goed, maar ze is me te precies, de uitspraak te overdreven. Ieder woord wordt nauwgezet en keurig uitgesproken. Ik krijg er de kriebels van.'

Toch is dit dezelfde Rijk de Gooyer die van alle Nederlandse acteurs de meeste kampcommandanten, Gestapo-rechercheurs en SS'ers heeft gespeeld. In een parodie op *Soldaat van Oranje* van Kees van Kooten en Wim de Bie, speelde hij zelfs álle Duitsers. Ze stond het ook op de titelrol. *Alle Duitsers: Rijk de Gooyer.* Het budget was dan ook beperkt. Het is ook dezelfde Rijk de Gooyer die eind jaren vijftig bij de UFA in Berlijn ging studeren en er tien jaar later met John Kraaykamp shows zou maken. 'Dat is me ook van verschillende kanten verweten,' zegt hij. 'En natuurlijk heb ik mezelf toen ook afgevraagd: moet ik het wel doen? Toen Willy van Hemert direct na de oorlog met een cabaret op Radio Hamburg begon, was ik de eerste om hem dat in te wrijven. Nu deed ik het zelf. Maar ik wilde vooruit, die drang was blijkbaar sterker dan de moraal. Aan de andere kant: er was inmiddels een hele nieuwe generatie Duitsers gekomen. Je kunt niet eeuwig haatdragend zijn. Dat felle anti-Duitse sentiment, zoals je dat rond wedstrijden van het Nederlands elftal ziet, is mij vreemd.'

IV

Bevrijdingsjaren

Hitzinger I presume?

Ik heb tot '47 in Duitsland gewerkt, bij een soort politieonderdeel van de Intelligence Service. Daar was ook Dave, een Engelse piloot, neergeschoten boven Duitsland, die had zich gered met een parachute. Later kreeg ik het bericht dat hij bij het behangen van een trap was gevallen, dood.
(interview met Bibeb, *Vrij Nederland*, 1967)

Hoe stelde hij zich de bevrijding voor? In een jeep door de straten van Utrecht, met uitzinnig zwaaiende klasgenoten langs de kant. Of nee, búigen moesten ze. Uit diep respect voor zijn heldenmoed. Voor alle ontberingen die hij had geleden. Maar half mei, toen Nederland in een feestroes was, zat hij Rijk de Gooyer nog in Lüneburg, onder Hamburg, waar het hoofdkwartier van Montgomery was gevestigd. Want juist ná de bevrijding was er door de Intelligence een boel af te handelen. Op 23 mei belde kolonel Murphy – hoofd Intelligence van het tweede Britse leger – majoor Gilruth, hoofd van de unit waar Rijk de Gooyer onder viel. De boodschap was dat er een grote vis zou worden binnengebracht. Een paar uur later kwam Murphy het kantoor aan de Ulzenerstrasse in Lüneberg binnen met een arrestant: een sterk vermagerde, wat verfomfaaide man, die een legerdeken om zich heen had geslagen. Toch herkende De Gooyer hem onmiddellijk: het was Heinrich Himmler.

Himmler, de Reichsführer SS, die door Hitler en diens opvolger Dönitz al eerder was afgedankt, had met een aantal getrouwen ondergedoken gezeten, en was na de capitulatie begonnen aan een poging door de geallieerde linies te glippen. Op 12 mei stak het ge-

Als sergeant van de British Intelligence op het spoor van Duitse oorlogsmisdadigers, 1945.

zelschap in een vissersboot de Elbe over. Te voet ging het verder, gehuld in verslonsde Wehrmachtuniformen. Anderhalve week zijn ze zo op pad geweest, de mannen, af en toe in boerderijtjes onderduikend, tot ze op 22ste door een Britse patrouille werden gearresteerd. Bij het riviertje de Oste bij Barnstedt, niet ver van Hamburg. Himmler stelde zich voor als sergeant-majoor Heinrich Hitzinger, en toonde zijn valse legitimatiebewijs. Dat was niet zo slim. Weinig Duitse soldaten hadden papieren bij zich, en meestal was de mededeling dat ze naar huis wilden, voldoende om doorgelaten te worden.

In dit geval werd er nauwkeuriger gekeken. In Himmlers gevolg bevonden zich zijn lijfwacht Kiermeyer, adviseur Brandt, zijn adjudanten Grothmann en Macher, die mank liep, en zeven SS'ers. Zij gaven zich uit voor gedemobiliseerde leden van de Geheime Feldpolizei. En ook dát was niet zo slim. Want juist leden van die dienst waren arresteerbaar. Niettemin had de voormalig Reichsführer zich goed vermomd. Hij had zijn snorretje afgeschoren en zijn monocle afgezet. Zijn linkeroog was bedekt met een zwart lapje. De Britten hadden geen idee om welke hooggeplaatste Duitser het ging. En waarschijnlijk waren ze daar ook niet achter gekomen, als Himmler niet zelf een einde aan de maskerade had gemaakt. Hij vroeg om een gesprek met kampcommandant kapitein Sylvester. In diens aanwezigheid deed hij zijn ooglap af, zette zijn bril op, en stelde zich plechtig voor als Heinrich Himmler, met de toevoeging dat hij dienovereenkomstig – dat wil zeggen 'voorkomend' – behandeld wilde worden. En dat was helemáál niet zo slim.

De voormalig Reichsführer moest zich helemaal uitkleden en werd onderzocht op een zelfmoordcapsule – de Engelsen wisten dat hoge nazi's die vaak op het lichaam droegen. Er werd inderdaad een hulsje gevonden met capsule, en één leeg hulsje. Maar hoe ze verder ook zochten, de inhoud, de pil zelf, bleef spoorloos. Men trok hem een Engels uniformjasje aan en gaf hem een deken voor de nacht. Zo kwam hij terecht op de Ulzenerstrasse. Het uiteindelijke verhoor vond plaats in bijzijn van het hoofd van de beveiligingstroepen van Montgomery's hoofdkwartier majoor Whittaker. Verder waren Himmlers bewaker, sergeant-majoor Austin, aanwezig en kapitein Wells, een inderhaast opgetrommelde arts die een extra onderzoek moest doen. Een tolk die een Duitse moeder had, en dus iets dichter bij de arrestant stond, verdiende de voorkeur boven Rijk. En dat was jammer, omdat hij nu, als laagste in rang, in de kamer ernaast moest wachten.

Dokter Wells begon aan een grondig onderzoek. Himmler moest zich helemaal uitkleden. Tussen zijn tenen, onder zijn oksels, in en achter zijn oren, in zijn haar, tussen zijn billen, in zijn aars, en ten slotte ook in zijn mond – overal tastten de vingers van Wells. Tenslotte vond hij de capsule, onder zijn tong. Wells deed of hij niks zag en probeerde de arrestant af te leiden door hem wat eten aan te bieden. Er lagen wat sandwiches en er was thee. Maar Himmler weigerde en dus ondernam Wells een nieuwe poging. Hij stak twee vingers in Himmlers mond om de capsule eruit te halen.

Op dat moment klemde de voormalig Reichsführer zijn kaken op elkaar – Wells stem was tot in de kamer ernaast te horen – en beet de ampul stuk. Grote consternatie. Met naald en draad werd geprobeerd de tong van Himmler vast te zetten, om met behulp van braakmiddelen en een maagpomp het gif weer uit zijn lichaam te krijgen. Zijn mond werd gespoeld, er werd kunstmatige ademhaling toegepast, maar tevergeefs. Na tien minuten was hij dood.

Elf uur 's avonds ging de deur open. Verhoor mislukt, arrestant overleden. Uit alle hoeken kwamen mensen te voorschijn die het lichaam wilden zien – ook Rijk stond erbij. Daarna werd 'de grote vis', zoals hij was binnengebracht, in een uniformjasje gehesen voor de foto. Daar lag hij dan – een dag lang. Amerikaanse en Russische officieren kwamen langs om zich ervan te vergewissen of het de echte Himmler was. Vooral de sovjets twijfelden daaraan. Voor de zekerheid werd er een dodenmasker gemaakt. Op 25 mei, om zeven uur in de ochtend, is het lichaam begraven, in bijzijn van majoor Whittaker, sergeant-majoor Austin, vier soldaten van de beveiligingstroepen, en Rijk de Gooyer. Begraven is een groot woord. Aan de rand van de Lüneburgerheide, in een bosperceel, werd een kuil gegraven, wat door de vele boomwortels nog een lastig karwei was. Daar werd de gevreesde man van het Derde Rijk in gerold – gewikkeld in een legerdeken en een camouflagenet. Met gras en bladeren werd de kuil zoveel mogelijk onzichtbaar gemaakt.

'In de kerk zongen we vroeger vaak psalm 103,' zegt De Gooyer. '*Men kent en vindt zijn rustplaats zelfs niet meer.* Dat betrof de vergankelijkheid van de hele mens. Maar in dit geval ging het letterlijk op. En zo was het ook precies bedoeld: alles om te voorkomen dat Himmlers rustplaats een bedevaartsoord zou worden.'

Pas eind juni kreeg sergeant De Gooyer een week verlof. Van een glorieuze thuiskomst was alleen geen sprake. Niet dat zijn ouders niet dolgelukkig waren hun jongen heelhuids terug te zien. Maar kort daarvoor hadden ze ook het bericht gehad dat zoon Kees was omgekomen. Een weinig tactische sergeant had de details uit de doeken gedaan. Kees was door de Japanners in stukken gesneden. Hij had na de capitulatie bij de ondergrondse in Den Haag gezeten en toen het hem daar te heet onder de voeten werd, was hij via omzwervingen in Zuid-Europa terechtgekomen. Van daaruit vluchtte hij naar Suriname, om klaargestoomd te worden voor de bevrijding van Nederlands-Indië. Hij had iets met Indonesië, sprak op zijn zestiende al goed Maleis, en had net als Rijk veel goeie Indovrienden.

Het zure is dat Kees maar een paar voetstappen op zijn geliefde Indonesië heeft liggen. Tijdens de invasie op het strand van Borneo is hij al gesneuveld, bij Tarakan, op Borneo. Daar hebben ze hem ook begraven. Later is zijn lichaam verplaatst naar het Nederlandse ereveld Balikpapan. En in 1967 berichtte de Oorlogsgravenstichting hem opnieuw te hebben begraven, ditmaal op het Nederlandse ereveld Kembang Kuning. Daar ligt Cornelis de Gooyer nog, als het goed is, onder nummer 85, vak DD te Soerabaya.

Het gezin in Tuindorp was ontroostbaar. Moeder was volkomen overstuur. En ook Rijk had het zwaar – wilde zijn bed niet meer uit komen, had huilbuien. Het verlies van zijn lievelingsbroer, de angst om Piet, van wie hij nog niks had gehoord, plus alle beelden en verhalen waarmee hij uit de oorlog was gekomen, het kolkte over hem heen. Buiten op straat liepen oude kennissen hem voorbij. Dat waren de nieuwe artikel 31'ers, die al eerder ter sprake kwamen.

'Het zijn geen dingen die je je letterlijk voorneemt,' zegt hij nu. 'Maar ergens in die periode, heb ik gemerkt, ben ik gestopt me aan dingen te hechten. Dat doe ik niet meer. Niet aan mensen. Niet aan bezit. Altijd speelt in mijn achterhoofd mee: ik raak het net zo makkelijk weer kwijt. Dat idee. Dus bewaar ik afstand.'

Burgemeester na oorlogstijd

Sergeant De Gooyer was blij dat hij na zijn week verlof terug kon naar Duitsland. Hij ging naar Flensburg, waar zijn unit inmiddels was gevestigd, tegen de grens van Denemarken. En omdat narigheid vaak tegelijk komt, beging hij daar zijn grootste fout als militair. Hij was een *Landeshauptmann* op het spoor gekomen, die hij op eigen houtje wilde inrekenen. Dat lukte ook. Alleen vergat hij de man diens stropdas af te nemen, zodat die de volgende dag aan een verwarmingsbuis van zijn cel bungelde. Overigens nog best een prestatie, want de man had maar één arm. De andere was hij een oorlog eerder kwijtgeraakt. Als remedie tegen algehele zwartgalligheid besloot Rijk de Gooyer zijn twintigste verjaardag bij de Engelsen te vieren. In Sleeswijk-Holstein. Het moest iets grandioos worden.

Even buiten Schleswig huurde hij een *Gaststätte* af, aan een meer. De eigenaar stond er met opgeheven handen bij. Hij wilde dolgraag van alles bieden, maar hij hád niks: geen kolen, geen eten, geen drank. Rijk sleepte het allemaal zelf aan. Hij nodigde zijn vrienden uit en nog wat jongens van de nabij gelegerde Field Security. Tel daarbij op het Flensburgse balletdanseresje met wie hij in die tijd scharrelde, en een hele trits Duitse meiden. 'Die wilden maar wat graag,' zegt hij. 'Ze stonden in de rij.' Niets stond een prachtig feest nog in de weg. En dat was het ook zeker geworden, als hij de heugelijke dag iets minder vroeg was begonnen. Om een uur of elf ontkurkte hij zijn eerste fles. Om kwart over elf de tweede. En op het einde van de middag hebben ze hem maar in bed gelegd. Toen hij de volgende dag wakker werd, keek hij in de bleke maar voldane gezichten van zijn visite. 'En? Hoe was mijn feest?' vroeg hij. 'Marvellous!' riep iedereen. Zo miste Rijk de Gooyer zijn twintigste verjaardag. Te vroeg gepiekt.

Majoor Gilruth riep de unit waar De Gooyer deel van uitmaakte bij zich. De vroegere vertrouweling en rechterhand van Adolf Hitler,

Martin Bormann, was nog steeds zoek. En de veronderstelling was dat hij zich op het eiland Sylt of Föhr zou bevinden – Duitse eilanden, deels voor de kust van Denemarken. En zo kwam een klein deel van de eenheid op het eiland Sylt terecht. Ze deden huiszoekingen, ondervroegen de eilandbewoners, voornamelijk vissers, omdat een boot natuurlijk een gemakkelijk ontsnappingsmiddel was; arresteerden er de burgemeester, van wie bekend was dat hij fout was geweest, en een chirurg die zich gespecialiseerd had in het verwijderen van tatoeages. Alle SS'ers hadden in de oorlog hun bloedgroep onder hun oksel getatoeëerd, en daar wilden ze nu uiteraard vanaf. Maar ook dat liet sporen achter. 'Je hoefde een arrestant maar te vragen zijn arm op te heffen, en een littekentje zei genoeg.'

Het militair gezag nam het burgergezag op Sylt over. Rijk de Gooyer werd *stellvertretend Bürgermeister* en nam in die hoedanig-

Sylt, 1945. Waarnemend burgemeester De Gooyer inspecteert zijn eiland.

heid bezit van de burgemeesterswoning. Een gouden tijd brak aan: een prachtige nazomer op het schiereiland, waar niemand op of af mocht zonder zijn toestemming. *Stadtkommandant*, zo heette hij officieel. En uit dien hoofde ontving hij ook de voormalig wereldkampioen boksen Max Schmeling, die naar het eiland kwam om zijn zieke vader te bezoeken. De Gooyer liet hem op een avond uitkomen tegen een irritante korporaal, een vechtjas, die na één rechtse hoek al onder de centrale verwarming lag. En dat terwijl de oudwereldkampioen uit sportiviteit zijn linkerarm op zijn rug hield.

Overdag een beetje rondrijden in de jeep. Het liefst in zwembroek. 's Avonds aanschuiven als het eten werd bereid, door zijn exclusieve kok Ulrich Schneider, een man die zo graatmager was dat hij Gandhi werd genoemd. Wat later op de avond was er voor de *Stadtkommandant* een speciale loge gereserveerd in het casino, dat overigens meer een nachtclub was, met gratis schnaps, omdat hij de uitbater aan een vergunning voor levende muziek had geholpen. Er speelde nu permanent het orkest van Barnabas von Gezy.

Was hij daar niet te vinden, dan zat hij met zijn vriend Gerard Holthuis, een Nederlandse sergeant, in Klub Trocadero. 's Nachts ploften ze neer op bed en schoten op het peertje aan het plafond, omdat ze te lui waren om naar het lichtknopje te lopen. Een keer vloog zo'n kogel dwars door het plafond, door de slaapkamer van Gandhi, die er recht boven sliep. 'Nog een geluk,' zegt hij, 'dat die man zo mager was.'

De hartelijkheid van de baas van Trocadero bekoelde overigens snel toen bleek dat Holthuis een affaire had met diens vrouw. De gelegenheid waarbij dat aan het licht bracht kwam, was een onverkwikkelijke. Holhuis had platjes en in die tijd was de enige remedie de hele schaamstreek in te smeren met blauwe zalf. Tijdens een feest was de dame in kwestie met Holthuis een luchtje gaan scheppen, en kwam terug met een blauwe baan op haar jurk. Ze was gemerkt, zoals ooien in de wei worden 'afgestempeld' door de ram.

Of de Hollandse *Stadtskommandant* ooit misbruik maakte van zijn positie?

'Nooit,' zegt De Gooyer. 'Nou ja. Gestolen heb ik wel. Maar niet alleen op Sylt.' Overal waar de geallieerden arrestaties verrichtten en huiszoeking deden, op zoek naar belastend materiaal, ging dat in één moeite door. Een Leica-camera, sieraden of andere zaken van waarde, mits niet te groot. Rondslingerend geld. 'Dat deed iedereen,' zegt hij. 'Onder de bevrijders bestond een levendige zwarthandel.'

Spelregel was wél dat de man van wie gestolen werd met aan zekerheid grenzende waarschijnlijkheid schuldig moest zijn. Anders liet je het spul liggen. Dan viel het onder *looting* – plundering, en dat was een oorlogsmisdaad. De grap om op de ijzeren granaatkist waar hij dingen in bewaarde groot *Loot* te zetten, werd dan ook niet door iedereen gewaardeerd.

De eigenaar van duizend flessen champagne die in een kelder van villa werden aangetroffen, was gelukkig 'met aan zekerheid grenzende waarschijnlijkheid' schuldig. Hij was een van de grote jongens uit de partij. De enorme voorraad flessen had hij uit Frankrijk geroofd. Dagenlang was het champagne drinken – dat weet De Gooyer nog goed, vanaf het ontbijt tot in de late uurtjes. 'Ik heb daarna heel lang geen bubbels meer kunnen zien.' De Indian summer ging over in een zachte winter. Het werk was intussen van karakter veranderd. Het speuren naar foute jongens was maar een klein onderdeel van het pakket geworden; de nadruk lag op *field security*.

Een dode geallieerde militair? Dan rukte De Gooyer uit – alleen in zijn jeep over de slingerwegen van het eiland. Het slachtoffer in kwestie lag op zijn buik aan de voet van een kazerne, waar een squadron Australiërs zat. Niemand had het lichaam aangeraakt, zoals het protocol voorschreef. Toen De Gooyer de man omdraaide bleek zijn geslacht nog uit zijn gulp te hangen. Eén blik naar boven, naar het open raam, was voldoende. De man had stomdronken naar beneden willen pissen en was zijn evenwicht verloren. De Engelse soldaat die bij Lienden uit een pantservoertuig hing was zijn eerste 'oorlogsdode' geweest – zijn maag had zich omgedraaid. Deze Australiër was de laatste. En ditmaal stapte hij lachend en hoofdschuddend terug in zijn jeep.

Toen hij er in 2000 nog eens terugkwam, op verzoek van het *Waddenbulletin*, maakte hij er kennis met Frau Petra Reiber, de toenmalige burgemeester. 'Geen onknappe blondine.' Hij verbaasde zich over de vele restaurants, gezondheids-, massage- en schoonheidsinstituten. 'Driekwart miljoen toeristen trekt ons eiland jaarlijks,' vertelde een trotse Frau Reiber. 'Was ík er nog maar *Bürgermeister* met absolute volmacht,' zegt De Gooyer. 'Dan zou ik het vergunningenbeleid er wat aanscherpen.'

Volle bus, laatste rit

Vijf maanden Sylt, vijf maanden strandjutten. Toen was het gedaan met de mooie tijd. Hij kwam in Kappeln terecht, aan de Kielerbocht, met een open verbinding naar de Oostzee. In Kappeln lagen de werven van de Kriegsmarine en andere havenbedrijven. Niet dat er ook maar enigszins sprake van was dat die in ere zou worden hersteld, maar men wilde de schepen ook niet laten wegrotten. En personeel daarvoor moest worden gescreend. Hij werd ondergebracht bij de SIB, de Special Investigation Branche.

In die hoedanigheid maakte hij jàcht op DP's, displaced persons, voormalige dwangarbeiders die na de bevrijding niet naar huis wilden – onder wie veel Polen, omdat die het nazi-regime niet voor dat van de Russen wilden verruilen. Als alternatief trokken ze plunderend en moordend over het platteland. Verder maakte hij deel uit van een medisch team dat de kroegen langsging om meisjes waar geallieerde soldaten 'kennis aan hadden', op geslachtsziekten te controleren. Het liep, kortom, allemaal af. De tijd van spannende arrestaties en verhoren was voorbij. Maar de context was er nog: de uniformen, de kapotgeschoten huizen, het ontwrichte bestuur. Bij veel militairen was er de angst om terug in het gareel te moeten. Het dagelijks leven lag op loer. En om niet uit de roes te komen, waar ze al die tijd in geleefd hadden, werden de grenzen van het gevoeglijke opgezocht.

Met een Canadese vriend, een motorordonnans die van beroep beverjager was, trok De Gooyer de natuur van Sleeswijk-Holstein in. Bossen, afgewisseld met glooiende velden. Daar liepen ze met een jachtgeweer en stuitten bij klaarlichte dag op een neukend paartje dat verderop in het gras, tegen een hellinkje lag. Van de man zagen ze een afgestroopte soldatenrijbroek, twee laarzen en twee witte billen die driftig op en neer wipten. 'Let's have some fun!' riep de Canadees, en schoot de neukende man van dertig meter afstand een schot hagel in zijn kont. 'Zelden heb ik iemand zo snel op zien springen, en weg zien rennen,' zegt Rijk. 'Het half ontklede meisje ging erachteraan, onderweg haar slipje omhoogsjorrend.'

Zijn activiteiten voor het Engelse leger hadden hem door heel Duitsland gevoerd, en nu eindigde het in Hamburg. Met zijn unit betrokken ze het riante huis van een foute Duitser aan de *Binnenalster.* In het pand stond ook een notenhouten piano, een Steinway, die ze tijdens een drinkgelag uit het raam donderden, gewoon om eens te zien wat voor geluid zo'n instrument op de tegels maakte. Het antwoord was 'atonaal'. En het plezier kortstondig.

Een wonderlijke exercitie volgde nog toen De Gooyer regisseur Veit Harlan en diens vrouw Kristina Söderbaum moest arresteren. Harlan had in dienst van Goebbels onder andere *Jud Süss* gemaakt, de antisemitische propagandafilm bij uitstek. Maar Harlan was ook degene die *Die goldene Stadt* had gedraaid, over het meisje dat in Wenen haar eerbaarheid verloor en zich zo jammerlijk in het moeras verdronk. De film waar hij met vochtige ogen naar had zitten kijken. Dat laatste durfde hij de jongens met wie hij op pad ging natuurlijk niet te vertellen, maar vreemd was het wel.

Het enige eerbetoon dat hij de regisseur, of eigenlijk nog meer diens schone Söderbaum, in stilte kon betuigen was om tijdens de huiszoeking niks van waarde in zijn zakken te laten verdwijnen.

De behoefte deed zich bij de Security gevoelen zich af en toe eens flink op de Duitsers af te reageren. Maar daar hoefde je bij de Britten niet mee aan te komen. Die stonden op het standpunt dat de verslagen vijand met respect en volgens de codes behandeld moesten worden. Volgens De Gooyer had dat niet zozeer te maken met hun fijnzinnige aard als wel met het feit dat ze nooit onder Duitse bezetting gezucht hadden. Net zomin als de Amerikanen. Berlijn was opgedeeld in bezettingszones, en de Duitsers wisten precies bij wie ze uit de buurt moesten blijven. Bij de Fransen en de Russen. Vooral die laatsten waren gevreesd. Boerenzonen gerekruteerd uit de onmetelijke uitgestrektheid van Russische platteland, die door de Duitse straten joegen als de stieren door Pamplona: balancerend op fietsen, omdat ze daar nog nooit op hadden gezeten; met rijen gestolen horloges om de polsen, omdat ze die nog nooit hadden gezien; en onderweg alle passerende *Mädel* bespringend, omdat ze dachten dat dat erbij hoorde.

'Maar ík moest de Duitsers voorkomend behandelen,' zegt De Gooyer. '*Correct*,' zoals ze altijd zeiden. 'Terwijl ik ze het liefst een grote bek gaf!'

De vraag was of hij zijn *Verbandakte*, waarmee de Engelsen hem van het Nederlandse leger 'leenden', wilde verlengen. Maar die vraag beantwoordde zichzelf, toen er de laatste maand nog een incident voorviel. De Gooyer stond in een Hamburgse stadsbus, zo propvol dat hij niet verder was gekomen dan het onderste treeplankje. Achter de bus holde nog een late passagier aan. 'Voll!' riep De Gooyer nog. Maar de man was een *Ausdauer* en waagde de sprong toch: hij belandde precies op diens tenen. De Gooyer bedacht zich geen moment en verkocht de man een schop, waarop die achterover uit de bus viel en over de straat rolde. De bus was *voll* – hij had het toch gezegd. Maar een Britse officier die het incident had gadegeslagen, dacht daar anders over. Nog diezelfde dag werd De Gooyer opgehaald door de militaire politie – zijn eigen mensen – en naar Bückeburg bij Detmold gebracht. Daar zat het hoofdkwartier van de Nederlanders in het Engelse leger. Hij moest voor de krijgsraad te velde verschijnen en werd voor de keus gesteld: of drie weken zwaar arrest of oneervol ontslag.

Voor het geval hij te gretig voor het laatste zou kiezen, wilde ritmeester Molenaar hem nog even op de consequenties wijzen. In dat geval zat een betrekking bij de overheid er niet meer in. Nooit meer. En dus – 'lul die ik was' – werd het brommen, drie weken lang. Zonder lectuur. Tweemaal daags luchten. De rest van de dag een beetje voor je uit staren. 'Dan zijn drie weken verdomd lang.' Toen hij uit de gevangenis werd ontslagen, liep juist zijn *Verbandakte* af. Bijtekenen wilde hij niet meer, en met de militaire trein van Hamburg naar Hoek van Holland spoorde hij naar huis. Het was voorjaar 1947.

V

Radiojaren

U wordt helemaal niets!

Artiest? Wáát?! Hoe haal je 't in je hersens, hoe haal je 't in je hoofd. Artiest, jawel, hoe kom je daar nou bij. Ik zal jou eens wat zeggen – hou je mond ik, ben aan 't woord! – artiest, jawel, maar dan over mijn lijk!
(Uit het lied: 'Mijn vader heeft het nooit begrepen', Wim Sonneveld, 1966)

Rijk de Gooyer woonde weer bij zijn ouders. Hij was eenentwintig en had al een heel leven achter de rug. Zijn hbs-diploma was uit de lucht komen vallen, zoals in 1945 sigaretten, chocola en witbrood. 'Wegens moed, beleid en trouw aan het vaderland bewezen,' stond op het getuigschrift, met de gelukwensen van het schoolhoofd. Vader De Gooyer keek zijn zoon trots aan. 'Zo, jongen,' zei hij. 'En wat gaat het nu worden? Banketbakker toch?' Voor zijn opvolging bij De Gooyer's Bakkerijen had vader zijn laatste hoop gevestigd op Rijk. Arie, de oudste zoon, was correspondent geworden, Kees was gesneuveld op Borneo, en Rijk moest de fakkel overnemen.

En wat zo mooi was: uit een officiële test was gebleken dat hij daar uitermate geschikt voor was. Toen Rijk drie jaar op de hbs zat liet zijn vader hem onderzoeken. De hele dag bracht hij door op het psychologisch instituut bij de beroemde professor Watering. Wat wilde hij worden? Dat was de eerste vraag bij het intakegesprek. 'Graag acteur,' zei hij. 'Misschien piloot. Maar in elk geval geen bakker.'

In het uiteindelijke rapport stond dat het instituut weliswaar geen oordeel kon geven over iemands acteertalenten, maar dat een baan als reclamefotograaf veel eerder binnen de mogelijkheden lag. Evenals verkoper in een herenmodemagazijn (wat overigens bijzonder is voor iemand die geen rood en groen kan onderscheiden). Maar zijn 'tegenzin ten spijt', stond er, 'is de jongen *uitermate* geschikt voor het banketbakkersvak'. Tot op de dag van vandaag verdenkt De Gooyer zijn vader ervan de psycholoog te hebben omgekocht.

De wens om acteur te worden werd door vader De Gooyer niet serieus genomen. Daar zat een gereformeerd kantje aan: toneelspelen was in de huid kruipen van iemand anders, en dat was duivels. Maar ook zonder gereformeerde ouders maakte je in die tijd als aspirantacteur weinig kans. Tien jaar eerder had in een ander Utrechts huishouden, twee blokken verderop, dezelfde discussie gespeeld. Vader Sonneveld, eigenaar van een goedlopende kruidenierszaak, zat met een zoon met artistieke aspiraties. Nu was de familie Sonneveld niet gereformeerd, zelfs niet kerkelijk. Maar als het om het imago van 'artiesten' ging, zaten beide middenstandsfamilies behoorlijk op één lijn: vrijbuiters waren het, klaplopers, viespeuken...

Wim Sonneveld ging ertegenin. Rijk de Gooyer koos echter de weg van de minste weerstand. Het klonk niet slecht, directeur van een broodfabriek. Aan de horizon doemde het beeld op van een gesoigneerd man, strak in het pak, met een grote auto onder zijn kont. Met het geld dat hij aan de oorlog had overgehouden had hij een zeilboot en ook een DKW uit 1937 aangeschaft. De voorklep was weliswaar met touw vastgebonden, maar het was wel een wagen met open dak, en die levensstijl – beetje toeren, beetje dobberen – beviel De Gooyer uitstekend. Hij zou het een halfjaartje in de zaak proberen, en vond hij het leuk dan zou hij naar de banketbakkersschool in Wageningen gaan.

'Kijk,' zei vader als er een brood uit de oven kwam. 'Wat zie je? Wat ruik je?'

'Een brood,' zei Rijk.

'Niet zomaar een brood, jongen. Ons brood! Mooi hoog, perfect gerezen...'

Vader De Gooyer kon verliefd kijken naar een grof volkoren. Zijn zoon had dat niet: het interesseerde hem niks. En moeder De Gooyer zag het allemaal aan. Zij had andere ambities met haar zoon: hij moest gaan studeren. Arie, de journalist, was gezakt voor het gymnasium en gesjeesd op de Theologische Hogeschool in Kampen; de overleden Kees had alleen KMA. Niet dat ze zich met anderen wilde vergelijken, natuurlijk niet, maar haar zuster had ook drie zoons: een dokter, een dominee en een ingenieur.

Er woonde een snotneus in de wijk die de roldeuren dichttrok van de ruimte waarin broodventers hun karren vollaadden. Die konden er dan niet meer uit. De Gooyer heeft een ochtend staan posten tot hij de dader, een jongen van een jaar of twaalf, al flink uit de kluiten gewassen, op heterdaad betrapte, en verkocht hem een paar flinke dreunen. De jongen liep huilend weg, en kwam even later terug met iemand van hetzelfde postuur: even hoekig, maar dan in een veel grotere uitvoering. De vader. Een beer van een vent. Wie het lef had zijn kleine Anton te slaan? Dat was zijn eerste kennismaking met de familie Geesink. Gelukkig kon vader De Gooyer nog tussenbeide komen, anders waren er nog meer klappen gevallen. De inmiddels gepensioneerde judokoning memoreert nog vaak dat hij als kind een pak rammel van Rijk de Gooyer heeft gekregen.

Terugkijkend op een halfjaar bakkersleven waren er weinig hoogtepunten. Elke dag om vier uur op, daar begonnen de problemen. Het was geestdodend werk voor iemand zonder hart van speculaas. De prille loopbaan eindigde met een klap, toen hij op een ochtend de gloednieuwe bakkerswagen, een zogenaamde Studebaker, total loss reed tegen een vuilniswagen die van rechts kwam.

Vader zag nu ook in dat het de verkeerde man op de verkeerde plek was.

En daar stond ie weer, achter het raam van zijn kamertje, aan de Professor J.W. Dieperinklaan, het propere straatje, de huizen met geprononceerde baksteentjes en aangeharkte tuinen. Gedesillusioneerd. Er moest meer zijn dan Tuindorp, Utrecht. Hij wilde de wijde wereld in, op zoek naar avontuur. Maar waar vond je na de oorlog nog avontuur? In elk geval niet bij Harmsen, Verwey & Dunlop, een in- en exportbedrijf. Maar hij kon er les krijgen in het Frans, Engels en Duits, dat was mooi meegenomen. En bovendien zat hij niet meer aan zijn ouderlijk huis gebakken. Hij reisde op en neer van Bilthoven – waar zijn ouders in 1947 waren neergestreken – naar de firma in Amsterdam.

De hoofdstad beviel hem goed, beter dan het dorpse Utrecht. En het werk kon erger. Hij zat er tussen het Amstelbier, de Bokma, de Venz-hagelslag, vele soorten parfum – de meest uiteenlopende producten gingen er in het bedrijf om. Zijn werk bestond uit het controleren van partijen Roger & Gallet, duizenden flesjes eau de cologne, die op transport moesten. De gebroken exemplaren viste hij eruit. En niet alleen die: dagelijks stapte hij met zakken vol parfum op de trein naar huis. Rook zijn eerste vriendinnetje Wiesje Paap nog naar Soir de Paris (gejat van de wastafel van zijn zus), nu rook heel vrouwelijk Bilthoven en een wijk van Utrecht naar Roger & Gallet. En de flesjes die daarna nog overbleven ruilde hij voor even kleine flesjes likeur. Want een vriend van hem werkte in groothandel gedestilleerd.

Zijn hoop was gevestigd op Manilla. Het exportbedrijf had een vestiging op de Filippijnen, en de mogelijkheid bestond dat hij een jaar zou worden uitgezonden. Het tropenkostuum lag al klaar. Toen kwam directeur Bomhoff met de teleurstellende mededeling: de plannen waren veranderd. Hij kon wel naar Yogyakarta als hij wilde.

Rijk had echter zijn zinnen op Manilla gezet.

'Ik wil niet naar Yogyakarta,' zei hij.

'U hebt weinig keus,' zei Bomhoff.

'Dan ga ik weg.'

'We hebben in u geïnvesteerd, meneer De Gooyer.'

'Dat is dan pech voor u.'

'Waar wilt u heen?'

'Naar de toneelschool. Acteur worden.'

'Zal ik u eens vertellen wat het is met wispelturige jongens als u? Die worden helemaal niets!'

Lege dop

In de krant stond een bericht over het eerste kievitsei. De vinder werd met naam en toenaam vermeld, en werd door Hare Majesteit ontvangen op Soestdijk. De Gooyer wist wat hem te doen stond: hij kocht in de winkel een kievitsei en bewaarde het een jaar lang. Het protocol schreef voor dat men niet zelf bij het paleis Soestdijk aanbelt om het ei aan te bieden: een bezoek wordt telefonisch aangekondigd. Om niet het risico te lopen te worden afgetroefd door een echte zoeker, belde hij al in maart. Hij was inderdaad de eerste. De schildwacht wierp een korte blik op het ei, knikte geïmponeerd en pleegde een telefoontje. De Gooyer mocht het lange pad aflopen naar het paleis. Op het bordes wachtte een vriendelijk knikkende man, die hem binnenliet in de hal. Maar verder ging het niet: de man opende het deksel en bekeek de vondst met de blik van een kenner. Groenig was het ei, met zwarte stippen. Gek, dat het toch nog even spannend was. Ze hadden hem bij de delicatessenzaak net zo goed een eendenei in de maag kunnen splitsen, zo groot was zijn de kennis van de natuur niet. Maar blijkbaar voldeed het aan de eisen. De man sloot het doosje en noteerde zorgvuldig de naam en het adres van de vinder.

Waar was het exemplaar aangetroffen?

'In De Bilt, meneer.' Merkwaardig, normaal kwam het eerste kievitsei altijd uit Friesland of Zeeland. Nu dus uit Utrecht. Er zou een officieel bedankbriefje volgen, maar dat is nooit gekomen. Wel stond er een kort bericht in de *Bilthovense Courant*: 'Rijk de Gooyer vindt eerste kievitsei.'

Post Dam

Bij de NCRV werd een reportage uitgezonden over de beklimming van de Himalaya. En hij sloeg zich voor het hoofd dat hij daar niet eerder aan had gedacht. Radioverslaggever! Mannen die de wereld over reisden met een bandrecorder en een microfoon. Hij schreef de omroep een brief waarin hij zich voorstelde als jongen van keurig gereformeerden huize, met aspiraties voor het maken van verre en gevaarlijke reportages. Broer Arie, die inmiddels voor *Trouw* werkte, had de juiste connecties en zo mocht hij op gesprek. Met Gerard Hoek, hoofd 'Gesproken Woord' bij de christelijke omroep.

De Gooyer mocht een halfjaar meedraaien op proef. Was het een succes, van beide kanten, dan zat er een vast dienstverband in. Maar ergens moet een misverstand zijn geweest. Want de kersverse radioreporter werd niet uitgezonden naar een rommelende vulkaan in Zuid-Amerika, of naar een koppensnellersdorp in Nieuw-Guinea: hij vond zichzelf terug op het bloemencorso in Aalsmeer, bij de opening van een nieuw tehuis van het Leger des Heils, of op het Museumplein ter gelegenheid van Werelddierendag. Hij moest sfeerreportages maken. Koninginnedag in Groningen, zaklopen onder de Martinitoren. Als uitschieters een bezoek van prins Bernhard aan de Hoekse Waard, en een klankbeeld over Hollandse molens.

De reportages waren bestemd voor het dagelijkse programma *Actueel geluid*. Hij kwam er onder de hoede van zijn stagebegeleider Peter Koen, nestor Herman Felderhof – de vader van Rik – en Jan de Visser. Met een schuin oog keek hij naar VARA-collega Arie Kleywegt, die de Elfstedentocht mocht doen. Dat was nog eens wat anders dan vendelzwaaien in Groningen. Een regelrecht bloedblad werd het als hij verslag moest doen van de zaterdagmiddagamateurs, terwijl hij niks van voetbal wist, met als dieptepunt de keer dat er drie gebroeders Jansen in meespeelden. 'Jansen naar Jansen, passje terug op Jansen, Jansen onderschept, Jansen met het hoofd... Jansen, Jánsen! Goed gekiept, klemvast, Jansen.' Rijk de Gooyer, uw

Aankomst van de kersverse koningin te Baarn, 1948,
met De Gooyer als NCRV-verslaggever (midden).

man voor verre en gevaarlijke reportages.

De drie grote zuilen werkte als onafhankelijke instituten naast elkaar en vooral lángs elkaar heen. Maar er was een uitzondering: de inhuldiging van koningin Juliana in 1948. Tien jaar eerder zou de VARA daar niet over gepiekerd hebben. Maar Wilhelmina had door haar rol in de oorlog de monarchie weer wat glans en ruggengraat gegeven, en nu waren zelfs de rooien voorzichtig koningshuisgezind. In ieder geval genoeg voor een gezamenlijke uitzending. Voor de KRO-reporter, nestor en routinier Paul de Waard was het een historische buitenkans. Normaal werd een reportage opgenomen, in de studio gemonteerd en vervolgens uitgezonden. Maar ter gelegenheid van de troonsopvolging zou de toer met de gouden koets voor het eerst live in de ether worden gebracht. En het wonder van techniek dat dit mogelijk maakte was een draagbare zender, waarmee De Waard naast de koets zou lopen. Nou ja, 'draagbaar'. De Waard zag eruit als een maanmannetje, met een soort accu op zijn buik en een enorme zendkast op zijn rug, waaruit een

'Lowietje, de kleine klusjesman': eerste optreden als komiek bij de NCRV, 1948.

grote spriet ter hoogte van zijn rechterschouder stak. Onder dit alles droeg hij ook nog een jacquet – dat schreef de etiquette voor. Paul de Waard, de eerste draadloze wandelende livereporter. Een kroon op zijn carrière. Er zaten wel wat haken en ogen aan. De zendpost op de Dam, waar Koen en De Gooyer zaten, kon het geluid van De Waard wel opvangen en naar Hilversum doorstralen, maar andersom konden ze zich niet aan hem verstaanbaar maken. De afspraak was dan ook dat hij gewoon zou doorpraten, drie uur lang, en dat hij af en toe in de uitzending 'geprikt' zou worden.

Het was een warme dag, die vierde september. 'Vanaf onze tribune "Post Dam," zegt De Gooyer, 'zagen we Paul bepakt en bezakt naast de gouden koets staan. De stoet zette zich in beweging. Herman Felderhof en ik hielden een inleiding, over het práchtige oranjezonnetje dat doorgekomen was, die werd afgesloten met de zin: "Over nu naar Paul de Waard, die *op dit moment* náást de gouden koets loopt. Wat zijn je bevindingen Paul?" We zagen de mond van Paul op en neer gaan, en hem brede gebaren maken, alsof hij dacht dat hij zelfs al op televisie was. Maar op de zender hoorden we niets dan een dof gereutel. We namen de reportage direct weer over en zagen Paul, nog steeds druk pratend en gesticulerend, de hoek omgaan. Een nieuwe poging volgde. Inmiddels had het gereutel plaatsgemaakt voor een luide bromtoon. We gaven het woord aan Post Rokin, maar ook die konden geen contact met hem krijgen. Alle posten onderweg werden gewaarschuwd: maak geen gebruik van de zender, die functioneert niet!' De Waard zelf bleef, krachtens de instructies, keurig doorbabbelen, tot aan het einde van de tocht. 'Daar zie ik hem nog binnenwankelen,' zegt De Gooyer. 'Helemaal bezweet in z'n jacquet. "En," kon hij nog net uitbrengen, "hoe wás ik?" Toen we het hem vertelde, brak hij. Nog nooit iemand zo zien breken. Hij huilde!'

De Gooyer presenteerde het radioprogramma *Familiecompetitie*, waarin twee gezinnen, op twee plekken in het land, het tegen elkaar opnamen. Maar zijn radiohart ging er niet sneller van kloppen. Toen zijn proeftijd erop zat, wist hij zelf eigenlijk al wat de uitkomst was. Te weinig ervaring, te geringe inzet. Om dat lot, onbewust, nog een duwtje te geven haalde hij op de valreep de communistische, homoseksuele dichter-activist Jef Last voor de microfoon. Niet eens om te schokken, of om de protestantse zuil op te schudden. Gewoon, slecht over nagedacht. Jef Last. Zo eindigde zijn loopbaan als verslaggever.

Gerard Hoek was de kwaadste niet. Een vast dienstverband zat er niet in, en als verslaggever had hij geen hoge ogen gegooid. Maar Hoek had hem eens op een personeelsavondje zien optreden als

Buziau, de imitatie die hij aan het begin van de oorlog van Toon Hermans had afgekeken. En dat was precies waar het de NCRV aan ontbrak. Humor. Op de grote Steravond bijvoorbeeld, met het Promenade-orkest, was het enige moment van opwinding 'De spraakwaterval', gepresenteerd door Johan Bodegraven. Regisseur van die avond was Piet Ekel – de latere Malle Pietje in *Swiebertje* – die als acteur een stapje terug had moeten doen, omdat hij met veel collega's, zoals Hetty Blok en Ger Lugtenburg, in de oorlog een 'foute' kleinkunstcursus gevolgd. Dientengevolge was hij even op rantsoen gezet. Lowietje de kleine klusjesman, zo heette het typetje dat Rijk met Peter Koen bedacht. Een orkestbediende die zich korte tijd van de microfoon meester maakte om wat actuele onderwerpen te bespreken en een liedje op zijn gitaar te doen. Elke uitzending vijf minuten. Eindelijk artiest. De eerste gereformeerde komiek was geboren. En het wat stijve NCRV-publiek vond het énig. Een vrolijke noot. Lowietje was een succes. En ook als de Steravond op tournee ging, om leden in het land te vermaken, ontbrak de zingende bediende in z'n stofjas niet.

Moord in de grindbak

Grote acteeraspiraties had hij wel. Was de rol van Hamlet voorbijgekomen, dan had hij die zeker niet afgeslagen. Maar Hamlet kwam niet voorbij. Hij had ook nog niet zo heel veel toneel gezien, meer variété. En verder was hij een jongen van het hoorspel – daar had hij avonden naar liggen luisteren, in het geniep, op zijn zelfgebouwde kristalontvanger. De VARA zond ze uit ter stichting, de AVRO vooral ter vermaak. Die had bijvoorbeeld detectiveserie *Inspecteur Vlijmscherp*. Bij de NCRV deed zich na de oorlog ook de behoefte gevoelen eens voorzichtig met 'drama' te experimenteren. De roden hadden sinds '45 een officiële hoorspelkern, maar bij de

NCRV moest alles van de grond af worden opgebouwd. Sterker nog, het hele fenomeen protestantse acteur moest nog worden uitgevonden.

Je had Jacques Snoek, die bij de omroep altijd Sinterklaas speelde. Die wilde graag. Dus dat was er al een. De vrouw van Jan Hoeve, hoofd van de jeugdafdeling, had ook wel zin. Dat was twee. Verder meldden zich Johan Bodegraven en Rijk de Gooyer. En als regisseur werd ene Dirk Verel aangetrokken, die in Groningen lekenspelen regisseerde op protestants-christelijke grondslag. Volgens De Gooyer een aansteller van het eerste uur, met wapperend wit haar en opzichtig gekleurde shawls. Hij nam zijn vrouw mee, Sophie Damen, die ook meteen als actrice werd geëngageerd. Voor aanvullende acteurs moest in hemelsnaam maar uit heidense bron worden geput, het was niet anders. En zo begon een reeks hoorspelen; stukken vol piepende deuren, knarsend grind, stromend water en ijselijke vrouwenkreten in de nacht. Hoewel dat laatste wel meeviel, want alles bleef natuurlijk 'op christelijke grondslag'. En was het dat niet, dan had het een heldere educatieve component. Stukken uit de vaderlandse geschiedenis bijvoorbeeld, zoals *Ferdinand Huyck* in oneindig veel delen, en *Floris de Vijfde, door den edelen vermoord.* 'Heer, de boeren hebben de burcht belegerd!' riep De Gooyer, die als edelknaap kwam binnenhollen. Waarop acteur Jan Apon, in de rol van Floris de Vijfde, baste: 'Zeg de boeren dat ze aftrekken!' Met als regieaanwijzing: 'Geluid van aftrekkende boeren'.

Series voor de jeugd waren *Prikkebeen, De jeugd vliegt uit* van Jan de Vries en *In de Soete Suikerbol,* waarin De Gooyer de rol van bakker speelde. Voor de kersverse hoorspelregisseurs was het vaak experimenteren. Twee mannen op een fiets. Acteur Paul Deen voorop, De Gooyer achterop. 'De dialoog is goed,' zei de regisseur peinzend. 'Ik heb alleen nog niet het gevoel dat jullie echt op een fiets zitten. Hoe zullen we dat aanpakken?'

'Haal een fiets,' zei Rijk vermoeid.

'Briljant!' riep de regisseur aan de andere kant van het glas.

En er was wel degelijk humor. Ook de NCRV liet zich graag van een wat opgeruimdere kant zien. Zo zat er in een stuk een haring met tekst – leuke vondst van zo'n nieuwe schrijver. Maar hoe spreekt een haring?

'In ieder geval niet zo,' zei regisseur Jan Hahn, toen Rijk de tekst met een piepstem begon voor te lezen.

'Hoe dan?'

'Weet ik veel. Jíj bent de haring. Probeer maar wat. Een beetje ziltig, denk ik.'

De Gooyer probeerde het nog eens.

'Ja,' zei Hahn, 'dat zit tegen een haring aan. Maar het kan ziltiger.'

'Ik dóe hem ziltig!'

En na nog een poging. 'Dat is hem Rijk. Hou 'm vast!'

Na de opname stond Hahns gezicht somber. 'Je liet 'm los,' zei hij.

De nieuwe afdeling liep als een trein. Bij alle omroepen waren hoorspelen trouwens populair. Oudere acteurs die erbij werden gehaald waren vaak afkomstig van het toneel – ze waren het reizen en trekken beu en kozen zo voor een geregeld bestaan. Jan van Ees bijvoorbeeld, die bij het grote publiek bekend werd als de detective Paul Vlaanderen in de gelijknamige AVRO-hoorspelen, verruilde zijn woonplaats Amsterdam voor Hilversum. Dicht bij de studio's. Hij maakte een berustende indruk.

Wat ze zeggen over film gold ook voor het hoorspel. Het was wachten. Dagenlang zaten de acteurs met elkaar opgescheept, in de studio of op de gang, hun beurt af te wachten, lezend en pratend; vrouwen vaak met een 'werkje' op schoot. Wat aan Jan van Ees de opmerking ontlokte: 'Ze komen naaiend aan het toneel en eindigen breiend bij de hoorspelkern.' Een wat lamlendige sfeer kortom, waar de woordspelingen en naamgrappen, dan ook niet van de lucht waren. Actrice Stine Leroux en haar dochter Beppie Versluys zaten alletwee aan het toneel. Van Ees opperde: 'Wie zoet is krijgt

Beppie, wie stout is Leroux.' Over actrice Nel Snel: 'Nel Snel, gebruik haar wel.' En secretaresse De Ru werd aangeduid met 'An de Ru, broek van je kont, vijf tellen na nu'. (Naar de regisseurscue 'Opname vijf tellen na nu'). En zo zouden we nog wel even kunnen doorgaan.

Toen *Paul Vlaanderen* in 1950 onder auspiciën van de AVRO en Theater Plezier van Floris Meslier op tournee ging, haakte De Gooyer in. Hij was immers freelancer, wie hield hem tegen. Honderdvijftig voorstellingen door het land. Voor de pauze het orkest van Eddy Christiani, met Johnny Meyer als accordeonist en Manke Nelis; ná de pauze *Paul Vlaanderen en het mysterie van de dodende schaduw*. In de bus werd gebreid, geslapen en gelachen. En hier werd als de grote tijddoder de limerick ingezet, wederom met Van Ees als ongekroonde winnaar in de pies- en poepsector, over literatuurcriticus Victor van Vriesland:

Stik zei de pik
van Vic van Vriesland
en kwam van schrik
van de naai- in de piesstand.

Voor een acteur aan het begin van zijn carrière, die bruiste van ambitie, was het allemaal heel gezellig. Maar tegelijk, moet gezegd, was er een stimulerender omgeving denkbaar, ook al omdat er na programmaleider Gerard Hoek niemand meer was die zijn talent herkende en op een hoger plan kon tillen.

Onbetwist dieptepunt in die periode was een NCRV-kersthoorpel, geschreven door Jack Dixon, over een stroper (De Gooyer) die, net als Franciscus van Assisi, op een dag het licht ziet en tot inkeer komt. Tegenspelers waren onder anderen de gerenommeerde acteur Frits Bouwmeester en diens echtgenote, de hoorspelactrice Dogi Rugani. Na de opname kreeg Bouwmeester op het station van Hilversum een hartaanval. 'Jouw schuld!' riep Rugani en wees met trillende vinger naar Rijk. 'Frits heeft zich de hele avond aan je spel geërgerd. Zo'n waardeloos acteur! Dat kan zijn hart niet meer verdragen!' Voor Rijk zette het de titel van het hoorspel – *Gij hebt mij tot den versten rand geleid* – ineens in een heel ander daglicht. Gelukkig kwam Bouwmeester er weer bovenop en verontschuldigde zich voor de aantijgingen van zijn vrouw. Dat was allemaal onzin geweest. Maar het typeert wel de sfeer van de 'gesloten wereld', het Huize Avondrood, waarin hij als jonge acteur terecht gekomen was, temidden van onwrikbare oudjes.

De jonge kraai

In de zomer van 1948, toen het radiowerk stillag, moest er iets anders bedacht worden. De DKW Meisterklasse en de zeilboot vroegen om onderhoud. Bij de DKW spande het er zelfs om. De Gooyer vervoegde zich daarom bij de garage van de vader van een vriend van hem, Jan Waaijer, die ukelele speelde in de Manakora's. Misschien waren er wat klusjes, en kon in hij in een onbewaakt ogenblik zijn eigen DKW even op de brug zetten. Jan zelf werkte er ook. Zijn benen staken onder een enorme zwarte Cadillac uit, een lijkwagen van de Eerste Algemene Utrechtse Begrafenisonderneming. Die stond daar voor een spoedklus.

'We gaan hem even testen,' zei Jan, na Rijk een zwarte hand te hebben gegeven. Op de snelweg trapte hij hem flink op zijn staart: 160 gingen ze. 'Zo snel zie je dit soort wagens toch maar zelden voorbijkomen,' lachte Jan nog. In de tank was bijkans een draaikolk hoorbaar, zoveel verbruikte de wagen. En dat ze er de garage nog mee haalden, was meer geluk dan wijsheid. Daar werd bijgetankt en kreeg Rijk een natte spons toegegooid om de restjes snelweg eraf te boenen.

'Als een zonnetje,' zei Jan, toen een kraai van de uitvaartmaatschappij de auto kwam halen. De man droeg een hoge hoed en een zwarte jas met tressen. Ze kenden elkaar. 'Je hebt er toch niet in gereden, Jan?' zei de man verschrikt.

'Een klein rondje,' gaf Jan toe en hij glimlachte verlegen. 'Ik moest hem toch uittesten?'

'Natuurlijk,' knikte de kraai. Hij gleed achter het stuur. 'Ik had je er alleen even op attent moeten maken,' zei hij en wees met zijn duim naar achteren. 'De overledene ligt er nog in.'

Omdat er in de garage niet altijd genoeg werk was voor vader en zoon, werkte Jan zelf ook wel eens als hulpdrager. De inkomsten vielen niet tegen. Een eerste klas begrafenis leverde *f* 3,50 per uur op, een tweede klas *f* 2,50 en een derde klas *f* 1,50. En dat kon flink aantikken, want soms had hij wel drie, vier begrafenissen op een dag. Het ziekteverzuim onder de kraaien lag hoog – bovendien was de gemiddelde leeftijd aanzienlijk, zodat er veel definitieve uitval was.

Jan wist de beide professies altijd prima te combineren. Het ene moment lag hij met zwarte handen en vegen op zijn gezicht onder een auto, het volgende stond hij in zijn kraaienpak met een bedroefde blik aan de groeve. De voorgeschreven kledij bestond uit een zwart pak met daaroverheen een hooggesloten tressenjas, een hoge hoed, zwarte handschoenen en zwarte schoenen. De tressenjas werd door de onderneming verstrekt, de rest werd je geacht er zelf bij te kopen. Zijn handen wassen deed Jan niet. Daar gingen de handschoenen overheen. Een zwart pak trok hij ook niet aan, want moeder Waaijer had twee losse zwarte broekspijpen genaaid, die hij over de pijpen van zijn overall heen schoof. De lange tressenjas bedekte zijn overall. Alleen even een washand over zijn gezicht. En aldus uitgerust begaf hij zich op de motor, de hoge hoed achterop gebonden, naar de begraafplaats.

Het was precies het soort baantje waar Rijk naar op zoek was, en hij kon meteen beginnen. De directeur van de begrafenisonderneming was enthousiast: die zag graag jonge dragers aan de baar. Dat gaf zijn bedrijf, hoe vreemd het ook mag klinken, een jonge en dynamische uitstraling. De Gooyer als kraai. Iemand die later erg van die verhalen zou genieten was Simon Carmiggelt. Die hoorde hem er meerdere malen over uit, en zat te gniffelen achter zijn borrel. 'Bijvoorbeeld over de keer,' zegt Rijk, 'dat ik mee mocht met een man van de onderneming naar het sterfhuis bij het afleggen, het scheren en het kisten van een lijk. In dit geval was het lijk alleen te groot voor de kist. De man van de onderneming vroeg plechtig aan de aanwezige rouwenden of ze uit piëteit voor de overledene een moment de kamer wilden verlaten. Daarna haalde hij een stuk ijzer uit zijn tas en sloeg de knieën van de dode stuk. Nu paste het wel. Hij had het ding altijd bij zich – het kwam blijkbaar vaker voor.'

Zoals De Gooyer zelf op Sylt een kist 'Loot' onder zijn bed had staan, bezat deze man een complete uitdragerij aan kleding en spullen van overledenen. As hij bij een bedroefde weduwe een mooi pak in de kast zag hangen, wees hij er ernstig op. 'Pas nieuw gekocht zeker?' 'Ja,' jammerde de vrouw dan, 'neemt u het alstublieft mee.' Met gepaste aarzeling stemde de kraai daarin toe. Goed, niet alle verhalen waren even fris, maar de *Parool*-columnist smulde ervan. Meermalen heeft hij over de uitvaartwereld geschreven, één keer met de bron erbij. Het ging toen om een aanspreker met wie De Gooyer meerdere malen overhoop had gelegen. Eén keer omdat hij een streepjesbroek had aangetrokken, terwijl dat volgens etiquette alleen de aanspreker strepen was vergund. Gewone kraaien droegen zwart.

'Uít met die pantalon, heer De Gooyer,' had de aanspreker door de lege aula geschald.

'Val dood,' was het antwoord.

Simon Carmiggelt wijdde aan die tijd een Kronkel die te mooi is om niet in zijn geheel te citeren: 'Bij de firma waar Rijk korte tijd zijn treurig ambt uitoefende, werkte een onaangename man, die door alle kraaien werd gehaat. Hij was wat hoger in rang en een oncollegiale dienstklopper. Toen hij weer iets onaangenaams had uitgehaald besloot het personeel eensgezind tot een kleine wraakoefening. Ik weet niet of het nóg zo is, maar het was in die tijd bij de dure begrafenissen gebruik dat aan de kop van de stoet, enige meters voor de lijkwagen uit, een zéér merkwaardige, in het zwart gehulde heer met een steek op schreed. Déze rol werd altijd door de gehate man vervuld. De wraak bestond hieruit dat – tijdens zo'n dure begrafenis – de bestuurder van de lijkwagen, bij een kruising, de gebruikelijke route naar het kerkhof wijzigde. Gevolgd door de stoet sloeg hij links af. Maar de man met de steek op schreed, midden op straat, plechtig rechtdoor. Dat hij door hoegenaamd niets werd gevolgd, bemerkten alleen de voorbijgangers, die deze solooptocht met begrijpelijke verbazing zagen langstrekken, want de man zélf keek in deze ernstige rol natuurlijk nooit om, doch droevig voor zich uit. 't Is al jaren geleden dat Rijk 't me vertelde. Maar ik zie die man nog altijd vóór me – helemaal alleen schrijdend, midden op straat.' (*Het Parool*, 1 augustus 1968)

Kobus Rarekiek

In de zomer van 1949 maakte Rijk de Gooyer met Piet Wiersma een zeiltocht op de Loosdrechtse Plassen. Bij jachthaven Van Dijk stond een groot bord: 'Opnames voor Cabaret Camera Obscura. Komt allen!' Met daaronder een rijtje klinkende namen: Wim Ibo, Jan de Cler, Sophie Stein, Cruys Voorbergh, Fien de la Mar, Lia Dorana... Stuk voor stuk VARA-radiocoryfeeën. Op een steiger, gelaten in het zonnetje, zaten Hetty Blok en Kees Brusse. En vooral die laatst was populair als het radiotypetje Kobus Rarekiek, de Amsterdamse straatfotograaf.

De jongens legden aan. Twee avonden per week, op donderdag en zaterdag, bleek het gezelschap voor publiek op te treden. Losse nummers, aan elkaar gepraat door Brusse als Rarekiek. En meteen de eerste avond was De Gooyer verkocht. Hier wilde hij ook bij horen. Een mooiere overbrugging van de stille zomermaanden zou

VARA-radiocabaret *Camera Obscura*, met v.l.n.r. Sofie Stein, Wim Ibo, Rijk de Gooyer, Mela Soesman, Lia Durana, Rob de Vries en Cor Lemaire (1950).

nauwelijks denkbaar zijn. De leider van het gezelschap, Wim Ibo, keek de jonge radiomaker argwanend aan. 'U wilt meedoen?' zei hij. 'En hoe zei u ook al weer dat u heette? De Gooyer? Rijk de Gooyer? Van Lowietje de kleine klusjesman?' De Gooyer knikte enthousiast.

'Jammer,' zei Ibo. 'Daar vind ik niks aan.'

Toch liet hij een opening. Misschien niet in de laatste plaats omdat het een aantrekkelijke jongeman was, die De Gooyer – iets waar de latere cabaretprofessor zich niet ongevoelig voor toonde. Op woensdag was er een dansavond en tussen de nummers door zou er ruimte zijn voor een intermezzo. Daar zou Rijk die Buziau-imitatie kunnen uitproberen, waar hij zo hoog van opgaf. En als de grote Ibo tijd had, zou de grote Ibo misschien wel even komen kijken.

Ibo kwám kijken, en het nummer was een succes. En dus promoveerde De Gooyer naar de zaterdagavond, waar hij in een act

Kobus Rarekiek, ca. 1950.

stond tussen Cruys Voorbergh, Fien de la Mar en de pianist Cor Lemaire. Na afloop van de eerste zaterdag, een beetje overmoedig geworden door het succes, imiteerde hij het typetje Kobus Rarekiek. De andere artiesten stonden er, met een borreltje, in een cirkel omheen. En nu begon Ibo zelfs te kirren. 'Dat doe je voortreffelijk, jongen!' zei hij. 'Mocht Kees een keer ziek worden, dan weet ik je te vinden.'

Het was als compliment bedoeld, maar een paar weken later ging werkelijk de telefoon. Kees Brusse had het te druk bij het Rotterdams Toneel en wilde van zijn typetje af. Rijk de Gooyer mocht het komen proberen, met de hartelijke instemming van Brusse zelf, die hem een stoomcursus Rarekiek gaf. Niet gratis – Brusse moest af en toe een bankbiljet toegestopt krijgen, anders staakte hij de inlichtingen – maar wel instructief. Er was alleen één probleem. De creatie van Brusse was zo'n ongekend succes op Hilversum I dat de VARA bang was luisteraars kwijt te raken als bleek dat er achter ineens een andere acteur achter de 'oerkiek' schuilging. En dus werd dat stilgehouden.

Dat ging een paar maanden goed. Toen werd geheim onthuld door *Het Vrije Volk*. 'Jongeman neemt plaats in van bekend acteur,' luidde de kop van het artikel. 'Van onze speciale verslaggever'. 'Kobus Rarekiek was dit jaar "Kobus" niet, [...] maar een tot nu toe vrijwel onbekende jongeman, Rijk de Gooyer, die daarmee zorgde voor een mystificatie en een prestatie, die voorzover we weten uniek is in radioland.' Of de luisteraars geschokt waren is niet bekend. Maar bij De Gooyer thuis waren ze dat in ieder geval wel. Hun zoon, voor de VARA-radio. Op zóndag! Ook bij de NCRV, waar zijn freelancecontract liep, was hij vanaf dat moment niet meer welkom.

Twee seizoenen lang speelde hij Kobus Rarekiek, met alpinopet, zwarte krulpruik, opplaksnor en een grote bril met vensterglas. Zo praatte hij de onderdelen van het radioprogramma *Camera Obscura* aan elkaar, ter zijde gestaan door comédienne Hetty Blok, die hem ook spraaklessen gaf. Want het Utrechtse accent was hij nog steeds niet helemaal kwijt.

VI

Het Rembrandtplein

De Grote Drie

'U bent toch Kobus Rarekiek geweest?'

'Ja, mevrouw.'

'Nou, maakt u zich geen illusies. Dat was helemaal niets. Leert u dat allemaal maar weer af.'

De Gooyer stond oog in oog met het echtpaar Kan: de boomlange, vriendelijk knikkende conferencier en, iets lager op schouderhoogte, de argwanende blik van Corry Vonk. Hij was op audiëntie. Zo voelde het tenminste. Kan was opzoek naar nieuw bloed voor zijn gezelschap, het ABC Cabaret, en op voorspraak van Wim Ibo mocht hij komen praten. Er werd over de voorwaarden gesproken. Hij moest in Amsterdam komen wonen – voor Rijk geen enkel probleem. Zijn vader begon hem al een beetje als de eeuwige hotelgast te behandelen. En vervolgens kwamen de werktijden, de kledingvoorschriften en de omgangsvormen ter sprake. Discipline stond bij de Kannen voorop, dat was meteen duidelijk. En ook begreep hij dat hij zich niet te veel moest verbeelden. Vandaar ook die opmerking over Rarekiek. Wie zich netjes naar het ensemble voegde, kon een leerzame tijd hebben, maar van einzelgängers waren ze niet gediend.

De Gooyer betrok een etage op de Noorderdwarsstraat, twee kamertjes en een keuken voor twintig gulden per maand. Wat hem betreft kon het echte leven beginnen. Van Wim Kan merkte je niet veel, die was het brein op de achtergrond. De dagelijkse gang van zaken liet hij over aan Corry Vonk, die als een herbergmoeder heerste. 'Ze bemoeide zich met alles, ook met je privé-leven.' Volgens De Gooyer gold hier een eenvoudig procédé. Het echtpaar had zelf geen kinderen, en daarom werden de volonteurs in korte broekjes gehesen en berispt of juist als kleuters over de bol geaaid.

'We waren hun speelgoed,' zegt hij. Als hij in die periode iets heeft geleerd, is het hoe je je broek netjes over een stoel kunt hangen. Dat was te danken aan Corry Vonk. En waar je goed een *steak tartare* kon eten – een vrolijk verslavingspuntje van Wim Kan, waar De Gooyer helemaal in meeging. Hij telde zijn dagen af, letterlijk. Ze speelden in het Leidsepleintheater, en op de spiegel in de kleedkamer zette hij streepjes, zoals gevangenen doen. Na de voorstelling, waarin hij kleine, bijna onbenullige rolletjes speelde – opnieuw een les in nederigheid – ging iedereen direct naar huis. Dat was usance. Niks kroeg, niks artiestensociëteit De NAR (Na Arbeid Rust) op het Rembrandtplein. Corry Vonk stond heus niet, zoals vroeger de 'bioscoopouderling', op een hoek te posten. Maar het kwam haar altijd uiteindelijk wel ter ore en dan was er heibel in de tent.

In de loop der jaren zijn er heel wat klinkende namen aan het ABC Cabaret verbonden geweest: Sylvia de Leur, Henk Elsink, Frits Lambrechts, Marnix Kappers, Wieteke van Dort, Frans Halsema, Jenny Arean, het echtpaar Sieto en Marijke Hoving. Maar in de periode van Rijk de Gooyer draaide het vooral om een ánder jong echtpaar: Henk en Teddy Scholten. Het waren de lievelingsartiesten van meneer en mevrouw Kan. Vooral Teddy, die later bekend zou worden met haar Songfestivalnummer 'Een beetje' (1959). Henk en Teddy droegen ook allebei dankbaar de kleding die Corry Vonk voor hen breide.

'Dat mens breidde of haakte alles,' zegt De Gooyer. 'Tot het bordje "uitverkocht" op de deur van het theater aan toe.' Het echtpaar Scholten maakte een kleine kniebuiging als hun weer een gebreid hempje werd toegestopt. 'Dank u wel, mevrouw Kan.' Later mochten ze 'Wim' en 'Corry' zeggen, wat binnen het ensemble ongekend was. Dat mocht niemand. Kan gaf ook rapportcijfers. Hij kon ineens, als de 'jonkies' aan de beurt waren, op een stoel tussen het publiek schuiven. Dat ging onaangekondigd – in ieder geval voor Rijk de Gooyer. Want Henk en Teddy hadden er een uitste-

Met Jo Visscher in het ABC Cabaret van Wim Kan en Corry Vonk.

kend neusje voor. Als zij een avond extra goed hun best deden, wist De Gooyer: de baas zit in de zaal. Het maakte hem nog dwarser dan normaal. Misschien was het ook sterker was dan hemzelf – in ieder geval liet hij in zo'n voorstelling bewust wat steekjes vallen en rafelde zijn teksten af. 'Henk en Teddy allebei een negen,' zei Kan dan na afloop. 'Pam Henning en Joop Fischer een acht. Rijk een zesje.'

Later zou de Wim Kan explicieter worden in zijn kritiek. Het ontbrak De Gooyer aan talent. Hij was een 'kleedkamerartiest': iemand die achter de schermen leuker was dan ervóór. En de kans dat hij ooit nog wat zou bereiken was niet bijzonder groot. Tientallen jaren later, tijdens een gastcollege op de kleinkunstacademie, deed hij er nog een schepje bovenop. 'Rijk de Gooyer?' zei hij op een vraag uit de zaal. 'Natuurlijk ken ik die. Dat is de aangever van Johnny Kraaykamp.' Overigens was De Gooyer in goed gezelschap. Toen Jasperina de Jong een jaar of tien later, in 1959, bij het ABC Cabaret aanklopte, werd zij door Kan afgewezen 'wegens gebrek aan talent'. Iets waar de meester zich later nog omstandig voor zou excuseren.

Toch was er geen wrok, tenminste niet bij Rijk de Gooyer. Hij waardeerde Kan als conferencier en keek graag naar hem, ook later, tijdens de oudejaarsavonden op televisie. En de kleine ergernissen onderweg slikte hij met het idee in ieder geval ergens onder dak te zijn. Bovendien, ergens halverwege uitstappen was niet zijn stijl.

Kleine ergernissen waren er genoeg. Als mevrouw en meneer Kan naar het theater gingen, namen ze de auto. Het ensemble en de medewerkers reisden per trein. Iedereen kreeg daarvoor handgeld, juist toereikend voor een tweedeklaskaartje. Toen bleek dat er een paar uit de groep dérde klas reisde, om voordeliger uit te zijn, werd de hele groep disciplinair gestraft. In het vervolg reisden ze allemaal derde klas. Iets dat het 'familie von Trapp'-gevoel voor De Gooyer wel erg groot maakte.

Toen de streepjes bijna van de spiegel afliepen, en de laatste week was ingegaan, klopte het echtpaar op de kleedkamerdeur.

'Rijk, we willen je iets voorleggen,' begon Wim Kan. 'Ik heb gisteren te horen gekregen dat we het programma nog twee weken kunnen doorspelen in De Kleine Komedie. De rest van het ensemble heeft net toegezegd er twaalf voorstellingen aan vast te willen knopen. En jij?'

'Ik niet,' zei De Gooyer.

Op iets van dwarsigheid had het echtpaar wel gerekend, maar dit kwam er erg boud uit. 'En als we je meer betalen?' zei Kan.

De wenkbrauwen van De Gooyer gingen omhoog. In beginsel

stond hij daar niet onwelwillend tegenover. Maar Corry Vonk belette dat.

'We betalen die jongen 125 gulden per maand,' zei ze, 'hij mag in zijn handjes knijpen.' Voor die extra twee weken in De Kleine Komedie hebben ze een invaller moeten zoeken. Toch was het geen aanvaring met Wim Kan die het einde van de samenwerking inluidde. Het betrof de manager Eduard Saks. Elk jaar ging het cabaret een maand naar de West: Curaçao, Aruba, een avondje naar de Hollandse Club in New York – kortom een leuk uitstapje, waarin het programma van het jaar daarvoor werd gespeeld. De Gooyer maakte spijtig genoeg geen deel uit van dat programma en mocht niet mee. Wel zou die maand doorbetaald worden: hij kreeg 125 gulden.

Maar het gezelschap was nog geen dag weg, of Eduard Saks belde. Dat hij een klusje had gevonden om die 125 gulden toch nog 'welbesteed' te maken. In het Amsterdamse Citytheater moest vlak voor de film een conference gehouden worden, driemaal daags: één matinee, twee avondvoorstellingen.

'Dat doe ik niet,' zei De Gooyer.

'We geven u geen geld voor thuiszitten,' riposteerde de manager.

'Dat was anders wel de afspraak.'

'Begrijp ik het goed?' zei Saks. 'Is dit werkweigering?'

'Dat dacht ik wel.'

'Dan hoort u van ons, zodra meneer Kan terug is.'

Toen meneer Kan terug was, gaf die Rijk de Gooyer en niet Eduard Saks gelijk. Maar het was te laat – de ontslagbrief was al onderweg. Met als gevolg was dat De Gooyer bij de nieuwe serie door de West wéér niet van de partij was. Terwijl een zelfgebreid hawaïhemd hem juist zo aardig had gestaan.

In het conflict met manager Saks had Kan dan wel De Gooyers kant gekozen, maar daarna deed hij iets wat Rijk hem slecht heeft kunnen vergeven. Hij stuurde een brief naar collega's in het cabaret om hen voor deze 'onruststoker' te waarschuwen. 'Niet te houden in een gezelschap!' stond er letterlijk in de brief. Wim Sonneveld, die op een avond in café Schiller was, deed er niet geheimzinnig over. 'Ik ben voor je gewaarschuwd, jongen,' zei hij. 'Maar eh, *De Gooyer* was het toch?' Hij keek hem aan met een spottende ons-kent-onsblik. 'Vertel eens, wat doe je volgende seizoen?'

Op een vreemde manier werkte die brief ook weer in zijn voordeel. Sonneveld had net de tweede, sterke man uit zijn ensemble, Joop Doderer, ontslagen en was op zoek. In ongeveer al het denkbare kon je Wim Sonneveld de tegenpool van Wim Kan noemen. Kan was de gereserveerde werkgever, de onzichtbare hand, Sonneveld was het energieke en kronkelende middelpunt van zijn eigen kluwen. Die moest kunnen schitteren – daar zocht hij de mensen om zich heen ook op uit. In het geval van Doderer speelde er nog wat anders mee. Sonneveld vond hem te ordinair. 'In die witte pakken van hem,' zei hij. 'Met zoiets wil ik toch niet samenwerken.'

Rijk de Gooyer rook zijn kans. Hij wilde zelf ook wel eens in het volle licht staan. Niet steeds de dienstbare rolletjes spelen. Een ambitie die absoluut niet had strookte met de plannen van Sonneveld, en de ego's zouden ook zeker gebotst hebben als het tot een samenwerking was gekomen. Maar het ging al veel eerder mis.

Toen het contract werd getekend, een week na hun ontmoeting in Schiller, was Sonneveld opgetogen. 'Leuk om met je samen te werken, jongen. Je zult het ongetwijfeld goed kunnen vinden met Conny en Joop.'

'Joop?' zei Rijk.

'O, vergat ik je het te zeggen? Joop pikt nog 'n seizoentje mee.'

Het bleek dat Conny Stuart, het paradepaardje van Sonneveld, had gedreigd met opstappen als Joop, háár Joop – ze hadden een relatie – zijn baan zou verliezen. Rijk de Gooyer zetten meteen een streep door het contract. 'Laat maar zitten,' zei hij. Niet de derde viool, niet wéér.

Een week later stond hij in café Schiller met de laatste van 'De Grote Drie', Toon Hermans. Zijn vroegere held. Ook Hermans had een brief van Kan gehad, maar kende diens onwrikbaarheid. 'Ik wil je wel proberen,' zei hij.

De Gooyer had de pech dat Toon Hermans midden in een experimentele fase zat. Klank, beeld, tekst, gevoel, het moest allemaal opgaan één grote, associatieve stroom. 'Ballot' zou hij die vorm van theater later gaan noemen. En in het ensemble hing de sekteachtige sfeer van mensen die samen de wereld gaan verbazen. 'Sámen' – dat was ook het woord dat Hermans graag gebruikte. 'We doen het samen, jongens.' Als hij de repetitieruimte binnenkwam, de mantel losjes over een schouder, sprong de hele *troupe* – onder anderen Beppy Nooij, Aafje Bouber, Nico Knapper – als één man overeind. Iedereen, behalve Rijk de Gooyer. 'Vandaag maken we een lied,' zei Hermans dan en liep naar het schoolbord, dat op het podium stond. De jas bleef over zijn schouders hangen alsof hij elk moment voor iets belangrijkers kon worden weggeroepen. 'Ik ben een mens...' zei hij, en schreef het in sierlijke letters op. 'Nou jongens, hoe gaan we verder? Ik ben een mens... die beeft en leeft...'

De Gooyer werd er een beetje iebel van. Toch was er weer een conflict met de manager voor nodig om uiteindelijk een beslissing te forceren. In dit geval heette 'de kwade genius' Jo van Doveren, een voormalig circusproducent die in cabaret en variété was gegaan.

Met Toon Hermans was De Gooyer al een salaris van tweehonderdvijftig gulden overeengekomen. Maar Van Doveren wuifde het bedrag lachend weg. 'Honderdvijftig kun je krijgen,' zei hij, 'máximaal. Onderhandelen doe je ook met mij, niet met de artiest.' En zo hoorde er weer een nieuwe werkkring tot het verleden. Hij had er welgeteld één dag gewerkt.

'Ik ben ook geen ensemblemens,' zegt hij nu. Of het nou om de bewaarschoolachtige situatie bij Wim Kan ging, de wat rellerige *troupe* van Wim Sonneveld of de avant-gardistische zweefmolen van Toon Hermans. Hij had er het karakter niet voor – hij was niet iemand die zich makkelijk liet 'vangen'. Maar hij had in zijn leven ook al te veel gezien om zich naar schools gezag en regeltjes te kunnen voegen.

Goeiedaaag!

'Dag meneel, kan ik uw legenjas misschien aanpakken?'

Typetjes. De Gooyer was er goed in en kon er in tijden van nood altijd op terugvallen. De Chinese huisknecht bijvoorbeeld in *Paul Vlaanderen en het Z-mysterie* van Francis Durbridge. In het KRO-programma *Negen heit de klok*, van Jan de Cler en Alexander Pola, nam hij een nieuwe op zijn repertoire: Pepijn de tuinman. 'Wat dát amputeert,' begon hij altijd, 'is er weer van alles aan de hand in de tuin, meneer.'

Maar de grote uitschieter kwam voort uit het populaire VARA-programma *Showboat*, van Karel Prior. In *Showboat* zat een onderdeel dat 'Mimoza' heette, het 'Ministerie van Moeilijke Zaken'. Ko van Dijk trad erin op als minister Louis Peehaa Hozebaar, Conny Stuart als Adèle de Bonbon, Joan Kaart was Sytze Vliegen en Wiesje Bouwmeester had de rol van juffrouw Kruivedons voor haar rekening – waarin ze alleen maar hoefde uit te roepen: 'Ik hoop maar dat we het droog houden!'

Rijk de Gooyer werd er door Karel Prior bij gehaald in de rol van Bartels (spreek uit: Báártels), een creatie die hem paste als een handschoen. Eli Asser schreef de teksten. Het was een rol in het plat-Utrechts, waarvoor hij bij De Gooyer in de leer moest. Maar het werkte. Sterker nog, het resultaat sloeg in als een bom.

'Hoe ik over die elektrische aappaaraatjies denk?' zei Bartels. 'Dat benne toch krenge van dinge! En ik ken het toevallig wete, hoor, waant ik loop er daag en naacht mee laangs de huize te leure. En daach u daat ik iets verkoch? Welneeniks! Ze smaakke me nog liever van de traap.' Bartels zong er ook een plaatje mee vol: 'Het benne krenge van dinge!'

Zeurderig opgewekt, zo klonk het, het langgerekte 'Goeiedááág'. Het was het kenmerk van Bartels, en het werd door het hele land nagedaan. Mensen die echt zo heetten werden er horendol van. Een leraar met die naam nam ontslag – van de imitaties die 's nachts nog door zijn hoofd gonsden, is een voorstelling te maken. En een

Met burgemeester Ranitz aan de vleugel, ter promotie van De Gooyers eerste grammofoonplaat ('Het benne krenge van dinge', 1956). *Foto Utrechts Nieuwsblad*

importeur van elektrische apparaten uit Utrecht, die ook werkelijk Bartels heette, diende een klacht in. Ten onrechte overigens: Asser had de naam niet aan hem ontleend, maar aan een bakker in de Rijnstraat in Amsterdam naast het beroemde sigarenwinkeltje van vader Sacksioni.

Toen de opa van Rijk de Gooyer – die van de Trufolium – in 1955 honderd jaar werd, stond in de krant: 'Bartels' grootvader honderd!' De man, ereouderling in Den Haag en gereformeerder dan Abraham Kuyper, was *not amused*. In een Haags paviljoen, waar hij een feestje had, schudde ook Rijk de Gooyer hem de hand. 'Van harte, opa.'

Minzaam nam de jarige de felicitaties van zijn beroemde kleinzoon in ontvangst. 'Typetje... Grmff... VARA... Grmff...' waren zijn enige woorden.

Het typetje zong zich los van het programma *Showboat* en werd een hit, vooral in het schnabbelcircuit. Net als op de radio dook hij het liefst op uit het niets. Midden in een sketch op zee of in de Sahara ging er ineens een kist of kastdeur krakend open. 'Goeiedáááág!' klonk het dan. In verschillende kranten stond er een foto van Bartels – 'het Utrechtse radiomannetje' – met hoed, opplaksnor en rond brilletje, zingend naast de vleugel. Achter de vleugel zat burgemeester C.J.A. de Ranitz. Voor het uitreiken van het eerste singletje had De Gooyer, met wat opgetrommelde pers in zijn kielzog, bij de Utrechtse burgemeesterswoning aangebeld. Hij was er allerhartelijkst ontvangen.

Bartels trad overal in het land op, maar *Showboat* bleef de thuishaven. Het programma was ook ongekend populair. Tussen 1953 en 1957 werd het elke zaterdagavond vanuit 'Ons gebouw', aan de Hilversumse Vaartweg, uitgezonden. Twee uur lang, met Coen Serree als presentator, en het Metropole Orkest onder leiding van Dolf van der Linde als muzikale begeleiding. De Ramblers traden er op, Cees de Lange was conferencier, het gezelschap Mimoza keerden wekelijks terug en de afsluiting lag in handen van Wim Sonneveld in de rol van orgeldraaier Willem Parel – een ander typetje uit die tijd dat boven zichzelf was uitgestegen. Toen Sonneveld met *Showboat* stopte, nam Tom Manders als 'Dorus' die functie van uitsmijter over.

Elke zaterdag reed een propvolle Skoda, het wagentje van Leo de Hartog (de vader van Linda van Dijck), naar de Hilversumse Vaartweg. Op een rustige avond rolden Herbert Joeks, de Surinaamse acteur Otto Sterman en Joan Kaart naar buiten, maar het konden er gemakkelijk meer zijn, want De Hartog probeerde zoveel mogelijk munt te slaan uit het 'carpoolen'. Hij rekende een paar cent per kilometer, en deed dat zo uitgekiend dat er altijd ruzie over ontstond. Vooral tussen De Hartog en Joan Kaart, die hem in gierigheid naar de kroon stak. Het tweetal ging wel eens rollend voor een dubbeltje over straat. Waarmee de naam 'Vereniging van Arbeiders Radio Amateurs' weer volledig was recht gedaan.

De liaison en de vliegende kroket

Naast het Leidseplein, waar de schouwburg aan lag en waar het nachtleven van de klassiek geschoolde acteurs zich afspeelde, troffen artiesten afkomstig uit het cabaret en variété – het 'lichtere genre' – elkaar op het Rembrandtplein, met als onbetwist middelpunt hotel-café-restaurant Schiller. Zo ging dat in de jaren twintig, dertig – in de jaren vijftig had het die rol behouden, evenals z'n reputatie als amoureuze pleisterplek.

Dat laatste overigens niet altijd met een gelukkige afloop. Beroemd is de moord op Jean-Louis Pisuisse in 1927, de eerste Nederlandse cabaretier. Hij werd samen met zijn vrouw, de Vlaamse Jenny Gilliams, voor café Schiller onder vuur genomen. Een crime passionnel, op naam van de wanhopig verliefde zanger Tjakko Kuiper, die vervolgens het Lügerpistool op zichzelf richtte.

Maar amoureuze geschiedenissen konden zich ook ten goede keren. In Schiller zag Rijk de Gooyer voor het eerst Tonnie Domburg, de zus van actrice Andrea Domburg. Het was voorjaar 1954 en hij kon zijn ogen niet van haar afhouden. Ze raakten aan de praat. En met de voortvarendheid waarmee De Gooyer de dingen in zijn leven aanpakt, trouwden ze binnen een jaar.

In een ander etablissement aan het Rembrandtplein speelde zich echter een heel andere geschiedenis af, die van de liaison en de vliegende kroket. 'Saint-Germain-des-Prés' was de naam van een café waar voormalig decorschilder Tom Manders een soort klein Parijs had nagebouwd. Tegen de voorgevel was een verlichte Eiffeltoren getimmerd en voor de deur stonden twee als 'flics' verklede portiers. Binnen waren er terrasjes, plukjes tafels en stoelen die nonchalant over de ruimte waren verspreid, en hing er schone was aan het plafond. Het meest spectaculair was de metro. Op het geluid van een aandenderende ondergrondse – dat overigens van een grammofoonplaat kwam – haalde iemand achter de bar een hendel over en begon de dubbelde vloer lichtjes te schudden. Het publiek had zo gevoel had dat de metro echt onder hen door rommelde. En

De humoristen, bovenaan v.l.n.r.: Joop Doderer, Rijk de Gooyer, Alexander Pola, daaronder Huub Matron, Dick Wama, Rudi Carrell, Cees de Lange, Wiesje Bouwmeester, zittend op onderste bank Jules De Corte, Conny Stuart, Johnny Kraaykamp senior en junior, staand op voorgrond Herbert Hugues, Wim Wama, geheel links Eli Asser. *Foto Paul Huf*

op verschillende kleine podia traden artiesten op, als ze zich niet tokkelend of zingend tussen de tafeltjes begaven. Heel Frans.

Zo was er ook de oude Henri d'Albert van Leeuwen, die als clochard drie jaar onder de bruggen van Parijs had geleefd. In de club van Manders zette hij die levenswijze gewoon voort. In lompen gehuld en af en toe een lied aanheffend, begaf hij zich tussen het publiek en hield hij z'n hand op. Aldus verdiende hij zijn eigen gage.

De voor de oorlog zeer populaire, eveneens bejaarde violist Boris Lensky had er ook een plek gevonden. Onder een Franse alpinopet, en met een penseel achter het oor, vergastte hij het publiek op vrolijke musetteklanken. De Nijmeegse Sacha Denisent zong chansons, en Rijk de Gooyer nam de rol van conferencier op zich, of leefde zich uit in een 'sketch voor twee heren', waarin hij en Jan Blaaser zogenaamd ruzie kregen, om door de 'flics' uit het etablissement te worden verwijderd. Als ze de handen vrij hadden assisteerden ze Manders, die een beetje met zijn Dorus-creatie experimenteerde. Hoogtepunt van de avond was een act met lichtgevende skeletten waar alle artiesten en obers aan deelnamen. Iedereen, behalve de bejaarde Henri en Boris. Op een teken van Manders stelde de club zich achter een scherm op, ieder met een magere-Heintrekpop, bungelend aan een stok. Bij de eerste maten van de danse macabre doofden alle lichten en holden ze joelend en aan de touwtjes trekkend tussen de tafels door. Na twee minuten deed Manders het licht weer aan en speelde Boris Lensky een opbeurende cancan. Kon het publiek even uithijgen.

Gedurende de skelettenact nam clochard Henri altijd even plaats in een kleine loge achter in het etablissement, naast zijn eveneens bejaarde vriendin Trees. Samen dronken ze een kopje thee. Boris was goed bevriend met Henri, maar had ook duidelijk een zwak voor Trees. Onder het vioolspelen wisselden ze broeierige blikken. Iedereen had het in de gaten, behalve Henri, zodat Boris een stapje verder ging. Voor aanvang van de danse macabre vroeg hij Henri of die een kroket voor hem wilde trekken, bij Van Dobben op de hoek. Zelf zou hij daar in twee minuten nét te weinig tijd voor hebben. Als de lichten weer aangingen, moest hij immers met zijn viool in de aanslag staan.

'Natuurlijk amietsje,' zei Henri. Drie jaar onder een Parijse brug hadden zijn uitspraak niet hoorbaar verbeterd. Het licht ging uit, en in het donker kon je de schim van Boris met de viool onder de arm naar de loge van Trees zien sluipen. Daar vielen ze elkaar in de armen. Krap twee minuten hadden de ouwe tortels, daarna floepten de lichten weer aan, en moest de cancan worden aangeheven. Henri stond dan geduldig voor het podium te wachten tot het klaar was. De kroket in de hand. Het wisselgeld van de twee kwartjes mocht hij houden.

Het was een ritueel dat zich maandenlang herhaalde. Soms maakten de skeletten een extra rondje, als Boris moeite had zich uit de omhelzing van de amechtige Trees los te maken. Het leek of het elke keer langer duurde. En op een dag was het sterker dan zijzelf. De skeletten hadden al een extra rondje gemaakt, en daarna nóg een, omdat er maar geen beweging in Trees en Boris kwam. En toen het licht aanging, zaten ze nog steeds in een hartstochtelijke verstrengeling verwikkeld. Voor de loge stond Henri, met een kroket in zijn hand. 'Slet!' riep hij. Nu reageerde Trees wel: als door wesp gestoken sprong ze op en rende door de zaal naar buiten. Boris bleef als versteend in de loge zitten. Hij keek zijn vriend onthutst aan. 'En jij…' riep Henri, 'jíj!' Hij kon zo snel niks bedenken. 'Hier!' riep hij en gooide de rundvleeskroket in Boris' gezicht.

Het publiek applaudisseerde. Het zag in het incident een stukje onvervalst Parijs straatleven, zoals ze dat de hele avond al voorbij hadden zien komen. 'Muziek!' riep Manders. Als een geslagen hond liep Boris naar het podium, pakte zijn viool en begon te spelen. De cancan had nog nooit zo treurig geklonken.

De stand-upper van de Reguliersdwars

Wim Kan, Toon Hermans, Wim Sonneveld – hij heeft ze alledrie uitvoerig aan het werk gezien. Hetzelfde geldt voor Tom Manders, aan wie hij op het persoonlijk vlak de beste herinneringen heeft. 'Een waanzinnig harde werker. De hele dag bezig. Het kwam voor dat hij 's nachts naar huis ging, en met regenjas, bolhoed, snor en bril naast zijn vrouw in slaap viel. Maar het was natuurlijk ook een *one trick pony*, een man met één kunstje: het typetje Dorus. En toen dat versleten was, was het ook met Tom gedaan. Hij zette het op een drinken en is uiteindelijk toch vrij anoniem gestorven. Triest. Het was een driftkop maar ik mocht hem graag.'

Professioneel gezien keek hij het meest op tegen een ander komiek, die een generatie ouder was: Lou Bandy. De man had verreweg het kleinste repertoire van iedereen en teerde al jaren op dezelfde moppen, maar bracht ze met zo'n formidabel gevoel voor timing dat niemand het erg vond. Zowel Wim Kan als Toon Hermans hebben later toegegeven veel van hem te hebben opgestoken, louter door naar hem te kijken. Als de zaal gilde van het lachen, liet Bandy een stilte vallen en zei: 'Ja, u lacht nu wel, maar er komt natuurlijk een moment straks dat ik er niet meer ben.' Het publiek, geschrokken, was ineens muisstil. 'Wel ja,' zei Bandy dan, 'ga daar een beetje op je horloge zitten kijken.' En daar ging de zaal weer.

'Hij had van die rare invallen,' zegt De Gooyer, 'die je ook bij Freek de Jonge ziet. Altijd goed geplaatst, onverwacht. Van een grap naar iets serieus. Van iets sentimenteels naar iets keihards...' Het laat zich raden waarom de volgende aankondiging van Bandy tot een dierbare De Gooyer-herinnering behoort. 'Dames en heren, de jongedame die nu voor u gaat zingen, heeft haar stem voor honderdduizend gulden laten verzekeren. Wat ze met het geld gedaan heeft weet ik niet, maar hier is ze: Teddy Scholten!'

Toch moest in de serie artistieke ontmoetingen de grootste klapper nog komen. Om de hoek van het Rembrandtplein, in de

Reguliersdwarsstraat, zat café Pigalle, met als uitbater Ab Kok. En daar trad iemand op van wie vrienden tegen hem hadden gezegd: 'Ga die nou eens zien.' Er waren sowieso goede muziekanten, dus weggegooid was je avond niet. En die bassist, een jongen uit de Kinkerstraat, die vertelde ook verhalen, communiceerde met het publiek... 'Ga nou maar kijken. Dat vind je beslist leuk!'

En dat klopte. 'Wat die man deed,' zegt De Gooyer, 'dat was fantastisch. Muzikaal, scherp, eigen, níeuw! Tegenwoordig zou je zeggen een *stand-up comedian.* Hoewel, hou toch op! Gewoon, een komiek. Een vákman. Ik was onder de indruk en ontmoedigd tegelijk: daar kwam ik dus nooit overheen. Op een tweede avond dat ik vrij was, ben ik nog eens gegaan en heb ik hem aangesproken. Johnny Kraaykamp was de naam.' Wat De Gooyer heel lang niet wist, is dat Kraaykamp hém ook al een keer had gezien. Bij de krokettenautomaat op het Rembrandtplein. Na zijn werk in Pigalle wilde Kraaykamp nog een kroketje trekken bij Van Dobben, toen daar een opstootje was. Tenminste, zo leek het. Maar naarmate hij dichterbij kwam, zag hij dat de mensen stonden te lachen. Tussen de ruggen door zag hij een man die een verhaal stond te vertellen. Eerst voor een paar vrienden – zo was het waarschijnlijk begonnen, maar hij had zoveel de aandacht getrokken dat er steeds meer volk was blijven plakken, en inmiddels stond er een man of twintig. 'Ik heb ook even staan luisteren,' zegt Kraaykamp, 'en ik weet nog dat ik dacht: jezus, er is er nóg een die het kan!'

VII

Een paar apart

Johnny en Rijk

Ik wilde toneelspeler worden. Geen komiek. Ik ben eigenlijk ook nooit komiek geworden. Voor mij is iemand een komiek wanneer hij het publiek kan laten lachen zonder iets te zeggen. Als ik opkom lacht niemand.
(Uit een interview met Ischa Meijer, *Haagse Post*, 1971)

Aanvankelijk was het Kraaykamp die over de drempel gedragen moest worden. Het idee om samen iets te doen stond hem wel aan. Maar wát dan? Waar dan?

De Gooyer ritselde iets in de grote hal van de Amsterdamse City-bioscoop. Daar speelde het orkest van Eddy Christiani – bioscoopbezoek was toen nog een totaalgebeuren – en een entr'acte van twee komieken bleek er meer dan welkom. Ze deden dat met zelfgeschreven sketches en liedjes. En vanaf de eerste avond was het raak. Johnny en Rijk met orkest – zo werd het door de bezoekers ervaren. Het succes zong zich rond in de stad en in het Gooi, waar inmiddels het televisietijdperk was aangebroken. En op een avond kwamen twee AVRO-bonzen, Siebert van der Zee en Ger Lugtenburg, naar City om eens kijken wat er allemaal van waar was.

Het resulteerde in hun eerste aanbieding: een contract voor een optreden in de maandelijkse *Weekendshow*. Gelijksoortige, zelf te schrijven en uit te voeren sketches, voor de somma van 125 gulden per man per show. Geen slecht bedrag in die tijd.

'Johnny en Rijk' – dat was ook de naam waaronder ze voor het eerst voor de AVRO optraden. In 1956. Hun eerste periode als televisieduo, die drie jaar zou duren. Volgens De Gooyer ook meteen de gezelligste. Kraaykamp was gehuwd met Rim en woonde in de Kinkerstraat. Vader Kraaykamp woonden bij hen in, of zoals Kraaykamp het liever formuleert: 'We woonden bij vader in.' De man had boven een eigen kamertje, met een gaskomfoor om zelf wat te kunnen koken. Zijn zoon John had zijn talent zonder meer aan hem te danken. Vader Kraaykamp – 'supersenior' – was koopman geweest op de Ten Katemarkt, maar beleefde nu hoogtijdagen als amateur-conferencier op feesten en partijen. Als 'participerend gast', welteverstaan. Dat wil zeggen: borreltje meedrinken, de zaal dubbel laten liggen van het lachen, dan nóg een borreltje drinken en vervolgens op handen en knieën naar huis. 'Geweldige man,' zegt De Gooyer. 'De John van nu lijkt precies op hem, met dat buikje en dat kalende hoofd.'

De oude Kraaykamp dacht dat de tegenspeler van zijn zoon van adel was, en dat 'Rijk de Gooyer' – als geheel – zijn achternaam was. 'Meneer De Rijk de Gooyer,' zei hij altijd. Voor zijn begrafenis had vader Kraaykamp een speciale wens. 'Jullie moeten me in m'n kist leggen zoals ik slaap,' zei hij. 'Op m'n zij, met opgetrokken knieën. Zo lig ik het liefst.' En hij ging even op de grond liggen om het te demonstreren. Op een dag hebben ze hem precies zo gevonden. Toen Kraaykamp sr. 's ochtend niet kwam opdagen voor het ontbijt en ze boven gingen kijken, troffen ze hem dood aan. Hij was met een slok op laat thuisgekomen en tegen het gaskomfoor gevallen. Het slangetje had losgelaten – het gas liep sissend de kamer in, maar hij had niks gemerkt en was op bed gaan liggen. Zo was hij ingeslapen.

Johnny en Rijk, twee persoonlijkheden, twee ego's. Met twee totaal verschillende achtergronden. En toch, de chemie werkte. De buitenwereld sprak van een gouden duo, en dat was het natuurlijk ook. Hoewel de mannen achter de schermen soms elke millimeter op elkaar moesten bevechten. Om te beginnen als het over het materiaal ging. De sketches voor de *Weekendshow* bedachten ze samen. Ze werden niet helemaal uitgeschreven: er was een situatie en

Johnny en Rijk, 1957.

een plot. Een begin, een midden, en een eind. Dat waren de handvatten. 'De rest improviseerden we,' zegt De Gooyer. 'Daardoor was het ook niet allemaal even goed – onderweg had John wel eens de neiging om "weg te drijven", bovendien hadden we nogal eens strijd over de aanpak en bepaalde woorden.'

Hun gevoel voor humor en sfeer overlapte elkaar voor een groot deel, maar op belangrijke punten waren er ook verschillen. Kraaykamp schuwde het gevoelige nummer niet. De Gooyer haatte dat. 'John kwam een keer aanzetten met het lied over een clown,' zegt hij. 'Ik haat clowns. Aanstellers zijn het. Uitventers van vals sentiment. En in het lied dat hij op de kop had getikt, ging de clown ook nog dood. Ik zei tegen hem: "Kraay, als je dat zingt, ga ik van je af."' Een dreigement dat hielp. Volgens De Gooyer zat het namelijk zo: formeel was niemand de baas, maar Kraaykamp luisterde wél altijd naar hem. Volgens Kraaykamp lag het iets genuanceerder. 'Rijk verzamelde het materiaal, als we het zelf niet schreven. Hij had daar kijk op, dat vond ik allemaal geweldig. Maar als ik het m'n strot niet uit kreeg, om wat voor reden dan ook, deed ik het niet. Pertinent niet.'

De Gooyer kocht teksten in Engeland. Van Morecambe and Wise bijvoorbeeld, waar ze allebei dol op waren. Twee Engelse komieken van dezelfde generatie als zij, die op de BBC hoogtijdagen beleefden. Ze hadden bovendien een gelijksoortige rolverdeling, met Wise als aangever en Morecambe als inkopper. Dat maakte het materiaal bijna hapklaar. De Gooyer had van de AVRO carte blanche gekregen om sketches uit te zoeken – de omroep betaalde. 'Ze waren, geloof ik, ook niet zo duur,' zegt hij. Later ontdekte hij de dramaschrijver Johnny Speight, die onder anderen voor de BBC *Till Death Do Us Part* had geschreven – in de Amerikaanse versie *All in the Familie* een regelrechte hit. Hij zag het toneelstuk *Als er geen zwarten bestonden, moesten ze worden uitgevonden* – een uithaal naar rassendiscriminatie – en zocht Speight op.

Samen bladerden ze door de teksten en zochten scènes uit die geschikt zouden zijn de Nederlandse televisie. Met een tussenpersoon onderhandelde hij over de prijs. 'Maar Johnny pruimde ze niet. Hij vond ze te hard.' Kraaykamp stelde zich op het standpunt dat een komiek vriendelijk en goed moest zijn – daar moest het publiek op kunnen vertrouwen. Grote onzin, volgens De Gooyer. Die kwam aanzetten van de Amerikaanse komiek W.C. Fields. 'Precies,' zei Kraaykamp, 'dat vind ik dus niks. Te rauw, te zwart.' In dit geval had de komiek het laatste woord. Ook de teksten die Koot en Bie voor ze schreven, waren meer aan De Gooyer dan aan Kraaykamp besteed. 'Het probleem met die teksten was: ze waren heel precies,' zegt De Gooyer. 'Je moest ze exact leren, anders werkten ze niet. Johnny ging eromheen fietsen, dan bleef er niks van over. "Zie je wel, het is niks," riep hij dan. En ik: "Je moet ze ook uit je hoofd leren, John!" Dat geduld had ie niet.'

Het vrolijke warhoofd, de chaoot – dat was het imago dat Kraaykamp in die jaren had. En de voorbeelden die dat beeld ondersteunen, zijn inderdaad te talrijk om te negeren.

'Jongens, waar hangt Johnny uit?' Het was zaterdagochtend 11 uur, in restaurant De Karseboom in Hilversum. 's Avonds zou de *Weekendshow* live met publiek de lucht in gaan. Vanaf tien uur werd er gerepeteerd. En toch klonk de vraag uit de mond van de vraag van regisseur Ger Lugtenburg – 'waar hangt Johnny uit?' – niet eens ongerust. Hij kende zijn pappenheimers. Maar toen er om twaalf uur nog geen spoor van de Kraay was, begonnen ze eens te bellen.

'Waar is Johnny?' vroeg Rijk.

'Die is vissen,' zei Rim.

'Vissen?'

'Ja, op de Vinkeveense Plassen.' De Gooyer reed direct naar Vinkeveen, sprong in een bootje en begon op goed geluk te roeien. 'Kraay!' riep hij. 'Kraaaaay!!!' Het galmde over het water. Een eend vloog snaterend op. Hij had geluk. Hij vónd Kraay.

'Hé!' zwaaide Kraaykamp opgetogen. 'Gezellig. Heb je je hengel bij je?'

'We hebben uitzending, lul!'

Eerste optreden in AVRO's *Weekendshow*, 1957.
Foto Persbureau Stevens

Lugtenburg was redelijk aangebrand, 'maar dat was John,' zegt de Gooyer. 'Die zette die avond zijn beste beentje voor, en was zo briljant dat iedereen de voorgeschiedenis vergat.'

Toch bezat 'flierefluiter' Kraaykamp op zijn beurt weer een zakelijk talent, waar De Gooyer niet aan kon tippen. Wat dat betreft was het echt de zoon van een marktkoopman: hij kon onderhandelen. Elk nieuwe seizoen begon de *Weekendshow* met een punt waarin alles, ook het nieuwe salaris, werd doorgesproken. De gages waren al snel gestegen – binnen twee seizoenen zaten de mannen op duizend gulden per aflevering. Maar aan het begin van het derde was het Kraaykamp nog niet genoeg. 'Ik wil tweeduizend,' zei hij. Een verdubbeld honorarium. Lugtenburg en Van der Zee waren op zijn zachtst gezegd verrast.

'Waarom ineens zoveel?'

'Ik ben van mijn vrouw af en moet haar 2000 gulden per maand alimentatie betalen. Vandaar.'

'En Rijk dan?' vroeg Van der Zee.

'Die moet dat natuurlijk ook krijgen, anders is het niet eerlijk.'

Een staaltje onvervalste Kraaykamp-logica. Maar De Gooyer profiteerde ervan, want ze krégen het. Ook voor sluikreclame had Kraaykamp een goeie neus. Nu was dat geen onbekend fenomeen, ook niet in die tijd. Wim Sonneveld reed in een gloednieuwe Peugeot, omdat Catootje, uit het gelijknamige lied, er ook eentje bezat, zij het een piepkleintje. En in het geval van Snip en Snap kon je het nauwelijks sluikreclame meer nóemen. Die bouwden er een hele sketch omheen. Een van de dames uit het showballet kwam op in een pantalon. 'Ik draag een broek van Piet van de Brul!' zei ze. Waarna Piet Muyselaar, een minuut of wat later, opkwam in z'n onderbroek. 'Ik ben Piet van de Brul. Ik zoek mijn bróek!'

In het geval van Johnny en Rijk ging het om een Volkswagendealer uit Leerdam, Jan Ames. Bij Ames waren ze na een opname van de *Weekendshow* nog een borreltje gaan drinken. Aardige man. Ze kregen het over reclame. En voor acht nieuwe bandjes – de twee televisiesterren reden allebei in een oude kever – beloofde Kraaykamp de naam Ames een paar keer in de uitzending te zullen noemen. Geen moeilijke opdracht voor twee improviserende komieken in een liveshow. De Gooyer is drogist, Kraaykamp klant. Ze hebben het over pillen. Opeens zegt de klant: 'Tussen twee haakjes, weet u waar de garage van Ames is?' 'Ja zeker,' zegt de drogist. 'In Leerdam.' 'O, dank u wel.' En dan gingen ze weer verder. Op een gegeven moment begon het Ger Lugtenburg op te vallen. 'Wat moet dat toch steeds met die Ames?' zei hij. 'O, dat is een goede vriend van ons,' zei Kraaykamp. En daarmee was de kous af.

Tot een jaloerse autodealer uit Dordrecht een brief naar de AVRO stuurde dat hij het oneerlijke concurrentie vond. Toen was het afgelopen. Van een gratis tienduizendkilometerbeurt is het in ieder geval nooit meer gekomen.

Eigenlijk nam Ames de plaats van 'tante Gonnie' in. Elke keer als

Kraaykamp even zijn tekst kwijt was, kwam er een tante Gonnie langs – 'Weet je, dat is nou exact wat tante Gonnie gister zei' – , meestal gevolgd door het ongenadig in de lach schieten van De Gooyer. Het werd als 'schmieren' uitgelegd, maar onterecht. Het 'verklikt' het moment dat de komiek even helemaal blanco was. Wie oude sketches kijkt en de tante Gonnies telt, weet precies hoe vaak en wanneer. Het afkijken van oude sketches klinkt als een tijdrovender bezigheid dan het in werkelijkheid is, helaas. Van de honderden scènes die Johnny en Rijk hebben opgenomen, zijn er in het omroeparchief maar een handvol bewaard gebleven. Iets waar vooral Hollandse zuinigheid debet aan is: de banden konden twee keer gebruikt worden. Van drie jaar *Weekendshows* staat zegge en schrijve nog één aflevering in de kast. Het gevolg is dat de kijker op jubilea en oudejaarsavonden steevast hetzelfde nummer voorbij ziet komen.

De aangever, de afmaker

Twee persoonlijkheden, twee ego's – van het ene moment op het andere zaten ze op elkaar lip. En vanaf dat eerste moment was was ook de rolverdeling duidelijk. Johnny de komiek, Rijk de aangever. Zo was het spel, zo moest het gespeeld worden. Als Kraaykamp opkwam lag de zaal dubbel; hij had de lach 'aan zijn kont hangen', zoals dat dan heet. Bij De Gooyer bleef het stil. Die had tekst nodig.

'Met typetjes als Bartels of Rarekiek had ik ook solo gestaan,' zegt hij, 'net als John. Maar hij was gewoon de betere komiek. Die rolverdeling was zo duidelijk: Keizer trekt voor, Cruijff schiet in. Daar heb ik me heel snel bij neergelegd. Dat was een kwestie van weken, hooguit. En daarna ben ik ook nooit jaloers geweest. Ook omdat je weet: een aangever die de lolbroek probeert uit te hangen, blaast het hele duo op.' En Kraaykamp, op zijn beurt, deed alles er aan om die rolverdeling te relativeren. 'Aangever, aangever...' zei hij dan, 'je bent geen óber. We zijn gewoon twee komieken. En de een jut de ander op.'

Die rolverdeling had natuurlijk ook met hun fysionomie te maken. Komieken hebben vaak iets uitgesprokens, iets eigenaardigs. Dat had De Gooyer niet. 'Rijk was de mooie jongen,' zegt Kraaykamp. 'Als we ergens binnenkwamen, keken de vrouwen naar hém. Ik werd over mijn bol geaaid. Kijken of die bolle nog wat leuks zegt. "Een kop op een romp" noemde Lou Bandy me.'

Kraaykamp straalde lol uit. En tegelijk had hij iets kwetsbaars – het was de man met de hoge knuffelfactor. Iets wat voor Rijk de Gooyer, als aangever, wel eens dubbel lastig was. Hijzelf gold als 'de kouwe kant' – zo werd hij door het publiek gezien. 'Wordt het niet eens tijd dat je zélf een taart in je smoel krijgt, viespeuk!' schreef een boze tv-kijker. En een mevrouw op straat verkocht hem een klap. 'Je moet eens ophouden met Johnny zo te pesten,' zei ze. 'Ik dacht op een geven moment: ze háten me,' zegt De Gooyer. 'Ze haten me écht.'

Over veel dingen dachten ze hetzelfde. Ze hoefden elkaar maar aan te kijken om een bepaalde situatie of een persoon in te schatten. Ze deelden hun grote intuïtie.

Woorden hadden er trouwens ook weinig aan toegevoegd. Veel verder dan 'Die stinkt uit z'n broek' kwam de Gooyer toch niet, als hij het gevoel had dat iemand niet deugde. Ze deelden hun vijanden, maar hadden niet dezelfde vrienden. De Gooyer zocht ze in schrijvers- en journalistenkringen: Remco Campert, Simon Carmiggelt, Willem Wittkampf, Johnny van Doorn, Eelke de Jong, Wim T. Schippers... Ze troffen elkaar in de 'lichaamseigen' cafés. Kunstenaarssociëteit De Kring, journalistencafé Scheltema, Bodega Keyzer, Harry's Bar.

In hun vrije tijd zagen ze elkaar eigenlijk niet. 'Als vriend zouden we elkaar nooit hebben opgezocht,' zegt Kraaykamp. 'Dat zijn we ook nooit echt geworden, vrienden. Ik ben één keer met Rijk dronken geworden. Toen heeft hij me een blauw oog geslagen. Was

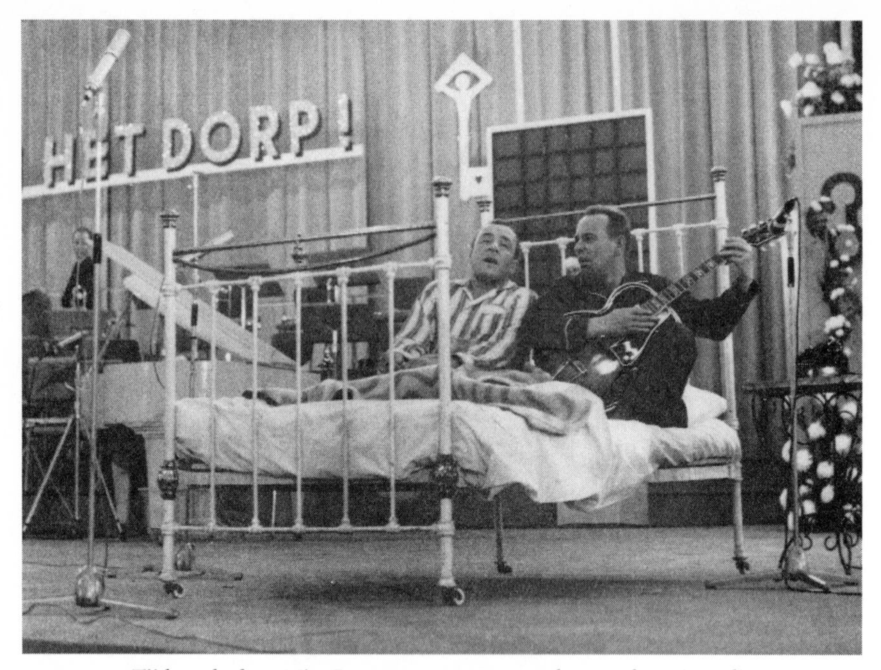

Tijdens de door Mies Bouwman gepresenteerde marathonuitzending 'Open het dorp!', 1962. *Foto Combi Press*

mijn fout. Ik word dan sentimenteel. "Hou je een beetje van me," riep ik. "Ah, toe dan, kusje?"' Hij steekt lippen in een trechtertje vooruit. 'En dat moet ik niet doen,' zegt hij, 'weet ik wel. Daar kan Rijk niet tegen.'

Maar wel de grootste lol samen. Vooral als ze in de auto lange afstanden moesten afleggen. Van zijn eerst verdiende geld had De Gooyer een Porsche aangeschaft – daarin reden ze op een dag naar het noorden, voor een schnabbel.

'Nog iets leuks voor je verjaardag gekregen, John? Van Rim?'

'Daar zal je van opkijken,' zei Kraaykamp. 'Een gouden aansteker. Een echte Dupont. Hier.'

'Mooi,' zei De Gooyer, en gooide het ding uit het open dak naar buiten.

'Wat flik je me nou?'

'Ach, wat maakt dat nou uit. Zo'n dingetje van Rim.'

'Nee, Rijk, je draait nú om, en we gaan niet weg voor we het gevonden hebben.'

De volgende twintig minuten kon het voorbijrazende verkeer de televisiesterren op hun knieën door het hoge gras zien gaan, schaterend.

'Ik kon niet kwaad worden op die man,' zegt Kraaykamp.

In hun hart keken ze enorm tegen elkaar op, maar ze zouden liever hun tong afbijten dan het toe te geven. Vooral Rijk de Gooyer. Kraaykamp had het hem wel eens gevraagd: 'Zou je met een andere komiek kunnen werken?' 'Ach,' antwoordde De Gooyer toen, 'ik word wel eens gevraagd. Maar er is er maar één om wie ik echt kan lachen.' Hij doelde dan op Kraaykamps timing, zijn rare invallen, de onverwachte gedachtewendingen, waarmee hij iedereen altijd op het verkeerde been kon zetten. Zijn vermogen om keet te schoppen en er altijd mee weg te komen. Zijn mimiek. Het warme volkse, Amsterdamse gevoel dat hij uitstraalde. Dat bedóelde hij. Maar hij zei het niet.

En andersom was De Gooyer voor Kraaykamp de man met het interessante leven, die gestudeerd had – ja, wist Kraaykamp veel – en zich omringde met intellectuele vrienden. En hij bewonderde De Gooyer in de rol waarin hij hem voor het eerst bij de krokettenautomaat had gezien: als de verteller. Een man die de kunst van het weglaten verstond. Die een situatie in een paar zinnen kon schetsen. Met een gigantische woordenschat. Alles even aantippend: pret, boosheid, sentiment, naïviteit… razendsnel en heel juist gedoseerd. En daarna: verbaasd kijken als iedereen met tranen in de ogen van het lachen staat. Dat is volgens Kraaykamp het mooiste. 'Alleen de allergrootste grappenmakers kunnen dat.'

Vaak ook botsten de ego's. Dan gingen ze weer even uit elkaar, om een paar jaar later, in een andere setting en voor een andere zendgemachtigde weer door te gaan. De eerste 'echtscheiding' was een fluwelen. Kraaykamp had genoeg van televisie – vond het gemakkelijk amusement, stond liever op de planken. En die gelegenheid deed zich voor toen toneelgroep Ensemble hem vroeg voor een rol in Shakespeares *De getemde feeks.* Maar soms ging het er ook ruiger aan toe. In die perioden speelde alcohol een centrale, of in ieder geval een afgeleide rol. De Gooyer was 'een trouw lid van de natte gemeente', zoals hij dat zelf noemt, maar hij kon ertegen. Verbazingwekkend goed zelfs. 's Nachts het hoogste woord aan de bar, 's ochtends het hoogste woord op de set. Maar in perioden dat Kraaykamp dronk, vergat hij alles en iedereen om zich heen. 'In een kroeg vond je hem meestal onder het biljart,' zegt De Gooyer, 'gerieflijk op zijn zij. Maar hij kon ook makkelijk een week spoorloos zijn. Werd ik opgebeld dat ze mijn vriend gevonden hadden, total loss, in een café in Antwerpen. Of ik hem maar even wilde komen halen? Op den duur was dat niet meer te doen. Slaande ruzie hebben we erover gehad.'

Verhalen over Kraaykamp die rustig in een rubberbootje op de Noordzee dobberde, in slaap gevallen en langzaam weggedreven, terwijl er een vol Carré op hem zat te wachten, behoren inmiddels tot de vrolijke overleveringen. Die worden door alle betrokkenen met een warme glimlach opgehaald. Door iedereen, behalve door Kraaykamp zelf. Voor hem zijn ze synoniem aan drank. 'Ze stammen uit de tijd dat ik liever zat te pokeren in het café, dan fatsoenlijk mijn werk te doen,' zegt hij. 'Dat was onprofessioneel.' In zijn latere leven heeft hij de alcohol ook volledig afgezworen. En jonge acteurs met wie hij werkt, krijgen het uitentreuren te horen: 'Talent is leuk, maar discipline staat voorop.'

In perioden dat het wat minder lekker liep, op welke manier dan ook, stond ook de rolverdeling weer onder druk. Niet bij de aangever, die berustte in zijn taak, maar bij de komiek. 'John had het meeste applaus, maar kon er zich bij tijden geweldig aan storen dat hij van iemand afhankelijk geworden was. Dat ging bij vlagen,' zegt De Gooyer. 'Lang liep het goed, en dan beschouwde hij mij ineens weer als een wormvormig aanhangsel. Wilde hij liever solo. En dat kón hij natuurlijk ook. Hij was in zijn eentje begonnen, net als ik.'

Als ze elkaar weer vonden, was dat meestal door tussenkomst van een derde. Na de eerste 'break', waarin ze allebei een soloprogramma op televisie hadden gehad – *De winkel van Sinkel* en *Kijk die Rijk* – was de lokeend Karel Prior. Prior begon over het materiaal van het eerdergenoemde duo Morecambe en Wise, en stelde voor er een hele serie op te baseren. Een wekelijks programma, volledig om hen heen gebouwd. En zo gebeurde het: de Britse reeks werd integraal gekocht en door Dick Sternheim vertaald. *Een paar apart* heette het, en de vier seizoenen dat het liep was het een geweldig succes. Al bleek wel dat er een apart Johnny en Rijk-publiek bestond. Het was óf de intellectuele elite óf de 'volkse' onderlaag die erop afstemde. Dat kwam naar voren uit een kijkersonderzoek dat de AVRO had gedaan. Voor die omroep een teleurstellende uitkomst. Het grote middengebied werd bediend door De Mounties: René van Vooren en Piet Bambergen. De Mounties waren minder uitgesproken, gemoedelijker – burgerlijker ook, met hier en daar een pikanterietje. Helemaal AVRO eigenlijk. Alleen zaten De Mounties bij de TROS.

De tweede 'Wiedergutmachung' stond op naam van KRO-regisseur Bob Rooyens, die in 1970 *Een paar apart* aan de ZDF verkocht. Daarover straks meer.

De bostella

Misschien wordt de indruk gewekt dat Rijk de Gooyer en Johnny Kraaykamp elkaar tussen de televieshows door niet zagen. Of in ieder geval: dat ze niet samen werkten. Maar het tegendeel is het geval. Ze hadden in het begin al eens een blijspel samen gedaan, *Slaap kindje slaap* (1958), en ook uit andersoortige projecten bleek dat

Theaterrevue *Klaar is Kees*, met Cees de Lange, Milly Scot, Joop van de Marel en John Kraaykamp, 1958.

hun samenwerking, en de enorme hoeveelheid energie die daarbij vrijkwam, voor meer kon worden ingezet dan voor *Een paar apart*.

'Jullie zijn ook eigenlijk geen komieken,' had Mary Dresselhuys gezegd. Ze bedoelde dat als compliment. 'Ko en ik', zei ze – en met Ko bedoelde ze acteur Ko van Dijk – 'moeten zo verschrikkelijk om jullie lachen. Niet om twee mannen die lollig staan te doen. Jullie actéren zo goed. We wisten helemaal niet dat jullie dat konden.' Ook dat laatste was bedoeld als compliment. In de jaren vijftig en zestig onderhielden ze, naast het televisiewerk, een intensief schnabbelcircuit, verschenen ze in bedrijfsfilmpjes en stonden ze in revues. Dat laatste tweemaal. Een keer in 1966, met Cees de Lange en het Cocktail Trio. *Klaar is Cees* heette de voorstelling. Dat was ouderwets keten.

En in combinatie met Snip en Snap, in *Dit is het theater* (1969).

Dat werd een ramp. Ten eerste door de vergissing van twee duo's en vooral twee komieken op één podium. Twee reutjes in een hok – dat was er ten minste één te veel, en het werd een constante strijd wie dat was: Willy Walden of Johnny Kraaykamp. De aangevers Muyselaar en De Gooyer stonden er wat ongemakkelijk bij te kijken. John Kraaykamp had er een vervelend gevoel over gehad, al vanaf het begin. 'We moeten dit niet doen, Rijk,' zei hij steeds.

Er zat ook een dubbele bodem in het project. Het grote brein achter de revue was producent René Sleeswijk, die een beetje vooruit had zitten rekenen. Straks zou hij voor Snip en Snap opvolgers nodig hebben, en Johnny en Rijk voldeden prima aan het profiel. In het geval van Muyselaar had hij gelijk, die was geneigd zijn loopbaan bij de revue af te gaan ronden. Maar Walden had het applaus nog te hard nodig. Die moest niet aan stoppen denken. En hij voelde ook haarfijn aan wat Johnny en Rijk in zijn show kwamen doen. Dus plande hij hun 'gastoptreden' direct na zijn eigen sterkste nummer. En dat was gewiekst, want het Snip en Snap-publiek was eenkennig en bovendien een stuk boven de vijftig, zodat het 'nieuwe duo' in een koud bad stapte.

De sketch 'Herman', met een gedresseerde marmot die sprak met de stem van boer Koekoek, werd zelfs een ramp. Niet alleen omdat het beestje alleen op de eerste drie rijen te zien was. De humor was te abstract, te absurd. Het publiek snápte het niet.

Kraaykamp zonk weg in de drank. 'Ik zei toch,' verzuchtte hij steeds vaker, 'we hadden dit nooit moeten doen.' De charmante eigenschap om te laat te komen nam grillige vormen aan, en ontaardde in het compleet wegblijven op repetities.

'Amateur!' riep Walden.

'Klootzak!' riep Kraaykamp.

Ook Muyselaar, die hem goedgezind was, kon hem niet langer steunen. Sleeswijk ontsloeg Kraaykamp. De Gooyer bleef, en kreeg een nieuwe sparringpartner: Rien van Nunen. Van Nunen was bekend als Stiefbeen uit de televisieserie *Stiefbeen en zoon* en met Van Nunen was niks mis. Alleen: er gebeurde niks. In combinatie met

De Gooyer sloeg er geen enkele vonk over. Voor die laatste werd het nu een dubbele lijdensweg. Hij stond in een show waarin hij niets te zoeken had, tussen mensen die hem niets zeiden. Maar afhaken deed hij niet. Ergens halverwege uitstappen, was voor hem ondenkbaar. Dus duurde tot het allerlaatste applaus in de allerlaatste voorstelling dat hij Kraaykamp belde en zei: 'Je had gelijk. We hadden dit nooit moeten doen.'

Het andere talent van het duo Kraaykamp en De Gooyer, hun muzikaliteit, kwam in de revue en in de televisieshows regelmatig aan bod en resulteerde in een aantal plaatopnames. De 'Hawaïaanse' achtergrond van De Gooyer is een enkele keer terug te horen, zoals in het nummer 'Aan het goudgele strand van Ameland', een palmboomloze parodie op een nummer van de Kilima Hawaiians. Hij scheef meer liedjes, zoals 'Wij zijn twee eenzame cowboys' (1957) – het stond op hun eerste, gelijknamige 78-toeren plaatje. 'Ouwe

Gouden plaat voor 'De Bostella', 1968. *Foto Anefo*

trouwe merrie / Waarom ging jij van ons heen / Ik zie je nog galopperen door de steppen van Drenthe / Bij de Amersfoortse kei begon je al te sukkelen.' Ook meedeiners en dijenkletsers van het type 'Blij dat m'n neus van voren zit en niet opzij' werden niet geschuwd. Het eerder gememoreerde 'Nellie van den Heuvel uit de vierde klas' – op muziek van 'Tie A Yellow Ribbon' – schreef De Gooyer samen met Herman Pieter de Boer, die op zijn beurt ook een nieuwe tekst voor 'Champs-Elysées' leverde: 'Oh Waterlooplein' – een van hun populairdere nummers.

Producent Leon Swaab was in dit alles een drijvende kracht. Hij onderscheidde zich niet bepaald door een hogere of verfijnde smaak. Maar een neusje voor succes had hij wel. Op een geven moment kwam hij aanzetten met een Duitse melodie, zonder tekst. De Gooyer vond het afschuwelijk, Kraaykamp ook. Maar Swaab bleef aandringen. Die was ervan overtuigd dat het nummer, mits voorzien van een pakkende tekst, zou inslaan als een bom. 'Geloof me nou, jongens!' riep hij. De Gooyer krabbelde wat regels op papier. De mannen gingen de studio in. En Swaabs neus kreeg gelijk: 'De bostella' werd goud.

Jaaah, wij dansen samen de bostella,
Waaant de fijnste dans is de bostella,
Jaaah, we moeten lief zijn voor elkaar,
De nieuwste dans is de bostella,
De hit van het jaar.

De Gooyer: 'Verschrikkelijk. Ik heb er nooit meer naar kunnen luisteren.' 'Brrrr,' zegt Kraaykamp, 'om af te schieten.' Allemaal voor kennisgeving aangenomen. Ze hadden er wel een kaskraker mee, in 1968. De Gooyer kocht een boerderij in Giethoorn. En Kraaykamp was in een klap verlost van een aanzienlijke belastingschuld.

Klaar terwijl u wacht

Het populaire duo belandde als vanzelf in het schnabbelcircuit. En waarom ook niet? Het ging ze gemakkelijk af, even visites rijden, en wie wil er op het jubileum van een wijnimporteur nou geen liedje komen zingen, tussen de heldere groentesoep en de ossehaas? Vooral niet als het om tweeduizend gulden gaat. Met name de perioden dat ze op televisie waren, tijdens *Een paar apart* of *Johnny en Rijk*, liep het storm. Het was een opsteker voor een bedrijf als men het beroemde duo kon binnenhalen – die triomf straalde op de gastheer af. De mannen waren bij De Gooyer thuis aan het schrijven, toen de telefoon ging.

'Dag, meneer de Gooyer,' zei een beroemde zakdoekenfabrikant. 'Ik ga een enorm diner geven. De commissaris van de Koningin in Brabant schuift aan, die van Limburg, die van Zeeland... Diverse kerkelijke hoogwaardigheidsbekleders. En dat is nog niet zeker, maar als hij komt, dan komt hij persoonlijk, hónderd procent: Zijne Koninklijke Hoogheid prins Bernhard.'

'Nou meneer, dat is nogal wat,' zei De Gooyer.

'Zeker,' zei de zakdoekenfabrikant, 'en zal ik u nog eens wat vertellen: ze komen allemaal voor niks. Nou weet ik wel, u moet ervan moet leven. Dus had ik gedacht, als u ter opluistering van het diner een optreden verzorgt, samen met de heer Kraaykamp, wat kost me dat dan?'

'Een moment,' zei De Gooyer. Hij dekte de hoorn af en legde het geval aan Kraaykamp voor. Die zuchtte. 'Vraag maar iets hoogs,' zei hij.

'Hallo, meneer,' zei Rijk de Gooyer. 'Ik heb hier even overlegd. Dat kost u drieduizend gulden.' Even was het stil aan de andere kant van de lijn. 'En als u mééeet?' vroeg de jubilaris.

Opnieuw de hand over de hoorn.

'Vierduizend,' siste Kraaykamp.

'Dan wordt het vierduizend,' zei De Gooyer.

Weer die stilte. 'Ik kan erom lachen,' zei de zakdoekenfabrikant. 'Maar dan gaat het niet door.'

Een van de vaste schnabbelpunten was de verjaardag van onroerendgoedmagnaat Caransa, in het Amstelhotel. *Zijn* Amstelhotel – hij had het net gekocht. Naast zanger Willy Alberti en goochelaar Fred Kaps hoorden Johnny en Rijk er tot de vaste omlijsting. Nu is het voordeel van schnabbelen dat je je repertoire nauwelijks hoeft te verversen: je staat toch steeds op een ander feestje. Maar in het geval van Caransa hadden ze een probleem. Om opnieuw 'Wij zijn twee eenzame cowboys' te gaan zingen zou te zeer op vallen. De Gooyer vond dat het niet meer kon. Aan de andere kant: het betaalde te goed om te laten schieten.

'Ik bedenk wel wat,' zei Kraaykamp. Tijdens het nummer van de cowboys trok hij zijn schoenen en kousen uit. En terwijl de mensen zaten te eten, klom hij op de tafel en balanceerde zingend tussen de kreeft en de salades door. Borden kantelden, glazen wijn vielen om – De Gooyer stond aan de grond genageld. 'Maar ze píkten het,' zegt hij. 'Sterker nog, ze vonden het geweldig. Zoiets hadden ze nooit meegemaakt.'

'Ik had dat nooit gekund, nooit gedúrfd,' zegt hij. 'Maar Johnny stond in zo'n geval buiten de wet. Twee maanden later belde er een man uit Antwerpen, een kennis van Caransa uit de textiel. Of wij die act ook op zíjn feestje wilde brengen.'

De T-splitsing

Na 1973 was het weer even mooi geweest. Ze hadden voor de KRO nog twee seizoenen *Johnny en Rijk* gedaan, ditmaal onder regie van Jop Pannekoek, die had het stokje van Bob Rooyens had overgenomen. Het eerste seizoen was ouderwets feest geweest. De serie werd opgenomen voor publiek in theater 't Spant in Bussum. Maar in het tweede seizoen leek alles te haperen. De zaal was een studio geworden. En Pannekoek zat opgescheept met de Douglas Squire Dancers uit Londen, die de boel wat kunstmatig aan elkaar balletten. Een idee van de KRO, waarschijnlijk om het geheel wat meer glamour te geven. Er was een klein legertje tekstschrijvers actief, onder wie Eli Asser en Kees van Kooten, maar niemand leek de juiste toon te kunnen vinden.

De problemen van John Kraaykamp met de scènes van Van Kooten zijn bekend. En die golden in het kwadraat voor een andere nieuwe tekstschrijver, Wim T. Schippers. Schippers rijmde het precieze van Van Kooten aan een absurdisme dat mijlenver van de komiek, met zijn wortels in het ambachtelijke variété, verwijderd lag.

'En dan komen er 380 kozakken binnen,' zei Schippers. 'Van links!'

'Hoezo 380 kozakken?'

'Ik ben toch heel duidelijk en precies in wat ik zeg, dacht ik zo. Driehonderdtachtig kozakken. En ze komen van links, dus niet van rechts, de kapperszaak binnen.' De KRO kwam daarop aanzetten met Brad Ashton. Een vijfderangs tekstschrijver uit Engeland – die kwalificatie is van De Gooyer. 'Een man met een pruik die de boel belazerde.' 'John, John!' riep die. 'I have a marvellous scene here. Listen, you have a cafetaria and Rick comes in and orders a salad…' 'Ja leuk,' zei Kraaykamp dan. 'Bij De Mounties heb ik er vorige maand in ieder geval erg om moeten lachen.' Kortom, Ashton probeerde dezelfde sketch twee keer te verkopen. De koek was op. En dat dat doorwerkte in de onderlinge verstandhouding, in de sfeer, was eigenlijk niet meer dan logisch.

Het was een periode waarin Kraaykamp sterker dan ooit het verlangen kreeg om in zijn eentje door te gaan. Pogingen in de jaren daarna om Johnny en Rijk weer in één show te krijgen, liepen op niets uit. Ook een plan waarmee ze zélf naar de VARA stapten niet, omdat die omroep niet snel genoeg kon of wilde beslissen. En daarna hadden de heren weer andere verplichtingen. Gevolg is wel dat een hele generatie het duo vooral kent van de lange reeks C&A-spotjes ('Is toch voordéééééliger!') en natuurlijk van de oudejaarsavonden.

AVRO-televisieserie *De Brekers* met Adèle Bloemendaal en John Kraaykamp, 1985.
Foto ANP

Inmiddels waren de mannen elk een eigen kant op gegaan. De Gooyer als filmacteur, Kraaykamp als toneelspeler. En als ze samen in een productie zaten, was dat niet als duo maar als losse karakters. In *De Brekers*, bijvoorbeeld. Regisseur Rob Herzet had het opgevat idee de gelijknamige hoorspelserie van de AVRO, geschreven door Peter Römer, om te zetten naar televisie. De verschillende acteurs, John Kraaykamp, Adèle Bloemendaal en Sacco van der Made, verhuisden mee – alleen Piet Römer, de vader van de schrijver, werd vervangen door Rijk de Gooyer. Een wisseltruc die in de carrières van de beide heren wel vaker is toegepast. In dit specifieke geval omdat Herzet niet goed met Römer sr. door één deur kon.

Als postbode in de speelfilm *Zwaarmoedige verhalen voor bij de centrale verwarming*, 1975.
Foto Catrien Ariëns

Vanaf 1985 waren *De Brekers* te zien. De serie over een kansarm gezin, met een schor-krassende Adèle Bloemendaal, De Gooyer als vetkuif en John Kraaykamp in de rol van overjarige punk scoorde goed, hoewel het in de ogen van de AVRO allemaal een tikkeltje te ordinair was. Een oordeel waarin waarschijnlijk de uitkomst van een kijkersonderzoek was meegewogen. Na twee seizoenen zette de omroep er een punt achter. Op verzoek van de acteurs, die samen erg veel lol hadden, schreef Annie M.G. Schmidt toen een nieuwe serie, *Beppie* – een modern sprookje in twaalf afleveringen. De liedjes waren gecomponeerd door Harry Bannink. *Beppie* werd in 1989 door de AVRO uitgezonden, opnieuw onder regie van Rob Herzet, maar iets in de formule zat scheef. De serie sloeg niet aan, wat gezien de klinkende namen op de aftiteling een absolute deceptie was. Schmidt weet het later aan de samenwerking met haar co-auteurs, Haye van der Heyden en Flip van Duijn – haar eigen zoon.

Een van de laatste pogingen om het duo écht weer als duo op de planken te krijgen, was van Kraaykamp zelf. Hij probeerde zijn vaste producent Joop van den Ende ertoe te bewegen de klucht *The Sunshine Boys* van Neil Simon in productie te nemen. Een toepasselijk stuk: twee komieken zoeken elkaar aan het eind van hun leven nog eens op, en blikken terug op alle lol en knelpunten die ze samen hebben gehad. Probleem was dat de band van de ene artiest (Rijk de Gooyer) met genoemde producent nooit een hele hartelijke was – daar komen we nog op terug – zodat het plan al snel in de ijskast verdween. De allerlaatste poging (tot nu toe) staat op naam van filmregisseur Nouchka van Brakel. In 1975 had ze voor het laatst met de twee gewerkt in de film *Zwaarmoedige verhalen voor bij de centrale verwarming*. Een vierluik – beloond met de publieksprijs van Berlijn – waarvan speciaal haar deel, met Johnny en Rijk, de aandacht trok. 'Er zit veel meer in die mannen dan er ooit is uit gehaald,' zei ze later in interviews. Maar haar idee, medio jaren negentig, voor een film met het duo getiteld *Bij leven en welzijn*, ketste af op het script – helaas van haar eigen hand. Kraaijkamp smeet het al na drie pagina's in een hoek. En De Gooyer riep: 'Als dit goeie kritieken krijgt, stap ik uit het vak'. In 2001 ging de film onder de titel *De vriendschap* in première, met Gerard Cox en Willem Nijholt in de rollen van Johnny en Rijk. En hoe zeg je dat netjes? De Gooyer hoeft in elk geval niet uit het vak.

Der Hund klingelt

Het was een golf. Nederlandse artiesten waren populair bij de oosterburen. Rudi Carrell natuurlijk. Maar eind jaren zestig traden ook Greetje Kauffeld, Caroline Kaart en Liesbeth List regelmatig op voor de Duitse televisie. Programmaregisseur Bob Rooyens greep die gelegenheid aan om het duo weer eens te trommelen. En zo vertrokken Kraaykamp en De Gooyer in 1970 naar Hamburg om er – in eerste instantie – acht shows te maken, gebaseerd op het materiaal uit *Een paar apart.*

John stelde als programmatitel *Mein Kraaykampf* voor – niet in de laatste plaats omdat degene die onderhandelingen voerde, Peter Koster, een voormalig Stuka-piloot was. De man had in '44 nog proefvluchten had gemaakt met het eerste Duitse straalvliegtuig, de Messerschmitt 262.

'Toevallig nog Rotterdam gebombardeerd?' vroeg De Gooyer belangstellend. 'En zit er een kans in dat ik mijn fiets terugkrijg,' zei Kraaykamp. De stemming zat er al goed in. 'Kinder, kinder!' riep Koster, met overslaande stem. Hij had een andere titel voor de twee in petto: *Spaß durch Zwei.* Iets waar de mannen zich wel in konden vinden. Toen de gage ter sprake kwam, vertrok De Gooyer even naar het toilet – zo had hij dat met Kraaykamp afgesproken. Ieder kreeg 12.000 DM per show. De Gooyer kon zijn oren niet geloven toen hij weer terug aan tafel kwam. Het laatste bedrag dat hij had gehoord was 6000 DM. Kraaykamp zelf zat er met een uitgestreken smoel bij.

'Blaf mal an die Tür!' In de serie *Spaß durch Zwei*, 1970. *Foto Eurovisie Press.*

Ze betrokken allebei een appartement in Hamburg, aan de Heinrich Herrstrasse. Gemeubileerd. Dat betekende: bloemetjesbehang, grote bankstellen en tafels met gedraaide poten. Johnny Kraaykamp had van thuis een kookboek, wat grammofoonplaten en de bijbel meegenomen. De Gooyer niks. Door de week werd gerepeteerd, zaterdagsmiddags opgenomen, in een studio met publiek. En de provocaties gingen voort. 'Heil Hitler', met die opgewekte groet stapten de twee steevast de kantine van de studio binnen. En altijd sprong er wel een oudere ZDF-medewerker in de houding, een sterke aandrang in de rechter arm nog net bedwingend. 'Herren, machen Sie das bitte nicht mehr,' zei de kantinebeheerder. 'Es ist zu peinlich.' Dus gebeurde het nog maar een paar keer. Om het af te leren.

Buiten de opnames en de repetities was het ieder voor zich. Elk in zijn eigen appartementje. 'Rijk ging er nog wel eens uit,' zegt Kraaykamp. 'Ik eigenlijk niet.'

De enkele keer dat ze er wel sámen op uit trokken, bezochten ze de Reeperbahn of woonden ze een opname van Rudi Carrell bij. Ook verzorgde De Gooyer een keer een sightseeingtour, waarbij hij John liet zien waar hij als soldaat vlak na de oorlog gezeten had: de Binnenalster. Bij het naderen van het huis schoten ze allebei tegelijk in de lach. *Tanzschule Bartels* stond er in grote letters op de gevel.

Vanwege zijn geringe schoolopleiding sprak Kraaykamp gebrekkig Duits. Hij moest het fonetisch leren. 'Eigenlijk nog een wonder dat hij zich erdoorheen heeft geslagen,' zegt de Gooyer. 'Twintig shows!'

Toch ging het ook wel eens mis. Er was een scène waarin De Gooyer als politieagent Kraaykamp op heterdaad betrapt. Kraaykamp beweert bij hoog en bij laag dat hij de heer des huizes is en, als inbreker verkleed, net is teruggekeerd van een bal masqué. De agent gelooft hem niet en de inbreker stelt voor om samen aan te bellen. Dan zal zijn vrouw gewoon opendoen. In het Duits: 'Klingel mal an die Tür.' Tijdens de repetitie zei Kraaykamp: 'Bel mal an die Tür.' Waarop De Gooyer hem verbeterde: 'Nee, John. "Bellen" betekent blaffen.' Even was het stil. 'En wat is aanbellen dan?' vroeg Kraaykamp. 'Klingeln,' zei De Gooyer. 'Je houdt me voor de gek.' 'Ik hou je helemaal niet voor de gek. Waarom zou ik? Het is klingeln. *Klíngel mal an die Tür.*'

De opname kwam, voor een zaal vol publiek. 'Blaf mal an die Tür,' zei Kraaykamp tegen de agent, waarop regisseur Bob Rooyens de opname stillegde. 'Stop maar John,' zei die. 'Hoezo stoppen?' riep Kraaykamp. 'Het is góed: bellen is blaffen. Blaffen is klingeln.' 'Nee John, bellen is klingelen.' 'Ik stop ermee!' zei Kraaykamp. 'Ik ga naar Holland.' Stampvoetend vertrok hij naar het toilet, vergetend dat zijn loopzender nog aan stond. De hele zaal hoorde hem foeteren: 'Klootzakken, rot toch gauw op, blaffen, klingeln, bellen... kan mij het schelen' – ondersteund door hoge fluittonen en af en toe een doffe plof. Kortom, de geluiden van een man die zich mopperend zat te ontlasten. Toen hij terug op het podium kwam, klonk er vanaf de tribune een aarzelend applaus. Veel hadden de toeschouwers er niet van begrepen, maar ze verkeerden in de vaste overtuiging dat het erbij hoorde.

Na twintig shows verdeeld over twee seizoenen, was de irritatiegrens aan beide kanten wel bereikt. 'Ze vonden onze humor niet leuk,' zegt De Gooyer. 'Te Engels. Met te weinig gevoel voor de Heimat, à la Carrell. Ook niet zo gek. De mensen die daar over amusement gingen, waren allemaal oude mannen met laaghangende kruizen. *Es ist ein Familienprogramm, ja. Die Kinder gucken auch.* Met een taart gooien, wat we graag deden, was niet geoorloofd. Want "er was in de oorlog zoveel honger geleden". Alsof dat bij ons in Nederland anders was! We kregen er genoeg van, al dat geschrap in onze scènes.'

De ZDF wilde nog wel met ze door, op voorwaarde dat Kraaykamp langere tijd in Hamburg kwam wonen om aan zijn uitspraak te werken. De Gooyer zou hem daarin moeten bijstaan. Overbodig te zeggen dat de heren daar weinig trek in hadden.

Eén seizoen hebben ze het nog in een compromisvorm geprobeerd. De shows werden in Hilversum twee keer achter elkaar opgenomen, eerst in het Nederlands – voor de KRO – en daarna in het Duits. Toen dat seizoen voorbij was, hielden ze het voor gezien. De riante salarissen ten spijt.

VIII

Losse planken

Zijn of niet zijn

'U bent toch Bartels?' vroeg Karl Guttmann, van theatergroep Ensemble.

'Dat ben ik óók, af en toe,' zei De Gooyer, inmiddels op zijn hoede.

'Juist,' zei Guttmann. 'Nee, ik geloof niet dat we nog een plekje vrij hebben.' Ergens viel hij tussen wal en schip, Rijk de Gooyer. Een komiek voelde hij zich niet, in ieder geval geen komiek pur sang, zoals Kraaykamp dat was. Maar ook tegenover het acteurschap, waar hij als kind van droomde, voelde hij reserves. Vooral als het om grote, serieuze toneel ging. Zijn grootste bezwaar daartegen gold de mensen die erin wérkten. Druktemakers vond hij het. Uitslovers, opscheppers, aanstellers. En in de jaren vijftig, begin jaren zestig liepen er inderdaad nogal wat acteurs rond die aan dat signalement voldeden. Het was het einde van een generatie toneelspelers die De Klassieken brachten met de rollende r en de neus opgekruld in de lucht. Die hield van grote gebaren en wapperde kostuums. Hij had een paar favorieten: Guus Hermus, Ko van Dijk of Andrea Domburg – de rest wekte vooral zijn lachlust op.

Maar zijn probleem met toneel kende ook praktische kanten. Het intensieve karakter ervan stond hem tegen. Het idee om tweehonderd pagina's in je hoofd te moeten stampen. 'Ik ben meer iemand van de korte baan,' zegt hij. 'Twee pagina's per dag, zoals bij de film, is zát.' En dan was er nog het argument van de sleur. Het vele reizen. 'Elke avond hetzelfde te moeten spelen, met je gezicht naar een zwart gat. Ik ga me vervelen,' zegt hij. 'Ik sta daar en denk: goh, wat een merkwaardig patroon heeft dat behang eigenlijk. Of

Als Uli Bouwmeester in *Hoogste tijd*, 1995. *Foto Dinand van der Wal.*

wat een rare oren heeft die vent op rij twee. Dan ben je weg, uit je concentratie.'

Maar het is ook makkelijk afgeven op een feestje waarvoor je niet bent uitgenodigd. Dat stak wel een beetje, vooral in het begin van zijn carrière. Hij was die jongen van de radio. De typetjesman. Voor het toneel werd hij nooit gevraagd.

Dus maakte hij een luchtsprongetje toen producent Guus Oster hem in 1954 belde voor een rol. Zijn eerste toneelrol. Hij kon zich nauwelijks concentreren op wat Oster allemaal zei. Het ging om een Frans blijspel van Alexandre Rivemale, getiteld *Azoek*. En het verzoek van de producent was of hij de volgende dag even op diens kantoortje wilde langskomen, voor de financiële afwikkeling. Slapen ging slecht die nacht. Het was dan wel geen Molière of Ibsen, dat zag hij wel in, maar de Nederlandse Comedie, waar Oster leiding aan gaf, maakte bepaald geen rommel. En de opwinding steeg nog toen hij, behalve het salaris (900 gulden per maand), de volgende ochtend te horen kreeg dat hij de titelrol mocht spelen.

'Maar dat is geweldig!' zei hij.

'Fijn dat u er zin in hebt,' glimlachte Oster.

Een zwierige handtekening bekrachtigde het contract. 'En,' zei kersverse acteur, 'wat is dat eigenlijk voor iemand, die Azoek?'

'Een olifant, meneer De Gooyer. Een witte.'

Azoek bleek te gaan over een ontsnapte circusolifant die ergens een huis binnenstapt, maar in de deuropening blijft steken. De bewoners bevrijden hem en het beest wordt hun beste vriend. *Azoek of een olifant in huis* luidde dan ook de volledige titel. Er werd gerepeteerd. Eerst zonder pak. De Gooyer sprak zoals het een goedgeaarde jumbo betaamde: vriendelijk-sonoor en vrij zacht. Dit alles tot grote tevredenheid van regisseur Henk Rigters, die de juiste acteur op de juiste plek wist. Maar op de dag van de *dressed rehearsal*, toen het pak werd dichtgeritst – een olifantenpak van dik molton – was De Gooyer ineens niet meer te verstaan. Het spul bleek zijn stem volledig te absorberen.

'Hallo,' zei Rigters. 'Ik hoor je niet.'

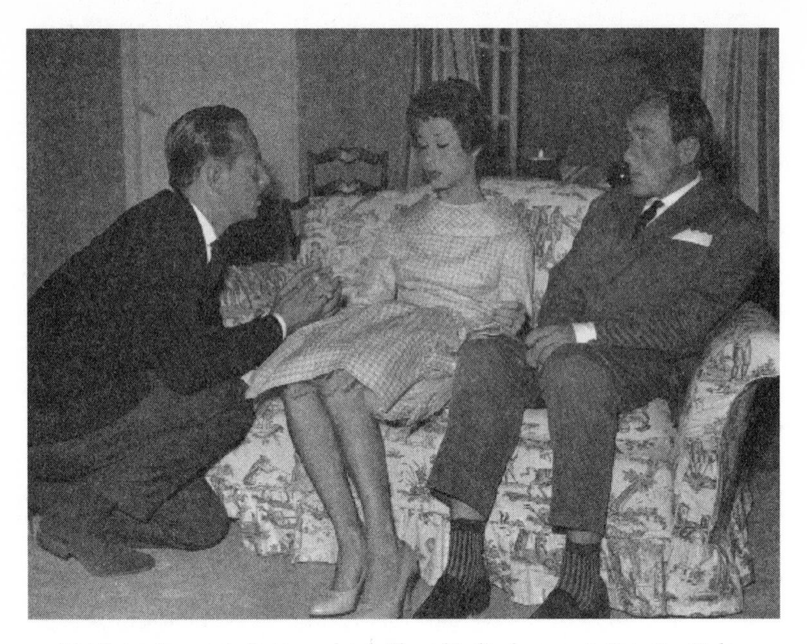

Met Betsy Smeets in het toneelstuk *Slaap kindje slaap*, 1958. *Foto Cor Dokter*

De Gooyer verhief zijn stem.

'Ik hoor je nóg niet.'

Er werd een gat in de slurf gemaakt.

'Harder,' riep Rigters.

Rijk de Gooyer schreeuwde zijn tekst.

'Ja, nu ben je te verstaan,' zei Rigters. 'Maar je klinkt zo níjdig.'

'Vind je het gek, ik sta te brullen!'

Een microfoontje in het pak bood geen soelaas – het klonk te blikkerig. En dus stond De Gooyer een maand lang in een muf olifantenpak te schreeuwen. Zijn eerste toneelrecensie stond in *De Telegraaf* en was van de hand van Jan Spierdijk. 'Van De Gooyer hadden we wel wat leukers verwacht,' schreef die. Dezelfde Jan Spierdijk stond aan de wieg van de toneelcarrière van John Kraaykamp, toen die in 1958 de rol van Gremio mocht spelen in Shakespeares *De getemde feeks*. 'Ik wil niet zeggen dat het een glansrol van me was,' zegt hij. 'Ik wist nog niet zo goed wat toneelspelen was: hoe je naar een karakter toe werkt.' Maar een reactie als die van Spierdijk ('Kraaykamp is een gevaar voor het toneel') had hij zeker niet verwacht. 'Ik liep te piekeren,' zegt John Kraaykamp, 'hoe kan iemand in zijn eentje een gevaar zijn voor het hele toneel? Dan moet ik wel heel slecht geweest zijn.' Veel later kwam hij Spierdijk tegen op een expositie van Ferdi Posthuma de Boer, de ex-drummer die was gaan schilderen en pottenbakken.

'Ik vind u zo geweldig,' zei Spierdijk.

'O ja?' zei Kraaykamp. 'Dat is wel eens anders geweest.'

'Hoe bedoelt u?'

'Hoe bedoel ik? U hebt me met *De getemde feeks* de slechtste recensie gegeven ooit.'

'Ik?' zei Spierdijk en hij slikte. 'Maar ik heb u in *De feeks* helemaal nooit gezien!' En daarna het onvergetelijke excuus: 'Ik ging wel eens niet. Dan stuurde ik mijn buurman.' Overigens is er zelden een journalist zo uitputtend teruggejend als juist deze Spierdijk, later chef kunst van *De Telegraaf*. Maar liefst vijf *Koos Tak*-bundels volgden er uit een feuilleton in de *Haagse Post*, waarin Rijk de Gooyer en Eelke de Jong wekelijks de avonturen van een wat oudere, smoezelige journalist beschreven. Een man die altijd achter de feiten aan liep – nooit eens een mazzeltje had. Die geminacht werd door al zijn collega's. En wie er voor Tak model had gestaan, was een publiek geheim: de recensent die 'wel eens niet ging'.

Charles op de kogel

De periode waarin het variété voor Rijk de Gooyer een belangrijke bron van inkomsten vormde, omvat ruim twintig jaar. Het eindigde met de revue van Snip en Snap in 1969, en begon in 1947 met de eerste Steravonden van de NCRV. Vaak ging het om speciale gelegenheden, en trad hij op voor verenigingen, militairenclubs of personeelsfeesten van bedrijven. Meestal als 'typeur', zoals hij het zelf noemt, met een brilletje en een pruik, waarbij vooral 'Bartels' populair was. Die kon op elk soort avond uit een kast of achter een gordijn te voorschijn piepen. 'Goeiedááág!' riep het publiek. In de meeste gevallen was het hem vóór.

Eén minitournee springt eruit, al is het alleen al om de idealistische motieven. Het was een productie van Beppie Nooij, de schutspatrones van het volkstoneel. Midden jaren vijftig trok zij met een klein ensemble langs toenmalige DUW-kampen: werkverschaffingsplekken, zoals in Oostelijk Flevoland, waar de inpoldering ter hand werd genomen. Daar zat ruig volk, dat de weekenden naar huis ging, maar doordeweeks in barakken was ondergebracht en wel een verzetje kon gebruiken. Nobele Beppie echter wilde stíchten. En omdat het tegen Pasen liep, had ze speciaal een passiespel in elkaar gezet; *Golgotha* heette het. Beppie zelf vertolkte de rol van Maria Magdelena – met een licht Amsterdams accent. Maar omdat Pontius Pilatus (Rien van Nunen) ook zo sprak, viel het minder op: zo had het blijkbaar geklonken in het Heilige Land.

Rudi Falkenhagen en Rijk de Gooyer speelden Romeinse soldaten. Zij stonden voor een grote kartonnen heuvel, de berg Golgotha, waarop een houten kruis stond. Uit de verticale balk stak halverwege een fietszadel, waarop Jezus zat: een werkstudent, die daarvoor 5 gulden per avond ontving. Tekst had hij niet, alle dialogen speelden zich af aan de voet van de heuvel. Toen de werkstudent op een avond niet kwam opdagen, besloot Beppie Nooij dat Jan Roekel, de chauffeur van de oude bus waarmee het passiespel door Nederland toerde, de Heiland moest vervangen.

Roekel was een ras-Jordanees van achter in de vijftig met een enorme bierbuik. Met vereende krachten werd Roekel, slechts gehuld in een lendendoek, en met een doornen kroon op het hoofd, op het zadel gehesen en met de armen aan de dwarsbalken vastgezet. De twee Romeinse soldaten posteerden zich aan beide zijden van de heuvel, zij het met een bezorgde blik naarboven. En inderdaad, halverwege de avond hoorden ze gekraak, eerst zachtjes, als het gekreun van een oude eik, maar al snel luider. Daaroverheen klonk het gesis van Roekel: 'Ik skuif, jongens, ik skuif!' Uit een ooghoek zag De Gooyer het kruis langzaam hellen. 'Ik skui-uif!' klonk het nu vertwijfeld. 'Kijk uit!' riep Beppie. De wachten deden haastig een stap opzij. En met een luid geraas stortte het kruis met de corpulente Verlosser op het podium. Roekel kwam precies met zijn hoofd op een voetlicht terecht. Hij vloekte hardgrondig. De soldaten hielpen hem op de been. 'Gewoon doorspelen,' siste Beppie. Maar er was geen houden meer aan. Het publiek rees als één man overeind – een staande ovatie. Dit was precies waar de mannen na een lange dag basaltblokken sjouwen aan toe waren.

Een van de artiestenbureaus waardoor De Gooyer werd uitgezonden was Fink en Van Liempt. De heren bestierden een komiekenparade, *Tableau de la troupe* genaamd, dat ze in wisselende combinaties door het land stuurden. Op feestdagen speelden er één groep artiesten in drie grote zalen tegelijk: in het Amsterdamse Concertgebouw, in het Haagse Kunst & Wetenschappen en in De Doelen in Rotterdam. Op elke plek stond een vaste conferencier – Cees de Lange, Lou Bandy of Barend Barendse – gekoppeld aan een vast pianist: Tonny Eyk, die er al vroeg bij was; Tonny Bakkenes of Daniël van Zweden, de vader van Jaap van Zweden. De artiesten begaven zich ondertussen als een haas van stad naar stad, van optreden naar optreden. Iedereen in zijn eigen auto: Johnny Jordaan, Willy Alberti, De Wama's, Toby Rix, Heintje Davids, de Chico's, de Kilima Hawaiians, het Cocktail Trio… Ze kwamen elkaar tegen op de snelweg en toeterden naar elkaar in het voorbijgaan.

Het was een even simpele als lucratieve oplossing van Fink en Van Liempt, die voor één feestavond nu het driedubbele aan recettes opstreken. Helaas kon het nogal eens druk zijn op de weg, vooral tijdens de pinksterdagen, zodat het gebeurde dat er een artiest werd aangekondigd die nog in de file stond bij het Rottepolderplein. Barend Barendse heeft er op zo'n avond een keer wanhopig zijn hele repertoire aan moppen doorheen gejaagd. En toen Johnny

Jordaan zich daarna nóg niet had gemeld, begon hij gewoon weer opnieuw. Dat waren de feestdagen. Dan zonden Fink en Van Liempt hun paradepaardjes uit. Op normale weekdagen werden de artiesten die een treetje lager stonden uitgestuurd. Het tweede garnituur, zo gezegd. Kunstfluiter Jan Tromp bijvoorbeeld, of Cor Galis met zijn moppentrommel – de latere VPRO-omroeper kon twintig grappen in een minuut vertellen. Ook de vader van Rudi Carrell, André Carrell, draaide mee en boekte als de charmant loensende komiek een hoop succes.

Het aspect 'tweede garnituur' zat hem ook niet zozeer in de kwaliteit, als wel in de beperktheid van de act. De meesten hadden er maar één. En dat al jaren. Jan Hagoort bijvoorbeeld zag eruit als een dik propje als hij op het podium verscheen. Hij maakte een buiging, verdween achter een kamerscherm, en kwam razendsnel weer te voorschijn in een nieuw kostuum. 'Zelfde man,' zei hij. Hij verdween weer en kwam in een nieuwe outfit te voorschijn. 'Zelfde man!' Zo ging dat tien, twaalf keer achter elkaar door: een politieagent, een bakker, een matroos, een dominee – alles passeerde de revue. Omdat hij alle kostuums over elkaar had aangetrokken, werd hij gaandeweg het nummer steeds dunner. Uiteindelijk stond hij er in een badpak uit het interbellum. Buiging. Einde act.

In hetzelfde circuit bewoog zich Kareltje Brouwer. Brouwer was een acrobaat op leeftijd, die optrad met 'De vrolijke boerderij'. Basis van zijn act was een gevel van een boerderij die door Van Gend & Loos werd vervoerd: een imposant bouwwerk met diverse deuren en ramen. Het nummer duurde vijf minuten. Karel verdween achter de stellage en kwam vervolgens, in een hoog tempo, uit verschillende deuren en ramen te voorschijn. Steeds een grijns op zijn gezicht, en een petje dat hij even van het hoofd lichtte – het was tenslotte de vrólijke boerderij. Aan het eind van de act sprong hij uit het bovenste raampje naar beneden. De zaal schrok zich rot, maar Karel zat vast aan een dik elastiek, zodat hij als een katapult terugveerde. Later breidde hij zijn nummer nog uit – hij kon het ook op schaatsen. In dat geval kwam Van Gend & Loos voorrijden met de *De vrolijke boerderij On Ice.*

'Charles op de kogel' – het reservoir is onuitputtelijk. Charles was eveneens een acrobaat op leeftijd, zat op een grote zwarte bal en vertelde ondertussen schuine moppen. Het was zijn enige attribuut: een grote zwarte bal. Die snoerde hij boven op zijn auto vast, en zo reed hij van schnabbel naar schnabbel. 'Douanevervoer,' stond er op zijn auto. Dat had hij er zelf op geschilderd, om niet in elke stad opnieuw aangehouden te worden.

Rogold was een van de favorieten van Rijk de Gooyer. Een ex-acrobaat die binnen de grenzen van zijn mogelijkheden alles eruit had gehaald. Hij was reumatisch, maar in zijn nummer beeldde hij olympische sporters uit in hun specifieke houding. Stil spel, zo gezegd. Zijn vrouw assisteerde hem daarbij. Om te beginnen door hem in de kleedkamer met een flinke kwast helemaal goudkleurig te schilderen – de voetstappen van Rogold stonden na afloop overal. Tijdens het nummer zat ze op de grond in de coulissen, naast een pick-up, en kondigde de verschillende 'standjes' aan. 'De discuswerper,' zei ze dan, en zette er een stukje Mahler bij op. In het donker pakte Rogold een kartonnen schijf en nam de gevraagde houding aan. Het licht ging aan, het publiek klapte, het licht ging weer uit. 'De kogelstoter,' klonk er vervolgens uit de coulissen.

Echtparen zag je veel in het variété. Je moest het je ook maar kunnen veroorloven, een bevallige assistente om de konijnen aan te pakken. En bijkomend voordeel was dat de vrouwen hun man een beetje in de gaten konden houden. Dat wil overigens niet zeggen dat de vrouw altijd een dienende rol had. Bij Rie en Koos – bekend als De Riko's – wisselde het. Koos had voor de pauze een goochelnummer, Rie kwam erna met een hondenact. Ze assisteerden elkaar, zij het met nauw verholen tegenzin. Zo kon Koos er niet tegen als hij op de vingers werd gekeken, dat maakte hem nerveus. En Rie buitte die gevoeligheid uit door dingen te sissen als: 'Nee lul, dat zakdoekje hébben ze al gezien', of: 'Dat án-de-re balletje!' Koos raakte dan dusdanig in verwarring dat het nummer pas echt in de soep liep. Ten slotte strekte Rie haar arm naar hem uit, en wendde zich stralend tot de zaal. 'Voilà,' riep ze. Rie was een kreng – het hele publiek voelde dat. En Koos kreeg ook altijd meer applaus dan hij eigenlijk verdiende. Jaren later – De Gooyer was hen allang vergeten – kreeg hij nog eens een ansicht van hen uit Oost-Berlijn. 'Rijk, we staan met ons nummer een week in het Friedrichstadtpalast, en hebben veel succes. Hier word je pas gewaardeerd! Hartelijke groeten van je oud-collega's, Rie en Koos.'

De kleine Bouwmeester

'Ik ben geen toneelacteur pur sang. Ik mis die ambitie. Ik heb te veel interesses in andere dingen, buitenom. Het is me eigenlijk aan komen waaien, dat acteren – zo ga ik er ook mee om.' Dat zijn woorden van Rijk de Gooyer in een documentaire die de NPS in 1995 over hem maakte. Nu is het zo dat hij geneigd is bij alles wat hij doet een wegwerpgebaar te maken. Voor een deel uit de gereformeerde behoefte om alles van ijdelheid uit te bannen; voor een deel ook uit oprechte verwondering dat er iets goeds uit zijn handen kan komen. Maar als het om zijn ambities op het toneel gaat, zit er ook wel iets in. Het is verleidelijk om hem te vergelijken met een personage dat hij zelf in de film *Hoogste tijd* (1995, naar de gelijknamige roman van Harry Mulisch) speelde, die van Uli Bouwmeester. Het gemankeerde neefje van de grote Louis Bouwmeester krijgt op zijn oude dag bezoek van twee jongens van een modern toneelgezelschap, die hem een rol aanbieden. Uli neemt het script in ontvangst, bladert erin en zegt: 'Maar ik bén helemaal geen acteur. Ik ben een revueartiest, entertainer. Zien jullie die groeven in mijn kop? Dat is niet van Molière of van Ibsen, jongens. Dat is van het bekkentrekken.'

Het is zo verleidelijk die vergelijking te maken – je zou bijna vergeten dat Uli Bouwmeester ongeveer zijn vijftigste filmrol is, en

Toneelstuk *Quitte of dubbel* met Ronnie Bierman en regisseur Berend Boudewijn. Foto *Persbureau Róbert Lantos*

dat De Gooyer daarvoor onderscheiden is met een Gouden Kalf voor de beste acteur. Maar overeind blijft dat hij in veertig jaar 'planken', vooral in revue, variété en blijspel heeft gestaan. En zelfs in één musical, wat een wonder is, omdat dat genre niet bepaald aan zijn hart gebakken zit. Mensen die midden in een scène opeens een potje gaan zingen, onzin natuurlijk. Het was het onverwoestbare enthousiasme van Joop Klein Essink dat zijn intuïtie had ontre-

Toneelstuk *Boeing Boeing* met Guikje Roethof (proost!) Gaby Witteveen en Anna Korterink, 1978. *Foto Dagblad De Telegraaf*

geld. Klein Essink was tijdens de musical *My Fair Lady* de rechterhand geweest van dirigent Dolf van der Linde en had zelfs een keer voor hem mogen ingevallen. Sindsdien was hij zo begeesterd geraakt van de sfeer van theater, en vooral van de musical, dat hij er zelf een ging produceren. *Free as Air* zag hij in Londen, een musical rond een chique baron op een eilandje in de Pacific. Hij wist de rechten te verwerven en droomde van een grootse voorstelling. Niet met een combo, zoals in Londen, maar met orkest. Zijn enthousiasme sloeg over op Eli Asser, die het stuk vertaalde, en op een grote havenbaron uit Rotterdam, die zijn portefeuille trok. Het feit dat Klein Essink een regisseur uit Londen had aangetrokken, verleende het geheel nog meer cachet.

Maar uitgerekend op het gebied van de cast legde hij de lat wat lager. Sylvain Poons als baron was niet de juiste man op de juiste plek, en ook zijn tegenspeler Hans Boskamp voelde zich slecht op zijn gemak. De Gooyer, Wim Poncia en Johan te Sla hadden kleinere rollen, en zagen de ontwikkelingen de repetities met argusogen aan.

Wim Poncia verscheen consequent te laat op de repetities. De Engelse regisseur, een nogal bedaagde man, die ook niet precies begreep hoe hij in Nederland terecht was gekomen, werd het uiteindelijk te dol.

'Mr Poncia, what's so terribly important that you're always too late?'

'Wat zegt-ie? Wat zegt-ie?' vroeg Poncia, nauwelijks een woord Engels machtig.

'Dat hij het leuk vindt je te zien, Wim,' zei De Gooyer.

'Oh, thank you, thank you.'

Het was 1963. De bedoeling was om met de voorstelling eerst twee maanden in het Rotterdamse Zuidpleintheater te staan – met de complimenten van de havenbaron – alvorens op tournee te gaan. Maar er kwam zo weinig publiek op af dat je een kanon in de zaal kon afschieten. Op het laatst zaten er twintig, wat aan Boskamp de opmerking ontlokte: 'Denk erom, u moet wel lachen, wij zijn in de meerderheid.'

Ze stonden nog één keer in Utrecht – toen was het afgelopen. De productie was failliet. Van Joop Klein Essink is daarna nooit meer iets vernomen. Jaren later kwam iemand hem tegen in Zuid-Frankrijk, als barpianist. Aan de voorgevel van de club waar hij speelde liet hij zich aanprijzen als 'Joop Klein Essink, bekend van *My Fair Lady* en *Free as Air*!'

Met de blijspelen waarin De Gooyer stond, was het een heel ander verhaal. *Quitte of dubbel* (1975), met de vroeg overleden Ronnie Bierman, was een klinkend succes. Karl Guttmann, de ensembleleider uit het begin van dit hoofdstuk, kwam na afloop van de première stralend op hem af, een glas champagne in de hand. 'Rijk,' zei hij, 'ik heb 't altijd al in je gezien.' Ook *Boeing Boeing*, het jaar daarop, met tegenspelers Manfred de Graaf, was een hit. Guikje Roethof, Gaby Witteveen en Anne Kortering speelden de stewardessen. En Hans Sleeswijk verzorgde de boekingen: 140 voorstellingen, elke keer uitverkocht – dat kon je aan de man overlaten. Eigenlijk was het tegen De Gooyers principes. Zestig voorstellingen vond hij zat. Aan de andere kant: het was een genre waar hij lol in had en waar hij zijn hand ook niet voor omdraaide. Dat was altijd zo geweest. Of hij nu met Jan Blaaser stond in *De modelechtgenoot* – naar de society-komedie *An Ideal Husband* van Oliver Parker – of vier jaar eerder, naast John Kraaykamp in *Slaap kindje slaap*, een Frans boulevardstuk waarmee hij maandenlang in een uitverkochte Kleine Komedie stond. Mooie successen, objectief gezien. Hoewel het in de ogen van Grote Toneelspelers natuurlijk lichte kost was. Pretmakerij. Scherts.

Toen De Gooyer het seizoen na *Azoek* in *De ooievaarswals* stond, een blijspel waarin hij een verhuizer speelde, ging er op een avond een siddering door de artiestenfoyer. 'Ko van Dijk is in de zaal' – Lex Goudsmit had het 't eerst gezien. En in de pauze had Thera Westerman er nog een nieuwtje bij. 'Er liggen rózen onder zijn stoel.' Het idee dat de grote Ko van Dijk zich verwaardigde om naar een blijspel te komen kijken, en ook nog bloemen mee te nemen, was aanleiding voor grote opwinding. Na de voorstelling zat iedereen in zijn kleedkamer, nerveus in afwachting: wie werd geprezen? Wie gelaakt? De bulderende stem kondigde zich aan, ging galmend langs de deuren. Maar nergens werd er aangeklopt. Pas aan het einde van de gang, op de deur van Teddy Schaank, een voormalig revuedanseres, klonk geroffel. Met haar bleek hij een stormachtige affaire te hebben.

Koning Pinter

Na Johnny en Rijks eerste echte rollen – waarbij de een een gevaar voor het Nederlandse toneel werd genoemd en de ander een licht teleurstellende witte olifant had neergezet – kristalliseerde zich langzaam uit wat de mannen wilden. De tegenzin van De Gooyer om in vrije producties, met ellenlange tournees, te staan is genoemd. 'Bij mij heeft dat ook geen zin,' zegt hij. 'Het wordt nooit beter. De derde voorstelling is hetzelfde als de drieënzestigste.' Kraaykamp daarentegen hield én houdt ervan om in een rol te groeien. 'Elke avond vindt hij weer wat anders: andere nuances, andere mogelijkheden. Ik ben een snuffelaar,' zegt hij. 'Ik heb eens een grap gevonden, de béste grap uit het stuk, zo eentje waarbij je de lach tegen het plafond hoort slaan. Die vond ik pas in de allerlaatste voorstelling.'

Het verschil tussen het Grote Toneel en het variété, hoog en laag, Leidseplein en Rembrandtplein, lag scherp in de jaren vijftig. De Gooyer kon het allemaal gestolen worden. Een goed blijspel was hem net zo lief, of misschien nog wel liever. En de grote Ko van Dijk – voor hem was het gewoon 'Ko', z'n zwager, de man van Andrea Domburg. Maar Kraaykamp had iets te bewijzen. Hij had er genoeg van om als de lolbroek uit de Kinkerstraat op de schouder te worden geslagen. Die meewarigheid voelde hij heel duidelijk. En als hij het niet vóelde, werd het hem af en toe wel ingeprent. De eerste keer was tijdens de repetities van een revue, toen hij aan de pianist vroeg – 'Ik wilde iets interessants zeggen' – of die iets van 'Sjopín' kon spelen. De lach die daarop uit de vijf kelen klonk, sneed door zijn ziel. Het tweede moment was een nuttige wenk van comédienne Lia Dorana. 'Dat is allemaal wel leuk en aardig, dat Amsterdams van jou,' zei ze, 'en de mensen klappen ook wel netjes, maar eigenlijk moet je eens duidelijk leren articuleren. En dan bedoel ik Algemeen Beschaafd Nederlands.' En tot slot was het Wim Sonneveld die Kraaykamp weliswaar prees – hij vond hem een groot komiek – maar hem tegelijk het advies gaf zich te ontwikkelen. 'Als je niet stil wil blijven staan moet je boeken gaan lezen, spraaklessen, zánglessen nemen. Andere kanten aan jezelf ontdekken, jezelf verbreden.'

Kraaykamp heeft sinds *De getemde feeks* in heel veel toneelstukken gestaan. Maar zijn belangrijkste en grootste rol was onbetwist die van *King Lear*, in 1978 bij het Ro Theater. Voor hem de grote overwinning. Hij gluurde door het gordijn, vijf minuten voor aanvang en zag ze zitten: de pantoffelgeleerden, de boekenlezers, de Shakespeare-kenners. En hij zág het ze denken: hiermee gaat ie de mist in, die ouwe Kraay. Dit is boven zijn macht. 'Serieus,' zegt hij, 'ik was bijna door de achterdeur vertrokken. Dat scheelde weinig.'

De toneelstukken waarin De Gooyer heeft gestaan, zijn op de vingers van één hand te tellen. Vaak leunden ze tegen het komische aan. 'Het is raar,' zei hij in 1992 tegen Peter van Brummelen in *Het Parool*. 'Bij Johnny en Rijk was John de clown. Die komt uiteindelijk in Shakespeare terecht. En als ik wat op de planken doe, voel ik, de serieuze van de twee, me het veiligst in een lachstuk.' *Koppen dicht* (1983) was zo'n lachstuk, over het gekonkel binnen een amateurtoneelschap. De Gooyer speelde de rol van regisseur. En een paar jaar later stapte hij in *LUV*, een onbegrijpelijk, abstract Vlaams stuk, waar Guus Oster hem nog voor gewaarschuwd had. 'Dat is overal geflopt, Rijk. Niet doen, Rijk.' Maar het was opnieuw de aanstekelijkheid van een regisseur, die er 'iets heel nieuws, iets heel vrolijks' van zou maken, die hem over de streep trok. Het was een flop. En het bleef een flop.

In 1992 kreeg De Gooyer eindelijk een grote rol, in *De thuiskomst* van Harold Pinter. En alle onverschilligheid ten spijt was hij vereerd, dat stak hij ook niet onder stoelen of banken. Hij had iets met Pinter. In de jaren vijftig had hij *De huisbewaarder* met Guus Hermus, Maxim Hamel en Henk van Ulsen gezien, en was verbluft geweest. Mannen die door elkaar praten in half afgemaakte zinnen; niemand die naar elkaar luisterde, maar met een enorme onderhuidse spanning, een geladenheid waar je als toeschouwer de vinger maar niet op kon leggen. Stoere mannen, onpeilbare mannen.

Hij vond het geweldig – ook omdat Guus Hermus geknipt was voor die rol. 'O ja, ik zou heel graag Pinter spelen,' liet hij in 1983 in *Vrij Nederland* weten. 'Dat is een van mijn lievelingsschrijvers.'

Lear werd de hemel in geprezen, althans, Kraaykamp werd de hemel in geprezen – er werd zelfs gesproken over 'De *Lear* van Kraaykamp'. Het ging dan vooral om de beste erfenis die hij uit de variété had kunnen meenemen: een geniaal gevoel voor timing. Het was alleen de moderne spelopvatting van regisseur Franz Marijnen die in minder goede aarde viel. Voor *De thuiskomst* van Pinter gold ongeveer hetzelfde. De acteurs werden bejubeld – 'ijzersterke cast,' schreef het *Algemeen Dagblad* – maar de regisseur werd verguisd. Nu was *De thuiskomst* een vrije productie waaraan inderdaad grote namen waren verbonden: Helmert Woudenberg, Olga Zuiderhoek, Huub Stapel, Ben Hulsman en Rijk de Gooyer in de rol van de cynicus 'Max'.

'In *De thuiskomst* treffen we De Gooyer op zijn best,' schreef NRC *Handelsblad* over hem. 'Zeurende en kankerende personages liggen De Gooyer immers als geen ander. Een zin als "Stik in je eigen stront" rolt met een natuurlijke vanzelfsprekendheid uit zijn mond.' Dat laatste compliment kwam mede op het conto van Barbara van Kooten, die een nieuwe vertaling van het stuk had gemaakt. Maar weer was het de regisseur – in dit geval de jonge Engelsman Tim Luscombe – die het moest ontgelden. Hij had het te glad gemaakt, vonden de recensenten, te gezellig. Het grote schokeffect dat Pinter in de jaren vijftig en zestig teweegbracht, bleef inderdaad uit. Toen Hermus in 1968 naast Ton van Duinhoven in een televisieversie van *De thuiskomst* speelde (Hermus als 'Max') kostte dat de VPRO op één avond honderd leden. Maar inmiddels was Pinter salonfähig geworden, dat kon je niet alleen regisseur Luscombe in de schoenen schuiven. Mensen kenden het stuk – wisten wat ze konden verwachten. Wat dat betreft had De Gooyer zijn begeerde rol gekregen, maar wel dertig jaar te laat.

Kraaykamp zag *De thuiskomst* en vond het 'wel aardig'. Eigenlijk beschouwt hij zijn oude sparringpartner meer als een filmacteur dan als een toneelspeler. 'Hij kan dingen ontzettend klein maken, dat is zijn kracht. Ik ben ook grotesk als het moet.'

De Gooyer op zijn beurt zag *Lear* niet. Hij zat in het buitenland. 'En áls hij het had gezien,' zegt Kraaykamp, 'had hij het toch niet goed gevonden. Hij vindt me daar geen type voor. In de ogen van Rijk blijf ik de Amsterdamse jongen. Hij vindt het het leukst als ik over mijn vader vertel: die volkse atmosfeer. En dat *is* ook leuk, dat weet ik wel. Het signatuur van je eigen stad kun je niet verloochenen. Maar op een gegeven moment ben ik een andere weg ingeslagen. Dat wil hij niet zien. Ik heb mijn horizon verbreed.'

Op het curriculum vitae van De Gooyer had eigenlijk nog één toneelstuk moeten staan: *Relapsus*, geschreven door Wim T. Schippers. 'Waarin deprimerende diepzinnigheden, getoetst aan platte alledaagsheid en onbenul, leiden tot vrolijke taferelen vol beantwoorde vragen.' Een Orkater-produktie. Maar in het jaar dat er aan de voorstelling werd gewerkt, 1994, viel De Gooyer van zijn balkon aan de Amsterdamse Nieuwmarkt. Bekken gescheurd, linkerpols verbrijzeld, drie ribben gebroken. Het was dan ook een val van vijf meter op ongenaakbare keien. Zijn rol werd overgenomen door Piet Römer.

IX

De uitbeeldingsschool

De nieuwe Heinz Rühmann

Zijn eerste filmrol ging met evenveel opwinding gepaard als die op het toneel met de olifant Azoek. In dit geval was het Wim Sonneveld die hem op zijn kantoor ontbood. In het VARA-radioprogramma *Showboat* was Sonnevelds creatie van de orgelman Willem Parel zo populair geworden, dat het voor de hand lag er méér mee te doen. Dat werd *Het wonderlijke leven van Willem Parel.* Een film waarvan de verhaallijn verraderlijk dicht tegen de werkelijkheid aan lag: ietwat snobberige cabaretier hoopt zich te ontworstelen aan het typetje dat hij op de radio speelt. Het publiek ziet hem alleen nog maar als 'Willem', en hij kan natuurlijk meer – veel meer. Maar hoe anders pakt het uit: Willem maakt zich los van hém – de orgeldraaier stapt op een dag uit een affiche, en begint een hetze tegen zijn geestelijke vader. Een dubbelrol voor Sonneveld.

Eli Asser, die ook de radioafleveringen van Willem Parel schreef, nam het grootste deel van het script voor zijn rekening. Joop Geesink, de animator en geestelijk vader van Loeki de Leeuw, produceerde – de film werd ook in Geesinks studio *Dollywood* aan de Duivedrechtsekade in Amsterdam opgenomen. Sonneveld had een kleedkamer voor zichzelf, compleet met bed en een ster op de deur. Albert Mol, Joop Doderer, Lex Goudsmit, Hans Kaart en Rijk de Gooyer zaten er pal naast, in een hokje van dezelfde afmeting. Op de film die in februari 1955 in première ging, kwam behoorlijk wat publiek af: bijna een half miljoen mensen. En toch was de pers negatief. Het verhaaltje was flinterdun, de acteerprestaties matig. Ze waren zelfs zo negatief dat de Haagse bioscopen Apollo en Rex een advertentie lieten plaatsen met de namen en telefoonnummers van een paar Haagse recensenten, met de aanbeveling: 'Wij zijn ervan

In de Nederlandse speelfim *Kleren maken de man* met (links) Andrea Domburg, 1953. *Foto Lemaire en Wennink*

overtuigd dat bovengenoemde Haagse filmcritici ten zeerste geïnteresseerd zijn de mening van het Haagse publiek te vernemen.'

Het was eigenlijk alleen Rijk de Gooyer die er met zijn bijrolletje als schnabbelpianist uit sprong. Hij had 'de enige filmische rol', aldus een vrouwenblad. En dat was goed gezien. Volgens De Gooyer zelf omdat hij niet verpest was door een toneelschool, waar je overdreven leerde uitbeelden en articuleren. Intuïtief voelde hij dat het goed was om 'klein' te spelen. En regisseur Gerard Rutten – vader van Edwin, en bekend van de Wilhemina-beelden uit Londen, waarin ze in haar kantoor aan het werk is – had hem die ruimte gelaten.

Zijn tweede filmrol, in *Kleren maken de man* (1957), was ook bescheiden. Maar gezien de cast eromheen – Jan Retel, Andrea Domburg, Paul Steenbergen, Guus Oster – was dat ook geen wonder. Alleen de hoofdrol was in handen van een relatieve leeftijdsgenoot: Kees Brusse, maar je daaraan spiegelen was verloren tijd. Sinds Brusse Merijntje Gijsen had mogen spelen, was hij een zondagskind gebleven.

In de *Kleren maken de man* stond, net als in *De jurk* van Alex van Warmerdam veertig jaar later, een kledingstuk centraal. Het rolt van personage naar personage. In dit geval was het alleen een rokkostuum, waarin een kostbaar document zat genaaid. De Gooyer speelde een bruidegom, met een blozende Annet Nieuwenhuyzen (met wie hij overigens nog samen op de FC De Munnik had gezeten) aan de arm, die zijn huwelijk door het betreffende rokkostuum – met Kees Brusse erin – bedorven ziet worden. Het was een remake: *Kleider machen Leute* (1940) heette de film oorspronkelijk, met in de hoofdrol de bekende Duitse acteur Heinz Rühmann (*Der brave Soldat Schwejk*).

Kleren maken de man werd een flop. Maar soms is het belangrijker wie je op de set tegenkomt, dan wat een film doet. In dit geval was dat de Duitse regisseur Georg Jacobi, die zijn oog op De Gooyer had laten vallen. 'U zou wel eens de tweede Heinz Rühmann kunnen worden,' zei hij. En boven een borrel bleek Jacobi uitstekende contacten te hebben met een nieuwe 'Ausbildungsstudio' in Berlijn, de UFA, die ook films in productie nam. Voor een tienjarig contract – waaronder de tweejarige opleiding – zou Jacobi zo kunnen zorgen. Bij de AVRO waren net de *Weekendshows* begonnen, dus een carrière als tweede Heinz Rühmann moest nog even op zich laten wachten. Maar het zette De Gooyer wel aan het denken. Wat waren de kansen die hem in Nederland nog werden geboden?

Zeven vooraanstaande filmkenners en critici, onder wie Jan Blokker en Anton Koolhaas, hadden na *Kleren maken de man* een manifest opgesteld. Jongens, even geen Nederlandse speelfilms meer, was ongeveer de strekking, 't wordt tóch niks. Voor documentaires maakten de heren overigens een uitzondering. Maar voor De Gooyer, die net de smaak te pakken had, was het geen opwekkend vooruitzicht. Hij stond voor het raam van zijn huis aan de Nicolaas Maesstraat in Amsterdam-Zuid en keek naar buiten. Het miezerde. Berlijn kon het begin zijn van een fantastische carrière. Eerst Duitsland, dan Hollywood.

In Nederland werd in die tijd één film per jaar gemaakt, met altijd dezelfde zwaargewichten. Zo ook *Fanfare* in 1958, van Bert Haanstra. De Gooyer kreeg een rolletje aangeboden, en het zegt al genoeg dat hij bedankte. Hij had net een vakantie naar Ibiza geboekt en zag geen reden om die af te zeggen. Misschien terecht: de acteur Bob Verstraete, die zijn plek innam, werd er bij de montage uit geknipt. Misschien ten onrechte; het is niet te zeggen of dat in zijn geval ook was gebeurd. De film werd in elk geval een groot succes. Toen Johnny Kraaykamp na drie seizoenen *Weekendshow* aangaf liever toneel dan televisie te gaan doen, en voor *De getemde feeks* koos, was de kogel in ieder geval door de kerk. De Gooyer pakte zijn koffers.

Schermen en doorzitten

Het dromen was in de tussentijd doorgegaan. Hij had door Eddy Posthuma de Boer publiciteitsfoto's laten maken, zittend op het gazon achter een patriciërshuis aan de Vecht. Op een wit Louis-Quinzebankje, in een dure pullover van Maison de Bonneterie, het ene been (gestoken in een flannelen pantalon van Repko) nonchalant over het andere geslagen, zodat er nog net een Bally-schoen in beeld was. De filmster op een ontspannen middagje achter zijn huis. Die afbeeldingen gingen naar een agentschap in München, vergezeld van een paar recensies. Frau Elborg, die het bureau bestierde, was onmiddellijk verkocht. En tussen zijn werk door, televisie, cabaret, radio, sleepte ze hem langs allerlei filmbonzen.

'Dit,' jubelde ze bijvoorbeeld een keer tegen een dikke man met een sigaar, 'is de grootste komiek van Nederland. In Amsterdam staat zijn naam in neonletters boven de grote theaters. Zijn fanclub omvat – wat is het inmiddels, Rijk? – duizend leden.'

De man nam peinzend de magere Hollander op, die tegenover hem zat. 'Er sieht gar nicht komisch aus,' zei hij.

'Pas mal auf!' riep Frau Elborg. 'Rijk... lach mal.' De Gooyer lachte, snerpte, kraaide. De zaak was er bespottelijk genoeg voor. De man bleef hem onderzoekend aankijken. 'Ja ja,' zei die, 'das sieht ja besser aus.' En terwijl hij de foto's doornam: 'U speelt ook draaiorgel, begrijp ik.'

Hij maakte de definitieve overstap naar Berlijn op 16 augustus 1959. Zijn Porsche had hij verkocht – 'Denk eraan daet-ie grote staappen neemp' – als een symbolische daad: de schepen achter zich verbranden. Die teneur had zijn afscheid ook, op Schiphol, waar een kleine delegatie hem uitgeleide deed. Rijk nam afscheid van Nederland. Hij had een contract met de UFA voor tien jaar en zodra hij vaste grond onder de voeten had, zou Tonny zich bij hem voegen. De Nederlandse televisie, het Nederlandse variété, de Nederlandse film – voorzover je daarvan kon spreken – het moest allemaal verder zonder hem.

Vertrek naar Berlijn, beoogde tussenstop voor een internationale carrière. Rechts Wim Ibo en Andrea Domburg, 1960.

Hij vond een kamer op de Clausewitzstrasse 8, een zijstraat van de Kurfürstendamm. Bij een hospita van het oude slag: een adellijke dame, Freifrau von Schluga, die voor de Russen uit Koningsbergen was gevlucht. Een type dat luisterde aan de deur, met een deftige schalksheid en bij voorkeur zijn kamer binnenviel – 'Verzeihung!' – als hij zich net stond om te kleden. 'Nah!' zei ze een keer, terwijl ze met de *Berliner Zeitung* zijn kamer binnenliep. Ze tapte met haar vinger op een klein berichtje. Het ging over een tachtigjarige vrouw die verkracht was en daar vier dagen later aangifte van had gedaan. 'Solch eine Frechheit,' vond ze. De Gooyer dacht dat ze het over de dader had. Maar barones von Schluga glimlachte fijntjes. 'Erst geniessen und dann später zur Polizei gehen,' zei ze.

De UFA Ausbildungsschule lag in de stille wijk Dahlem, het Wassenaar van Berlijn. Een opleiding met ambitie, Georg Jacobi had niets te veel gezegd. Er werden volle dagen gemaakt. Hij kreeg cameratechniek, tekstinterpretatie van O.E. Hasse – de Ko van Dijk van Duitsland –, filmgeschiedenis, spraaklessen van Frau Else Bongers, de ontdekker van Hildegard Knef. Danslessen, schermlessen, en in het park Grunewald: paardrijden van een dikke tante met een zweep die daar – waarschijnlijk naar oud-Pruisisch gebruik – bij voorkeur leerlingen mee sloeg. Een represaille voor het niet goed 'doorzitten'. De voormalig olympisch kampioene dressuur legde een mark onder hun kont, en als ze die onderweg verloren, waren ze de klos.

De klas waarin De Gooyer zat bestond uit tien man, van wie hij met zijn vierendertig jaar veruit de oudste was. Talent zat er zeker: Götz George, bekend geworden als Schimansky in *Tatort*, en de latere actrice Helga Schlack bijvoorbeeld, maar door het leeftijdsverschil hing hij er ook een beetje bij. Na de lessen trok hij er in zijn eentje op uit. West-Berlijn was nog in opbouw. Lege gaten werden langzaam opgevuld, en wie overdag op straat liep, droeg meestal een overall. Vertier, 's avonds laat, was er mondjesmaat. Een van de gelegenheden waar De Gooyer kwam, was galerie Bremer, in de Fasanenstrasse. Hij had er in Nederland al over gehoord. Er werkte daar een Surinamer, Rudie van der Lak, wiens broer een café in de Reguliersbreestraat had.

Galerie Bremer was een van de meest toonaangevende galeries van Berlijn, opgericht in 1946 door Anita Bremer. En sinds zij getrouwd was met Rudie Bremer – ondanks het opmerkelijke leeftijdsverschil: zij was zo'n dertig jaar ouder – had hij achter de galerie een exclusieve bar laten bouwen. Overdag heerste de kunst, het domein van Frau Bremer, 's avonds was het drinken, met Rudi (inmiddels zonder e), een joviale krullenkop, achter de tap. Bremer was een *place to be*, dat wil zeggen: áls je er tenminste binnen kwam. Het toelatingsbeleid was strikt: beeldend kunstenaars, acteurs, artiesten, politici, hooggeplaatsten uit het bedrijfsleven en de wetenschap – 'Kortom, lekker onder ons,' noemt de Gooyer dat. Het was aangenaam ingericht: een eikenhouten ovale bar, fraaie kunst aan de wand, gedempt licht, comfortabele banken en fauteuils. Hildegard Knef zat er vaak – hij heeft haar nog leren blufpokeren, en er kwamen beroemde 'gelegenheidsdrinkers' die op dat moment in Berlijn optraden, zoals Herbert von Karajan en Leonard Bernstein. De Gooyer zat er bijna elke avond, soms met de jonge Gerben Hellinga, die in die tijd ook in Berlijn woonde. Hellinga probeerde als acteur aan de slag te komen, wat hem niet gemakkelijk afging. Met weer als voordeel dat hij de pen ontdekte. Café Bremer bestaat nog steeds, al is Anita in de jaren tachtig overleden. Rudi bestiert sindsdien de galerie én de bar, waarachter hij nog steeds met een brede lach te vinden is. De krullen zijn inmiddels grijs geworden.

In een ander café, Diener, stond de eigenaar, de beroemde Duitse bokser Franz Diener, zelf achter de bar. Het was een plek waar veel acteurs kwamen en waar het beroemde cabaretgezelschap Die Stachelschweine residentie hield – ze hadden er zelfs een stamtafel. Toen die op een avond leeg was, omdat de 'stekelvarkens' nog aan het werk waren, en De Gooyer er even ging zitten, stoof Diener achter de bar vandaan. Wie hij wel niet dacht dat hij was! Geen man om ruzie mee te zoeken, in ieder geval niet zo vroeg op de avond. Dan maar naar de ABC-bar, naar Edith met de grote tieten. Die deed tenminste niet zo moeilijk.

Pro & contra

Zijn vertrek had in de Nederlandse kranten aangekondigd gestaan: 'Acteur Rijk de Gooyer zoekt zijn heil in Duitsland'. En tijdens de voorbereidingen in Amsterdam was hij gebeld door een onbekende man die zich De Graaf noemde. Of ze konden afspreken in een motel in Den Haag, aan de Haagweg. Het bleek om iemand van de Binnenlandse Veiligheidsdienst te gaan – een man die hem vriendelijk bezag en met een paar steekwoorden ('bakkerszoon', 'gereformeerd', '*Purple Heart*', 'NCRV') duidelijk maakte op de hoogte te zijn. Ze hadden zijn doopceel gelicht en blijkbaar naar tevredenheid. Hij ging toch naar Oost-Berlijn? Op dat punt waren ze duidelijk mínder goed op de hoogte. De Gooyer ging naar Wést-Berlijn.

'Juist,' zei de BVD'er, met een spoor van lichte teleurstelling op het gezicht. Er zaten in Oost-Berlijn een paar Nederlanders van wie ze hadden gehoopt dat hij ze in de gaten kon houden.

'Pardon?'

'U bent toch een goeie vaderlander en geen communist?'

'Absoluut,' zei De Gooyer. Er schoten een paar gedachten tegelijk door zijn hoofd. Aan klikkende ouderlingen in zijn jeugd bijvoorbeeld. En aan de onverzettelijkheid van zijn ouders als het om dit soort dingen ging. 'Ik ben geen verrader,' zei hij.

'Wie heeft het hier over verraden?' zei de man. 'Als u gewoon eens kijkt of er geen mensen zijn die onverhoopt afglijden naar het verfoeilijke systeem.'

Wat stond daar tegenover? De Gooyer dacht aan zijn belastingschuld. Dat kon geregeld worden. Sterker nog, hij kon een maandbedrag van tweeduizend gulden tegemoet zien. Het enige wat hij hoefde te doen was af en toe verslag uitbrengen van zijn bevindingen. Tweeduizend gulden. Duizend gulden voor Tonny, duizend gulden voor hemzelf. Dat gaf armslag. En zolang hij niemand verraadde, alleen wat vage informatie gaf... De eerste keer dat hij zich meldde, op een perron van Bahnhof Zoo, was John Le Carré in het kwadraat. Bijna een parodie. Uit zijn knoopsgat stak een bloem, zijn afspraak droeg een zwarte hoed en had een krant onder de arm. Onder die hoed zat een agent van de CIA, die hem neutraal begroette. Ze waren blij met hun nieuwe bron, vertelde die, hoewel ze de constructie wat mager vonden. Eigenlijk moest De Gooyer werk zien te vinden in Oost-Berlijn, bij de televisie of bij de film.

Hij heeft het nooit iemand verteld. Ook Gerben Hellinga niet, met wie hij in die tijd intensief omging. Ze togen zelfs regelmatig naar Oost-Berlijn, met de S-Bahn, op een *Durchreisevisum*, dat je het recht gaf er een dag te blijven. Oost-Berlijn was spotgoedkoop, zeker als je in West de Ostmarken kocht. Dat mocht niet, maar dat kón wel. Tegenover één West-Duitse mark stonden vier Oost-Duitse, wat luxeartikelen als wodka en kaviaar feestelijk binnen bereik brachten. Ook dat was officieel niet de bedoeling – zonder een langer visum mocht je geen spullen kopen. Maar met een neutrale glimlach en de duim over het woordje *Durchreise* was er niets aan de hand. Er werd slechts vluchtig gecontroleerd.

Het beste restaurant van Oost-Berlijn bevond zich in het Nevahotel. Daar zat ook altijd de partijtop bijeen. De Gooyer gaf er rondjes en strooide royaal met fooien. Zo maak je vrienden, was zijn standpunt. En inderdaad: hij hoefde er maar binnen te komen of het orkest verwelkomde hem met een Hollandse evergreen, als 'Overal waar de meisjes zijn' en 'Tulpen uit Amsterdam'. De orkestleider had in de oorlog een tijdje in Nederland gewoond. De partijbonzen begroetten hem joviaal. En zo schoof hij ook een keer aan bij DDR-president Walter Ulbricht. Wat hij in Oost-Berlijn deed, wilde Ulbricht weten. 'Ik handel in elastiek,' zei De Gooyer. En hij begon enthousiast te vertellen over het nut, het materiaal en de mogelijkheden van het prachtproduct. Alles beter dan de waarheid: ik ben een prutsspion, meneer de president, die komt profiteren van jullie goedkope levensstandaard.

Met Hellinga bezocht hij Die Möwe, een sociëteit voor de acteurs en het personeel van het Schiffbauerdammtheater oftewel het Brechttheater. Brecht was al dood, maar zijn weduwe Helene ('Helli') Weigel had de nalatenschap stevig in handen, ook wat het theater betreft. En ze bood de jongens aan regieassistent te worden. Zo konden twee dwalende zieltjes alsnog de socialistische heilstaat worden binnengeloodst. Als hij vrij was van school toog De Gooyer naar de Schiffbauerdamm om acteurs en actrices uit hun kleedkamer te halen. 'Herr Zimmermann, Sie sind d'ran' – meer hield het 'regieassistentschap' niet in. Maar de CIA en de BVD waren tevreden. Sterker nog: ze waren verrukt. Het idee dat hij een graag geziene gast was in het Nevahotel, en dat hij zelfs Walter Ulbricht had ontmoet... Ze dachten met De Gooyer goud in handen te hebben.

En als teken van hun appreciatie kreeg hij er maandelijks duizend gulden bovenop.

Elke donderdagavond meldde De Gooyer zich keurig bij het gebouw van de CIA, in de wijk Dahlem, waar ook de UFA was. Een buurt met doodstille straten, vooral 's avonds, zodat zijn bezoeken wel erg in de gaten liepen. Toen hij zijn bezwaar daartegen kenbaar maakte, werd dat door de CIA onmiddellijk gehonoreerd – er werd een kamer gehuurd, ergens midden in het centrum. En vanaf die week zat daar elke donderdagavond een man achter een bureautje op hem te wachten om zijn 'bevindingen' te noteren. En elke donderdagavond zette De Gooyer zich tegenover die man en liet zijn fantasie de vrije loop. Zijn geld kreeg hij contant – de BVD zorgde voor z'n vrouw – en soms gaf de contactpersoon hem een lijst met namen mee, dat De Gooyer met een geheimzinnig knikje bij zich stak. Maar geen haar op zijn hoofd die eraan dacht om écht iemand te gaan schaduwen.

Het baantje in het Brechttheater was niet je dat. Eindeloos lang werd er op een stuk gerepeteerd. Op de *Dreigroschenoper* meer dan een jaar. En toen er bij de première nog wat aan schortte, werd er nog een halfjaar aan vastgeknoopt. Het stuk waarbij Gerben Hellinga en hij assisteerden heette *Frau Flintz* en was een echt Oost-Duits arbeidersstuk. De repetities begonnen om tien uur 's ochtends en waren vanaf het begin in 'kostuum', dat wil zeggen: vodden en lompen. Regisseur Peter Palitsch droeg als rechtgeaarde Brechtvolgeling een Brechtpak, compleet met bijpassende Brechtbril. Eindeloos werd er op posities en looprichtingen geoefend. Ook door Herr Zimmerman, die door Rijk de Gooyer uit de kleedkamer was gehaald. Hoe moest hij opkomen? Vanaf links, vanaf rechts, uit het midden, half van opzij? 'Herr Zimmermann, was denken Sie selbst?' 'Am liebsten mochte ich aus der Mitte kommen.' 'Gut, machen wir das.' Koffiepauze. De Gooyer werd er tureluurs van. Lang hield hij het dan ook niet vol.

Gelukkig was er op school een doorbraak. Soms zat er ineens

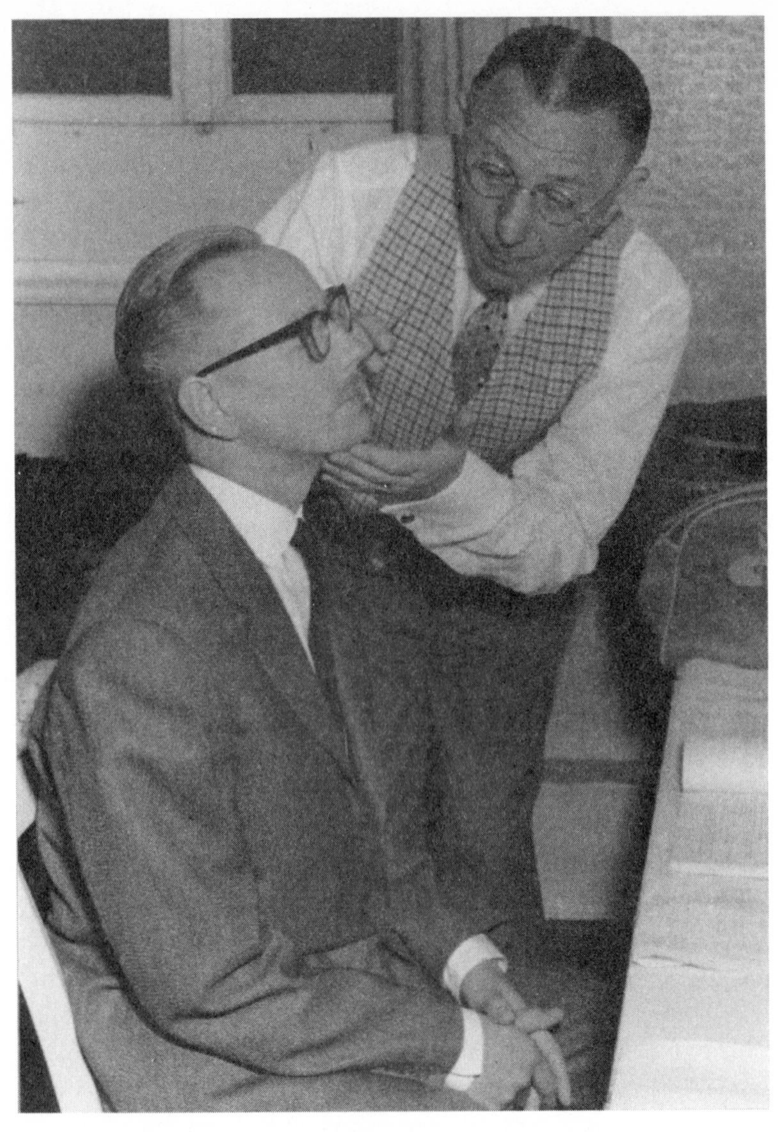

Met Theo Lingen in het toneelstuk *Der verbindlicher Liebhaber.*
Foto Combi Press

man of vrouw achter in het lokaal, een producent of regisseur die op zoek was naar iemand voor een bepaalde rol. Zo werd hij eruit gepikt voor de rol van Hollander in Graham Greenes *The Complaisant Lover*, het enige blijspel dat Greene ooit heeft geschreven. *Der verbindliche Liebhaber* heette het in het Duits. Ze stonden er een paar weken mee in het Renaissance-theater. 'En de egards waarmee je daar als acteur behandeld wordt,' zegt De Gooyer. Hij mocht zichzelf niet eens aankleden. Als hij 's avonds in zijn kleedkamer kwam, stond er een oud mannetje op hem te wachten, dat beleefd knikte, en zijn jas uittrok en deze keurig op een haakje hing. Als De Gooyer op een stoel ging zitten, babbelend met een collega, ging het mannetje verder met z'n schoenen, z'n broek, z'n jasje... Alles zwijgend. Soms alleen met het verzoek of hij even op wilde staan. 'Zo hees hij je ongevraagd in je toneelkostuum – na afloop pelde hij je er weer uit. Als ik zélf mijn broek wilde aantrekken, omdat ik het toch wat gênant vond, moest ik er razendsnel bij zijn. Anders stond hij weer voor mijn neus.'

De hoofdrol in *Der verbindliche Liebhaber* werd gespeeld door Theo Lingen, een Oostenrijker met wie De Gooyer het uitstekend kon vinden. Na afloop van een voorstelling zouden ze wat gaan drinken. In café Diener, stelde Lingen voor, 'bei meinem guten Freund Franz'.

De Gooyer legde uit waarom hem dat niet zo goed idee leek. Hij was eens door Diener de tent uit gezet.

Lingen zou dat wel even regelen.

'Ach, wie schön, Freund Lingen,' zei Diener, toen ze het café binnenstapten.

'Ach Franz,' wenkte Theo. 'Das hier ist Herr De Gooyer, ein sehr bekannter Schauspieler aus Holland. Er erzählte mich daß Du ihm ein Platz verweigert hat.'

'Ach, natürlich,' knipte Diener, 'Verzeihung. Ich hatte ihn nicht gleich erkannt!'

The Voice

In Klub 13, niet ver van de Kurfürstendamm, werkte Die Latte, een ex-mannequin die niet alleen superslank was, maar ook nog ruim 1 meter 90 lang. Een betere bardame was nauwelijks denkbaar: gastvrij, attent en bloedmooi – iedereen was dol op haar. Eén keer was Die Latte verloofd geweest, maar naar verluidt had de man het onderspit moeten delven. En na een week of twee stond ze weer achter de bar, met haar onverstoorbare glimlach. Wat voor de Klub alleen maar goed was. Die liep weer als een trein. Op een dag arriveerde Frank Sinatra in de stad. Niemand wist wat hij kwam doen. Een journalist van de *Berliner Zeitung* die het hem vroeg, kreeg als antwoord: 'Oost-Berlijn kopen!' En vervolgens was The Voice vertrokken naar het Hilton. Achteraf bleek dat hij z'n vriend, de filmster William Holden, op was komen zoeken, die in Berlijn aan het draaien was.

Rijk de Gooyer is een enorme bewonderaar van Sinatra en liet zich de kans niet ontglippen hem de hand te schudden. Niet door naar het Hilton te gaan natuurlijk, dat zou knullig zijn, maar door even vooruit te rekenen. Holden was een flinke innemer, net als Sinatra – die twee zouden de kroegen afgaan. Met een vriend begon hij te pendelen tussen de meest hippe bars van Berlijn, Eden Saloon en Balagan, waar uitgerekend die avond geen kip zat. Net toen ze wilden opstappen, zwaaide de deur open en kwamen de twee binnen. Uitgelaten – duidelijk al even onderweg. Toen Sinatra boven een whisky uitriep of er geen joint in Berlijn was waar wat fatsoenlijke *chicks* rondliepen, zag De Gooyer zijn kans schoon. Achteloos liet hij vallen dat Klub 13 de 'hottest place in town' was. En waarop gehoopt was, gebeurde: Sinatra zag Die Latte en viel als een blok. Holden had niets meer aan hem, en vertrok naar zijn hotel.

Toen uiteindelijk ook Sinatra was verdwenen, een uurtje later, vertelde de barvrouw dat de zanger haar had uitgenodigd voor een lunch de volgende dag. Maar ze piekerde er niet over om te gaan. Hij was dronken geweest – ze zag zich al zitten, helemaal opgetut in het Hilton, terwijl de man God-weet-waar uithing. Het zou precies andersom gaan. 'Sinatra wartete vergebens auf "Die Latte",' stond de volgende dag in *Bild-Zeitung.* 'Verlasst wütend das Hiltonhotel und fliegt ab nach Amerika.'

Veertien dagen later, toen De Gooyer weer op de Klub was, vertelde Die Latte dat ze een brief van Sinatra had gekregen, met ticket erbij. Of ze naar hem toe wilde komen. 'Wat denk je?' zei ze.

'Wat ik denk?' riep De Gooyer. 'Gaan!' Met wat pers brachten ze haar de volgende dag naar het vliegveld. En wederom haalde de serveerster uit Klub 13 die week de voorpagina's: 'Verlobung Sinatra und "Die Latte"?' Twee weken later had ze haar plek achter de bar weer ingenomen. Ze had een geweldige tijd gehad. Gelogeerd in Beverly Hills in een van de mooiste bungalows, met beschikking over een auto met chauffeur. Bij aankomst lagen er zoveel uitnodigingen voor party's dat ze nauwelijks had kunnen kiezen. Iedereen gezien, iedereen gesproken. Van Marlon Brando tot Fred Astaire, van Bette Davis tot Liz Taylor, van Billy Wilder tot Bing Crosby... Iedereen, behalve The Voice. Die had zich twee weken niet laten zien.

Villa aan de Wannsee

De Gooyer kreeg een rol als Gestapo-man aangeboden in de film *Schachnovelle* van Gerd Oswald. De vertegenwoordiger van zijn agentschap onderhandelde met de producent. Dat kon hij beter ook niet zelf doen. Hij zat weer in de kamer ernaast te wachten.

'En?' zei hij. Toen de man naar buiten kwam.

'Ze bieden 500 mark per filmdag,' zei de agent.

'Gauw pakken,' zei De Gooyer, met een zenuwtrekje om de mond. De waarheid was dat hij voor een film op dit niveau bijna geld had willen toeleggen.

'Geen sprake van,' zei de agent. 'Je moet 1000 mark hebben. Vanmiddag ga ik weer praten.' De angst dat het daarop zou afketsen was ongegrond: het wérd 1000 mark. Een ongelooflijk bedrag. En de pret van een nieuwe leven, dat van een ster in Berlijn, werd nog onderstreept toen hij op de set werd gebeld – 'Herr De Gooyer bitte zum Telefon!' Een telefoontje uit Holland. Karel Prior. 'Zeg Rijk, we gaan op 5 mei een grote show op televisie doen. Heb je tijd?'

'Nee, jongen. Het spijt me.'

'Het is een bevrijdingsprogramma, met alles erop en eraan.'

'Ik stap net in mijn Gestapo-uniform, Karel. Misschien volgend jaar.'

Schachnovelle was een verfilming van het boek van Stefan Zweig, een Amerikaans-Duitse productie, die in twee talen werd opgenomen. Hoofdrollen waren voor Curd Jürgens, Claire Bloom, Hansjörg Felmy en Mario Adorf. Voor de mannelijke hoofdrol was eigenlijk O.E. Hasse aangetrokken, geliefd bij het Duitse publiek, maar onder druk van de Amerikanen, die nog nooit van de man hadden gehoord, werd het Jürgens. Dat was tenminste een grote naam. Claire Bloom was vooral bekend van *Limelight* (1952), waarin ze naast Charlie Chaplin en Buster Keaton stond. Regisseur Gerd Oswald was in Nederland vooral bekend door zijn vader, de naar Amerika gevluchte Richard Oswald, die in 1934 de oude Jordaanhit *Bleeke Bet* had verfilmd.

Gelukkig hadden de Nederlandse kranten niet alleen zijn vertrek maar ook zijn eerste Duitse filmrol opgemerkt. 'Hoofdrol voor Rijk de Gooyer,' stond er in *De Telegraaf*. 'Naast Rijk spelen ook Curd Jürgens en Claire Bloom een rol.' Dat was goed bedoeld van Henk van der Meyden, maar een beetje overdreven. *Het Parool* daarentegen deed hem weer een beetje tekort. 'In deze productie speelt onze landgenoot Rijk de Gooyer een kleine rol van Gestapoman,' schreef Henk Oolbekkink. Precies de twee uitersten waarnaar de media kunnen doorslaan als er iemand in het buitenland aan de weg timmert. De rol was behoorlijk – zeker gezien de ervaring die

Met Curd Jurgens in de Duitse speelfilm *Schachnovelle.*

hij tot dan toe had – met twaalf volle draaidagen in een Hollywoodachtige sfeer. En de behandeling die hem in zijn carrière tot dusverre ten deel was gevallen, was *peanuts.* Dat begreep hij toen hij Curd Jürgens op de set zag arriveren: in een witte Mercedes 300 SL samen met zijn vrouw Simone Bicheron, achter hem aan een Jaguar met zijn chauffeur, kok, secretaresse en alle bagage. Ze betrokken, voor de duur van de opnames, een villa aan de Wannsee met zeventien kamers.

In *Bild-Zeitung* stond de volgende dag al wat er bij de Jürgens op het menu had gestaan. *Helgoländer Hummer* (zeekreeft) *mit pikanter Kräutenbutter auf Französchische Art, Rehrücken, Pommes Croquetes, Preiselbeeren, Birne mit warmer Schokoladensauce,* en zo door naar de Irish coffee. Rijk de Gooyer had één belangrijke scène met Jürgens, waarin hij die aan een verhoor moest onderwerpen.

Voor die tijd hadden de mannen elkaar niet gesproken. Dat kon ook moeilijk, want de Jürgens lag altijd te slapen. Af en toe werd hij wakker, en stak hij zonder op of om te kijken zijn hand omhoog en kreeg van een bediende een glas in de hand gedrukt.

Actrice Claire Bloom haatte hem. 'Ik heb niks tegen liefdesscènes, Ricky,' zei ze tegen De Gooyer. 'Maar hij stinkt zo uit zijn bek.' Als ze *Bild-Zeitung* had bijgehouden had ze precies geweten waarom. Gelukkig was haar echtgenoot, acteur Rod Steiger, mee. Een gedrongen type met pientere oogjes. Hij haalde haar iedere dag op en troostte haar. 'Nog een paar dagen en dan ben je van die lul af,' zei hij. Curd hoorde het niet eens.

'Wat speelt u in deze film?' vroeg Steiger aan Rijk de Gooyer.

'Een Gestapo-man,' antwoordde deze gewichtig.

'Kijk aan.' Toen het echtpaar was vertrokken, werd Jürgens weer wakker. Hij keek zijn buurman aan, alsof hij die voor het eerst zag. 'Was sind Sie fur ein Landsmann?' vroeg hij.

'Ich bin Hollander.'

'Ach so, Hollander,' geeuwde hij, liet een boer en sliep weer in. Dat waren de enige woorden die de twee mannen tijdens de *Schachnovelle* zouden wisselen. En toch, met een blik op de slapende Jürgens – Rijk de Gooyer was volmaakt gelukkig. Hij sloeg de benen over elkaar: hij was filmacteur in Duitsland. Nog even de UFA afmaken, dan zou hij Tonny laten overkomen. Een villa aan de Wannsee. Niks overdrevens, tien, elf kamers zou al prachtig zijn. Zijn contract liep nog negen jaar. Wat kon er in hemelsnaam misgaan?

Verschillende dingen, zo bleek het jaar erop. In de vroege ochtend van 13 augustus 1961 zat hij in café Balagan, van de Wit-Rus Atzke, toen er een man binnenstormde. 'De Vopo's bouwen een muur!' riep hij. Alle Balagan-gangers stommelden naar buiten. In het ochtendgloren werd er kilometers prikkeldraad uitgerold. Het begin van een operatie die lang was voorbereid, en die een eind moest maken aan 60.000 forensen die dagelijks van Oost naar West-Berlijn reisden om er te werken en een kapitalistische hersenspoeling te ondergaan. Toen in de vroege ochtend alle bezoekers van Balagan zwijgend op huis aan gingen, was West-Berlijn een eiland in de DDR geworden. Een maand later ging de UFA failliet. De opleiding bleek met een groot bedrag in de peperdure *Schachnovelle* te zitten, en die was geflopt. Als inzending voor het prestigieuze festival van Venetië had het niks gedaan – de kritieken vielen tegen en het publiek was weggebleven. Een miljoenenstrop.

Voor De Gooyer betekende het einde contract. Hij kon naar huis. Dat wil zeggen: de actéur kon naar huis, maar de spion had nog dienst. De CIA wilde met hem door. En toen hij aangaf daar geen zin in te hebben, werd er een compromis gezocht. Hij zou nog één ding voor ze moeten doen, een klus waarvoor ze hem drieduizend mark betaalden. Vooruit dan maar, hij was de beroerdste niet. In Oost-Berlijn een pakketje afgeven, dat was alles. Maar – dat werd er nadrukkelijk bij gezegd – hij moest bij Checkpoint Charlie door de Muur. Met de Nederlandse ambassadeur had De Gooyer het er al eens over gehad: de kans dat ze hem als dubbelspion zouden willen gebruiken. Die kans was volgens de ambassadeur groot, en hij gaf er de waarschuwing bij: áls het gebeurt, kan ik niks meer voor je doen. Nu was het zover. Bij het Checkpoint zou hij worden gecontroleerd, en als er in het pakje iets onoorbaars zat, liet het vervolg zich raden. Inhechtenisneming gekoppeld aan het voorstel of hij misschien voor de DDR in het Westen wilde spioneren. Daar gokte de CIA dan op. Toch liet hij niets van zijn ongerustheid blijken. Hij nam het pakje in ontvangst, leende van een vriend een auto en ging bij Tegel de grens over. Daar leverde hij het pakketje af en reed keurig via dezelfde weg terug. Zijn koffers stonden al gepakt, het vliegticket was al gekocht. Nog diezelfde dag vloog hij terug naar Nederland.

September 1961. Het theater- en televisieseizoen was net begonnen, de contracten waren getekend. Rijk de Gooyer? Mensen wisten nauwelijks meer wie dat wás. De acteur die het in Duitsland helemaal ging maken – daar stond hij, terug in Amsterdam. Hij kocht een overjarig Volkswagentje. 'Hé Rijk,' zei de man van de benzinepomp. 'Is dat karretje van jou? Kon je hem betalen?' 'Honderd gulden,' kraaide De Gooyer terug door het open raampje. 'Op afbetaling. Twee kwartjes per maand.'

X

Het verdronken land

Rififi

Hoog te paard naar Berlijn, en op de step weer terug. Zo voelde het. En dat was ook het soort ontvangst dat hij had verwacht. Maar voor de Nederlandse film- en televisiewereld gold bijna het tegenovergestelde. Hij was nu de man die ervaring had opgedaan in Duitsland – die met grote regisseurs had gewerkt, die gedronken en gefeest had met acteurs als Curd Jürgens. De man waar ineens een buitenlands luchtje aan zat. En dat was blijkbaar altijd interessant. Sneller dan ooit volgden de aanbiedingen elkaar op. Zijn beeld van het vak werd weer snel tot de juiste proporties teruggebracht. Daarvoor was één dagje op een Nederlandse filmset genoeg. Ze namen een scène op van *Rififi* – de Franse uitdrukking voor penoze – op het Thorbeckeplein in Amsterdam. De Gooyer stond tegenover Ton van Duinhoven. Het was nog erg vroeg, vier uur, dus veel voorbijgangers waren er niet. Alleen wat late kroeggangers, die zich door producent Joop Landré buiten beeld lieten houden. Maar de scène was nog niet begonnen – 'Absolute stilte, camera loopt, geluid loopt...' – of kunstschilder Jan Peeters kwam de set op geslenterd.

'De Gooyer, wat zie je er raar uit, jongen. Gaan we nog wat drinken?'

'Ja, stop maar,' riep Landré. 'Mijnheer, wilt u uw mond houden en netjes achter de hekken blijven staan!'

'Waarom, de straat is toch vrij?'

'Omdat wij een nieuwe Nederlandse speelfilm maken.'

'Dat is een andere zaak,' zei Peeters.

'Absolute stilte...' riep Landré. Maar Van Duinhoven had nog geen woord gezegd of Peeters begon weer te zingen. 'Sorry,' zei die.

In de speelfilm *De blanke slavin*, 1969. *Foto Gysbert Versluys*

'Ik vergat mezelf. Ik zal het nooit meer doen.'

'Stilte!' De scène begon.

'Bravo,' klapte Peeters. 'Mooi gesproken, Rijk!' En met een blik op Landré: 'O sorry, deed ik het weer?'

'Geef hem een joetje,' siste De Gooyer in de richting van de producent, 'dan gaat hij wel weg.' Landré schudde het hoofd. 'Als we daaraan beginnen,' zei hij. Maar Peeters had zijn longen nog niet volgezogen of Landré rende op hem toe en gaf hem een tientje.

'Bedankt Rijk!' riep de schilder en verdween om de hoek.

Hoe serieus de verschillende regisseurs er ook bij keken – de Nederlandse film stond nog in de kinderschoenen. En soms leidde dat tot charmante knelpunten. Zo had acteur Herbert Joeks speciaal voor de première van *Rififi* een smoking gehuurd. Waarop regisseur John Korporaal hem niet meer durfde te vertellen wat hij hem allang had móeten vertellen, namelijk dat de acteur er bij de montage volledig uit was geknipt. Joeks liep te glimmen, sloeg collega's op de schouders... Iedereen hield zijn mond. Ook toen de acteur na afloop van de film wezenloos naar de aftiteling zat te staren.

Buiten de filmwereld ging ook het gezinsleven door. De Gooyer werd vader. In 1963 werd aan de Nicolaas Maesstraat Rijk de Gooyer jr. geboren. Maar verder waren de roerige jaren zestig voor de acteur vooral een periode van bestendiging. Na zijn populaire radiowerk en zijn televisiedoorbaak liet het succes in de film nog even op zich wachten. Dat gebeurde pas in 1972. Tot die tijd reeg zich een veelheid aan opdrachten aaneen. Op televisie stond hij in *Kijk die Rijk* – een sitcom met onder meer Adèle Bloemendaal – en *Een paar apart*; op de planken deed hij revues, het radiowerk ging door, en in 1969 maakte hij een film: *De blanke slavin; intriges van een decadente zonderling*, naast Andrea Domburg, de Française Vicka Borg en een Duitse acteur met de montere naam Günther Ungeheuer. Kosten: ruim een miljoen gulden – het was de duurste Nederlandse speelfilm tot dan toe. Maar helaas ook een die weer in een recordtempo – binnen een week – uit de reguliere bioscopen was verdwenen. Als cultfilm heeft *De blanke slavin* nog wel een opleving gekend. Maar dat is een schrale troost voor investeerders.

Aan werk was er voor Rijk de Gooyer eind jaren zestig geen gebrek. Toch speelden de bijzondere ontwikkelingen en ontmoetingen zich niet af in de studio of op de planken, maar in de kroeg, waar hij zich de ándere helft van de dagen bevond. Het verdronken land, waar zich uit flarden nevel een veelheid aan wonderlijke figuren losmaakten.

Café Scheltema

Voor drinkgrage journalisten was café Scheltema aan de Nieuwezijds Voorburgwal het laagste punt van de stad: ze rolden er als vanzelf heen. Veel kranten – *Algemeen Handelsblad*, *De Telegraaf*, *Het Parool*, *Trouw*, *Het Vrije Volk*, *De Tijd* – zaten aan de Nieuwezijds, of er net om de hoek. Toch was Scheltema geen journalistencafé pur sang. Tenminste, dat beweerde H.J.A. Hofland onlangs in *Het Parool*, en hij kan het weten. 'Het was ook zeker geen artiestencafé,' zei hij. 'Het was veel meer dan dat, het was een echt mensencafé. Voor ongebruikelijke mensen, dat wel.'

Als Rijk de Gooyer zijn vrienden uit een bepaalde beroepsgroep had moeten kiezen, zouden het journalisten zijn geweest. Om hun brede belangstelling, de honger naar nieuwtjes, de liefde voor het vertellen van verhalen en het aandikken daarvan; hun onregelmatige werktijden, hun vaak dorstige imago... Voor het journaille in Scheltema ging dat in ieder geval allemaal op. Na de Noorderstraat woonde Rijk de Gooyer een tijd aan de Nieuwezijds, op een etage onder Boy Wallagh, verslaggever van het *Algemeen Dagblad*. 'Boy ging voor de scoops,' zegt hij. Om zeven uur hoorde hij Boy al de trap afhollen, als de krant op de mat lag. 'Potdomme,' klonk het dan, 'weer niet geplaatst!' Dat was vaste prik. Als hij Wallagh om zes uur in Scheltema zag en hem een borreltje wilde aanbieden, riep die: 'Nee, nu niet. Ik moet naar Schiphol, iets met smokkel – ik kan er niks over zeggen, het is een primeur!' Om een paar uur later handenwrijvend terug te komen.

'En?' vroegen ze.

'Dat zeg ik niet, jongens. Lees morgen de krant maar.' De volgende morgen hoorde De Gooyer hem de trap af stommelen en hartgrondig vloeken: 'Potdomme! Weer niet geplaatst!'

Scheltema. Het schotje, de marmeren tafel. De leestafel met alle kranten, de kachel waar Wim T. Schippers altijd een flinke schop tegen gaf. Een willekeurige Scheltema-gast die zijn jas aantrok om weg te gaan, kon bij de deur ineens de wind van voren krijgen. 'En nou ópgesodemieterd!' riep een tenger ventje dan aan de bar. 'Nee, niks! Wég. Je hebt drie waarschuwingen gehad. Oprotten nou.' Gevolg was vaak dat de gast zich niet wilde laten kennen, weer plaatsnam en nog een biertje bestelde. Dit tot grote tevredenheid van het tengere ventje – Wim T. Schippers – en de figuren om hem heen. Het was precies de reactie die ze hadden verwacht. Tussen die figuren bevonden zich vaak twee favorieten van Rijk de Gooyer: *Parool*-journalist Willem Wittkampf, en Eelke de Jong van *De Telegraaf*. Vooral die laatste was een goeie vriend geworden. Een boomlange man, Fries van geboorte, met blauwe pretogen en een volle, afhangende snor. Net als de Gooyer van gereformeerden huize. Hij werkte op de kunstredactie onder Jan Spierdijk, en stond vooral bekend als fantast: zijn artikelen waren misschien niet honderd procent gelogen – hoewel dat ook voorkwam – maar vrolijk opklooien kon hij ze wel.

Vanaf het eerste moment had het tussen de mannen geklikt. Eelke de Jong had het droge Engelse gevoel voor humor, waar De Gooyer zo van hield. En net als hij verstond Eelke de kunst verbaasd te kijken als iedereen dubbelklapte van het lachen. Alleen bij De Jong was het échte verbazing, die was grappig zonder dat hij het zelf wist. In het geval van De Gooyer was het zijn vak.

Het leven in Scheltema begon al vroeg in de ochtend. Dick van Swol, distributeur van bioscoopfilms, ontbeet er met een kopstoot. 'Een kop thee kan ik niet door mijn droge keel krijgen,' zei hij. Jacques Gans dronk er zijn eerste kopje koffie en las de krant. Henk Hofland hing zijn regenjas er soms al om tien uur aan de kapstok – die wilde zo min mogelijk van het caféleven missen. Hij had zijn stuk dan al af. 's Middags druppelden de eerste redacteuren, zetters en drukkers binnen – hun dienst zat erop. Herman Pieter de Boer, die boven Scheltema, samen met Hans Ferree en Dimitri Frenkel Frank een reclamebureau had, kwam lunchen, maar maakte zelden aanstalten op te breken. Ook al liep het tegen vieren. En aan het einde van de middag, als er een gemoedelijke dronk lag over het schemerige café, werd langzaam duidelijk wie voor de rest van de avond verloren zou zijn. Herman Hofhuizen zocht dan altijd even de telefoon op. Hij schreef tv-recensies voor *De Tijd*, maar als het niet van televisiekijken kwam, riep hij de hulp in van collega Nico Scheepmaker. Die beoefende hetzelfde metier, zij het voor andere kranten, en zat meestal wél thuis op de bank, zodat hij het stukje van Hofhuizen er wel even 'bij deed'. Dat ging jarenlang goed tot Scheepmaker hem voor de grap een keer een recensie influisterde van een toneelstuk dat wel stond aangekondigd maar door omstandigheden was afgelast.

Aan het einde van de middag brak ook onvermijdelijk het moment van de sterke verhalen aan. Boekverkoper Herm Pol kwam eens binnen toen Rijk de Gooyer net plat op de bar lag. Er stond een mannetje of tien omheen. Hij maakte een mop aanschouwelijk over een man die na een auto-ongeluk op de operatietafel was beland. Hij was onder narcose, maar niet helemaal, want hij hoorde de chirurg zeggen: 'Ik zal doen wat ik kan, maar te vrezen valt dat ie straks aan de hele linkerkant verlamd is.' Waarna De Gooyer, vanuit zijn horizontale positie, even aangaf wat het slachtoffer vervolgens had gedaan: het subtiele gebaar van een linksdrager die hem snel even rechts legt.

Ze stonden aan de bar of zaten in clubjes over de ruimte verspreid, ieder rond hun eigen bijenkoningin. 'Weet je wat het is,' zei Jan Cremer, aan een tafeltje in de hoek, 'alle écht belangrijke mensen hebben dezelfde initialen: Jezus Christus, Julius Caesar, weet je wel: allemaal J.C. En Jan Cremer: J.C., dat ben ik dan.'

'O,' zei fotograaf Cor Jaring geïmponeerd. 'En geldt dat ook voor C.J.?'

'Eh... nee,' zei Cremer, na er even over na te hebben gedacht. 'Andersom geldt het niet.'

Van Elsevier-journalist Frits van der Molen was bekend dat hij met een zelfgeschreven in memoriam op zak liep. Dat vertrouwde hij zijn schrijvende collega's blijkbaar niet toe. 'Toch nog geheel onverwacht,' begon het, 'en na een ongelijke strijd met koning alcohol, is van ons heengegaan', et cetera. En het eindigde met: 'Het was nog lang rumoerig in de stad.'

'Peniskoker,' schalde de stem van De Gooyer over alles en iedereen heen. 'Altijd gedacht dat dat een beroep was!'

En als het heel gezellig kwam er nóg een omslagpunt. Een waarop bijvoorbeeld fotograaf Anton Veldkamp van het toilet kwam, met de broek op zijn schoenen en een closetrol in de hand. 'Wim,' riep hij tegen barkeeper Wim de Lange, 'kun jij effe vegen?' Dat ging de barman te ver: hij zette Veldkamp met kop en kont op straat. 'Zeker omdat ik een blanke ben!' riep die door het raam terug – de broek nog op de schoenen. De Lange moest lachen en Veldkamp mocht er weer in. Voor andere journalisten, als Henk Hofland en Joop van Tijn, een mooi moment om eens op te stappen.

In Scheltema ontstond ook het plan om naar het Beulake, 'het verzonken land', te gaan. Schoonzus Andrea Domburg was ooit met een sterk verhaal terugkomen uit Giethoorn, waar de film *Fanfare* was opgenomen. Bij helder weer, ergens in het voor- of najaar, kon je op de bodem van de Beulakerwiede de grafstenen zien liggen van het in 1702 verdronken dorpje Beulake. De Gooyer vertelde het verhaal aan fotograaf Hein Vroege, die onmiddellijk in vervoering raakte. Dit schreeuwde om een reportage. *Het verzonken land.* Onderwaterfoto's van zerken... Copyright Vroege & De Gooyer. Ze zouden gaan duiken en de foto's die ze er maakten wereldwijd verkopen. Als hij in contact kwam met mensen met grote geestdrift, wilde de intuïtie Rijk de Gooyer nog wel eens in de steek laten. De alcohol speelde ook een rol. En de volgende ochtend vroeg reden ze naar Overijssel – eerst naar het plaatsje Vollenhove, om in de hervormde kerk de preekstoel te fotograferen, die uit het verdronken Beulake afkomstig zou zijn.

Ze belden aan bij de koster. Er deed een man open met een vuurrode neus. Zonder wat te zeggen kneep Hein er stevig in.

'Au', zei de man, 'wilt u dat niet doen, hij is ontstoken.'

'Pardon,' zei Hein, die weer wilde knijpen.

'Houdt u toch op,' zei de koster en maakte een afwerend gebaar. Ondanks hun vlerkerige entree wilde de man de kerk wel voor hen openen. Hein maakte foto's van de kansel, met de koster erbovenop. Daarna van de kansel zonder koster. En ten slotte van de ontstoken neus van de koster. En daarna was het tijd voor een borrel. Bij de kerk lag hotel Seidel. De eigenaar, die twee kopstoten op de bar zette, vertelde vol trots zelf al enige tijd helemaal van de drank af te zijn. Hij leidde het tweetal met brede gebaren door het hotel – waarschijnlijk in de veronderstelling dat zijn etablissement ook in de reportage zou worden opgenomen. Vroege maakte foto's. Ook in de gelagkamer, die vol opgezette vogels stond.

'Mooie zilvermeeuw!' prees hij.

'U bedoelt stormmeeuw,' reageerde de barman.

'Om de dooie dood niet.' Vroege was een vogelaar, Vroege kon het weten. 'Waarmee gewed?' zei die.

'Waarmee gewed?'

'Ik weet het goed gemaakt. Als het een zilvermeeuw is moet u voor straf een borreltje drinken.' De barman, blijkbaar sterk overtuigd was van zijn gelijk, stemde ermee in. Er werd een man van Staatsbosbeheer bij gehaald, die aan een tafeltje zat te drinken met collega's. Het wás een zilvermeeuw. De barman zat weer even tijdje vast aan de fles.

In Giethoorn namen ze hun intrek in het Wapen van Giethoorn. De vrouw van de eigenaar stak even haar hoofd om de hoek van de deur om te informeren naar het linnengoed. Waarop Hein Vroege reageerde door zijn geslacht uit zijn broek te halen. 'Pak es vast, Mammaloe,' zei hij. Hij dacht het 't kamermeisje was. En aan de bar beneden werd het allemaal nog erger. De loco-burgemeester, die er een biljartje legde, vond het wel interessant, twee verslaggevers uit Amsterdam. En hij nam het commentaar van Vroege – 'O nee, burgemeestertje, niet over rood, ik durf niet te kijken' – maar op de koop toe, al werd hij er zo zenuwachtig van dat hij geen bal meer raakte. Tegen sluitingstijd liet hij zich door Vroege uitzwaaien. En hoe die het voor elkaar gekregen had, kon De Gooyer niet zien. Maar op een gegeven moment stond die met het kunstgebit van de functionaris te zwaaien, om hem met een parmantig boogje in de sloot voor het café te gooien. De burgemeester verdween daarop, verwensingen mummelend, in de nacht.

De volgende ochtend in een gehuurd bootje de plas op. Maar ze hadden de duikpakken nog niet aan, of het was gaan waaien en de lucht was al weer dichtgetrokken. De exclusieve reportage over het verzonken dorp konden ze op hun buik schrijven. Achteraf hoorden ze trouwens dat Beulake zo arm was geweest dat de inwoners zich niet eens grafzerken konden veroorloven.

De Kring

Het begon in Scheltema, en ging via Frascati – om een hapje te eten – naar De Kring. In de sociëteit kon door de week tot vier, en in het weekend tot zeven uur 's ochtends gedronken worden. Een onopvallende deur aan het Kleine-Gartmanplantsoen, om de hoek bij het Leidseplein, waar een lange harde houten trap naar boven leidde, naar een doorrookt lokaal met een biljart, waar verder geen blind paard kwaad kon doen. Wat dat betreft was het trefpunt van de heren acteurs en dames actrices niet bepaald een smaakvol ambiance, meer een honk. De Gooyer veranderde er niet alleen mee van barkruk, maar ook van gezelschap. Tegenover de krantenvolk uit Scheltema stond het artiestenvolk in De Kring. Gras Heijen bijvoorbeeld, beroep kunstschilder. Een tegendraadse man, die op elke tree naar boven een scheet kon laten. Hij zat aan de hoefijzervormige bar vaak naast Peter van Straaten, die een zwak voor hem had.

Net als Rijk de Gooyer had Gras Heijen een hekel aan kouwe chic. Tegen zijn zin had hij een keer moeten aanschuiven bij een lunch in het Hilton, met een opdrachtgever die een wandschildering van hem wilde. Achter hen had een deftig gezelschap plaatsgenomen. Gras hoorde een man op geaffecteerde toon zeggen: 'Wat gaan wij nu doen? We gaan eerst een heerlijk flesje witte wijn bestellen... wah, wah... ik dacht zelf aan een Montrachet uit '56. Wah... wah... En we doen daar de man een dozijn oesters bij, die we wegspoelen met die heerlijke wijn.' De wijn werd gebracht, daarna de oesters. En daar ging de geaffecteerde stem weer. 'Allemaal een zoute jongen op de tong? Daar gaan we. Cheers!' Op dat moment draaide Gras zich om en riep keihard: 'Spuug uit!!!' Het hele gezelschap gehoorzaamde. Waarop de man overeind vloog. 'Bent u helemaal gek geworden!' riep die. Gras liep naar hun tafel, pakte de fles en zei, met een blik op het etiket: 'O excuus, ik dacht even dat het een négenenvijftiger was'.

De bulderende lach van Ko van Dijk was een vertrouwd geluid op De Kring. Van Dijk was een vrouwenverslinder. 'Wie aan het toneel nog maagd is kan harder lopen dan Van Dijk,' werd er gezegd. Maar tegenover mannen was hij uiterst kieskeurig. Om niet te zeggen apert. Midden jaren vijftig waren ze zwagers, Ko van Dijk en Rijk de Gooyer. Rijk was verloofd met Tonny; Van Dijk had een relatie met Andrea Domburg. In die hoedanigheid troffen ze elkaar ook op verjaardagen en met oud en nieuw bij de schoonouders.

Tegen Ko van Dijks zin overigens, die liever naar De Kring ging. Zodra hij binnenkwam riep hij dan ook luid: 'Rijk, zodra het twaalf uur is, scheetsgewijs naar De Kring!' Daarna groette hij zeer nadrukkelijk de ouders Domburg: 'Dag ma, dag pa!' – alles om Rijk maar aan het lachen te krijgen. En de show ging verder als er ander bezoek kwam: de acteurs Ben Hulsman en Ton van Duinhoven bijvoorbeeld. Die laatste was zo iemand die bij Ko van Dijk geen goed kon doen. 'He bah, komt de man met die korte armen weer,' zei hij dan. Blijkbaar was dat een kleine afwijking bij Van Duinhoven. Van alle gekochte jasjes en overhemden moesten de mouwen steevast worden ingenomen. Je moest het weten – zien deed je het niet. 'Ko, daar mag je niet mee spotten,' zei Andrea Domburg, 'daar kan die man niets aan doen.' Toen Hulsman en Van Duinhoven binnenkwamen was Van Dijk poeslief. 'Dag Ben, dag Ton. Ga zitten. Hij

Als fotomodel voor een Grolsch-bierreclame, ca. 1950. *Foto Paul Huf*

trad op als gastheer, zette twee glaasjes neer – het glaasje voor Ton van Duinhoven heel dicht bij hem. Om bij het inschenken te kunnen vragen, zoet maar vilein: 'Kun je er zo bij, Ton?'

Je had er verschillende soorten drinkers. Ten eerste de etappedrinkers. Zoals Peter van Straaten, die viel af en toe aan de bar in slaap, werd met een schok wakker, en dronk weer verder. Simon Carmiggelt viel in slaap op het vrouwentoilet – dat was dichterbij dan die van de mannen. Als het te lang duurde, en alle vrouwen bovendien het lange parcours moesten nemen, werd de deur wel eens opengewurmd. Daar zat de grote schrijver, broek op de enkels, het hoofd achterover tegen de tegeltjes. 'Kronkel is met vakantie,' zei actrice Beppie Versluys dan. Carmiggelt en De Gooyer gingen erg goed samen. De schrijver was dan ook met een natte vinger te lijmen. Hij woonde op de Weteringstraat en daar achter het raam kon je hem zien werken. 'Simon!' riep De Gooyer dan en floot op zijn vingers. 'Borreltje?' Het was een wonder hoe snel die man beneden kon zijn. Ook bij de schrijver thuis was het de zoete inval. Wat zijn vrouw Tiny wel eens dwong in de rol van uitsmijter. 'Hij had ook een enorm gat in zijn hand,' zegt de Gooyer. 'Ik heb hem in een dronken bui eens zijn salaris zien uitdelen, in de Reguliersdwars... Kreeg iedereen een tientje.'

Naast de etappedrinkers had je de langebaandrinkers. Tot zeven uur 's morgens doorhalen, een snelle douche, en meteen door naar het werk. Daarvan was De Gooyer een exponent. Maar voor de eerste vogels floten, had de nacht een aantal fasen gekend. De eerste, waarin hij de vrolijke gangmaker was, de verhalenverteller. Gevolgd door een stadium waarin de mensen het moesten ontgelden. Dat ging met het servet om: galant, messcherp, en met een hoffelijk knikje toe. 'Hij kon iemand in één zin uitkleden en op de stoep zetten,' zegt John Kraaykamp. 'Een label opplakken,' zegt regisseur Frans Weisz, 'waar een normaal psychoanalyticus vijftig ontmoetingen voor nodig zou hebben.'

Maar ook die fase ging weer voorbij. Dan kwam de ruziezoeker in hem naarboven – het stadium waarin hij de schrik van de horeca kon zijn. Als lawaaischopper, uitdager. Niet voor rede vatbaar. Iemand die zo kon treiteren en zuigen dat het wel op vechten móest uitlopen. Nuchter kan De Gooyer zich aan iemand ergeren – die signalen geeft hij ook wel af: de korzelige blik, het trekje om de mond. Maar na een flink aantal borrels wordt zo iemand een magneet: hij móet eropaf. 'Dat is dom – een kwaadaardig trekje van me,' zegt hij. Het relatief onschuldige 'labelen', zoals Weisz het noemde, het in kaart brengen van mensen met een parmantige glimlach, had dan plaatsgemaakt voor het 'het dodelijke oog'. Die term heeft Maarten Spanjer eraan gegeven. Het vermogen feilloos iemands zwakke plek te vinden en daar dan als een manische specht op te gaan roffelen.

'Als het onderlipje gaat trillen,' is de ervaring van Spanjer, 'wegwezen!' Ter verdediging moet worden aangevoerd dat hij daarbij wel voor de competitie ging. Kleine vissen gooide hij terug. 'Het moest een uitdaging blijven,' zegt De Gooyer. 'Als ze dik waren, sloeg ik ze op de kin, als ze tanig en lang waren, in de maag. En, al zeg ik het zelf, ik kon ze aardig raken.'

Niet zo maar zo

Acht delen alcohol, een deel testosteron, en één verwaande drol binnen schootsveld. Dan was er ontploffingsgevaar. Als Rijk de Gooyer aan iemand het goede voorbeeld had kunnen nemen, was het aan conferencier Cees de Lange. Tijdens het tournee met de revue *Klaar is Cees*, zaten ze eens met z'n drieën in hotel De Doelen in Groningen. Ongevraagd kwam er een man bij zitten. 'Mag ik mij even voorstellen,' zei die, 'Adema is de naam!'

'Dag, meneer Adema,' zeiden De Gooyer en Kraaykamp zuinigjes. Adema nam direct het woord. Hij begon op te scheppen over zijn rol in het verzet, en de heldendaden die hij daarin allemaal had verricht. Zelf had hij een borreltje meegenomen van de bar, de drie heren bood hij niks aan. Maar de verhalen werden steeds bonter. Toen hij even stilviel, moe van eigen hoogtepunten, nam Cees de Lange het woord.

'Meneer Adema,' zei hij. 'U bent een held!'

'Ach,' zei de man, 'het was je plícht.'

'Nee, niks. Mannen als u zijn schaars, laat ik u dat zeggen. Zelf kan ik er helaas ook niet aan tippen. Hoewel ik moet zeggen dat ik één wapenfeitje heb. Mag ik dat vertellen?'

'Laat horen,' zei Adema royaal.

'Ik was op visite bij kennissen,' zei De Lange, 'en merkte tot mijn schrik dat het al vijf voor acht was. Om acht uur, zoals u weet, was het spertijd en moest je binnen zijn. Ik op een draf naar huis, maar uitgerekend in mijn straat kom ik een landwachter tegen. Een uiterst onaangename vent, die me bovendien al vaker had gewaarschuwd. Hij achter me aan – ik graaide de sleutel uit mijn zak en kon net op tijd de deur opendoen en in z'n gezicht dichtslaan. Toen ben voor het raam gaan staan en heb hem vierkant uitgelachen. Hij riep: "De Lange, jou krijg ik nog wel!" Overmoedig geworden liet ik mijn broek zakken en heb ik hem m'n blote kont laten zien, waarop ik terugriep: "En jou, Adema, jou krijg ik ook nog wel!"'

Adema stond onmiddellijk op en vertrok. De Lange gebruikte het verhaal vaker als oud-verzetsmensen begonnen uit te pakken. Mits geduldig uitgesponnen en goed getimed, was het een uitstekende remedie. Hij was dan ook iemand bij wie De Gooyer de kunst heeft afgekeken. Ook die kon niet genóeg de tijd nemen voor een verhaal of het uitvoeren van een practical joke. 'Zijn beste voorstellingen geeft Rijk in het café, voor vrienden,' zegt tekenaar Peter van Straaten. 'Hij is een briljant conferencier, aan de bar. En misschien had Wim Kan het wat dat betreft goed gezien, met de kwalificatie "kleedkamerartiest".'

Met John Kraaykamp stond De Gooyer een keer aan de bar, toen er een man opdook die met een briefje van 25 wapperde. 'Allo,' riep hij naar de bediening, 'allo, ober. Afrekenen graag!' 'Voor die man,' zegt Kraaykamp, 'op dát moment de foute plek om te staan. De ober negeerde hem trouwens ook, het lag niet alleen aan ons: hij wás irritant.' Opeens plukte De Gooyer het briefje uit de zwaaiende hand en stak het in zijn mond. Toen de man omkeek stond hij er gedecideerd op te kauwen. Het duurde een halve minuut – de man keek verbijsterd naar de malende kaken. De blauwe ogen daarboven, die gelaten terugkeken. De tong kwam naar buiten. Het briefje was verpulpt. De tong ging weer naar binnen. Het kauwen ging verder. Daarna slikte De Gooyer het geeltje door. Voor de ober, die van een afstandje had staan kijken, was dat de *cue*. Die kwam nu aanlopen. 'U wilde afrekenen?' zei die tegen de man. 'Ja, maar, nee, ho, ik...' gebaarde die. 'Deze hier eet mijn geld op!' 'Natuurlijk meneer. Dat is dan *f* 18,50.'

Gezien het late tijdstip waarop de meeste kroegconfrontaties plaatsvonden, kwamen subtiliteit, geduld en timing niet altijd even goed tot hun recht. Dan koos De Gooyer de snelle oplossing. In café De Koningshut stond een man te oreren aan wie hij zich geweldig stoorde. Misschien ook wel omdat hij zélf niet het middelpunt van een groepje aandachtige luisteraars was. Hij stapte op de man toe.

'Meneer,' zei hij, 'u praat bekakt.'

'Ach man, flikker toch op, onzintype,' zei de aangesprokene.

'Mag ik u dan een schop onder de kont geven?'

'Je gaat je gang maar.' De Gooyer gaf de man een schop onder zijn kont. Hij nam er zelfs een aanloopje voor.

'Dat moet je nóg een keer doen,' zei de man.

De Gooyer nam een nieuwe aanloop. Gaf een nieuwe schop.

'Dat moet je nog een keer doen.' Nieuwe aanloop, nieuwe schop. Maar ditmaal draaide de man zich om, en gaf De Gooyer zo'n knal dat hij door de ruit van De Koningshut naar buiten vloog. De man was een ex-bokser.

'Ik zat letterlijk tussen de auto's op straat,' zegt De Gooyer. *You win some, you lose some*, dat hoorde bij de erecode, daar deed hij ook niet moeilijk over. Wim Wagenaar, stuntman en eigenaar van een reisbureau, had hem voorbij zien vliegen. Wagenaar was een vertrouwde drinkmaat van De Gooyer. 'Wim was sterk,' zegt De Gooyer, 'ik was vlug.' Hoewel in dit specifieke geval niet vlug genoeg. Wagenaar ging het café binnen en gaf de man in kwestie een enorme pomp in zijn maag. Helaas te laat ontdekkend dat hij daarmee een van zijn trouwste klanten bruuskeerde. 'Door jou raak ik al mijn klanten kwijt,' zei hij toen hij weer buitenkwam. 'Maar Rijk, ze mogen je niet slaan.'

Onnodig te zeggen dat het barpersoneel Rijk de Gooyer meestal met gemengde gevoelens zag binnenkomen, vooral later op de avond. In café Heineken Hoek werd hij een tijd niet meer bediend. En in de Oesterbar was zelfs een jaar verboden terrein, sinds hij daar hij in het aquarium had gepist. Ook op De Kring – waar ze toch het een en ander gewend waren – was het voortdurend hommeles. Zwarte acteurs die allergisch waren voor negermoppen. Joodse acteurs die allergisch waren voor jodenmoppen. 'Sam en Moos...' – Rijk de Gooyer kon ze, als hij 'toevallig' in hun buurt stond, niet luid genoeg debiteren. 'Dat omzichtige, politiek correcte gedoe,' vond hij. Hij had niks tegen joden. Alleen tegen 'beroepsjoden'. Zo was er ook een actrice die in zijn ogen iets te ostentatief het kampnummer tentoonspreidde dat op haar arm gebrandmerkt stond. Al vroor het tien graden, ze droeg altijd korte mouwen. Hij stond naast haar aan de bar om een biertje te bestellen. 'Is dat je telefoonnummer?' vroeg hij. En na nog eens beter gekeken te hebben: 'Moet daar tegenwoordig niet een zes voor?'

Hij kreeg een brief van het Kring-bestuur, dat er aan de scheldpartijen, beledigingen en handtastelijkheden een einde moest komen. Om te beginnen kreeg hij een introductieverbod voor alle 'niet-kunstenaarsvrienden' die hij meenam. Dat was een mooi eufemisme voor de penozetypes met wie hij aan kwam zetten. Zo had hij op een avond de pooier-sjacheraar Haring Arie langs portier Brouwer gekletst. Arie zou een zogenaamd een Britse acteur zijn, op werkbezoek in Nederland. 'Yes, yes, no, yes,' riep Arie steeds. De enige Engelse woorden die hij machtig was. Aan de bar ging het fout. Annemarie Grewel herkende de souteneur. 'Nee jongens, dit kán niet,' zei ze. Waarna de 'Britse acteur' opsprong van zijn kruk. 'Rot op, kleine, schele teringhoer!' knalde het door de sociëteit.

Die 'niet-kunstenaarsvrienden' oefenden een onweerstaanbare aantrekkingkracht op hem uit. Hij spéélde ze niet alleen graag, hij bevond zich ook graag in hun gezelschap. Gulle jongens. Jongens met verhalen. In de jaren tachtig ging hij er speciaal voor naar het 'Barretje Hilton' – daar zaten ze op maandagavond: zakenlieden en penoze door elkaar. Het was het derde kringetje waar hij zich gemakkelijk in bewoog, waar hij vrienden had. En dat gaf ook nooit problemen. Die ontstonden pas wanneer de verschillende werelden elkaar raakten.

XI

Tropenjaren in Giethoorn

De nieuwe buitenlui

Giethoorn 1972. Eerst verscheen het grijnzende gezicht van Rijk de Gooyer boven de heg. 'Peter? Pééééter... Borreltje?' Peter van Straaten, die halverwege een aflevering van *Vader & zoon* zat, legde zijn pen neer. Van werken zou vandaag niks meer komen. Even later verschenen de hoofden van De Gooyer en Van Straaten voor het raam van dichter Hans Sleutelaar. In de boerderij naast die van Van Straaten had hij een kamer gehuurd om in stilte te kunnen werken. 'Hans?' riepen ze. 'Borreltje?' En ten slotte rezen er drie hoofden op boven het raamkozijn van Eelke de Jong. In zijn boerderij, vijf minuten verderop, zat hij te tikken: een column voor de *Haagse Post, Dorpsschetsen.* Het gekwelde schrijversgezicht klaarde terstond op. Ze hoefden het niet eens te vragen. Voor hem was elke afleiding welkom.

Het was allemaal de schuld van *Fanfare.* De film van Bert Haanstra. Iedereen kent het beeld: oude schuit met een complete, toeterende fanfare erop glijdt door De Wieden, Albert Mol dirigeert, een koe staakt het grazen, wendt zich vermoeid af – markante boerenkoppen boven het riet. Een betoverend waterlandschap. Zo betoverend zelfs dat schoonzus Andrea Domburg besloot 'in de filmset te blijven wonen' – dat zijn de woorden Herman Pieter de Boer. Ze kocht er een boerderijtje, samen Ferdi Posthuma de Boer, haar man sinds ze met Ko van Dijk had gebroken.

Er kwam bezoek: nieuwsgierigen, vrienden en familie natuurlijk, onder wie Tonnie en Rijk. En die laatste wist het nu zeker. Die noordwesthoek van Overijssel, dat was het paradijs. Zeker voor een watermens als hij. Wat moest die op tweehoog in de stad, met een balkon op het noorden?

'Meneer De Gooyer interesseert zich voor een zwembad?' *Foto Karel Helmers*

In café Scheltema had hij het hoogste woord: niet precies het Giethoorn uit de film, maar Giethoorn-Noord, het óude dorp. Dat was het helemaal. Als hij dáár nou eens een boerderij vond. 'Jongens, luister nou. Jóngens.' Hij verzuimde erbij te zeggen dat Tonnie haar koffer al bijna had gepakt. Haar drang naar buiten was zo mogelijk nog groter dan de zijne. Waarschijnlijk ook om haar Rijk een beetje uit het stadsgewoel te krijgen. En precies dát verontrustte hem. Want Giethoorn was niet alleen heel erg mooi maar ook heel erg stil. De mannen om hem heen sloegen geen acht op de verhalen. De Gooyer weg uit Amsterdam? Hij riep wel eens vaker wat.

En toch gebeurde het. In twee etappes. Toen 'De bostella' een hit werd, kocht hij er een boerderij. Voor 23.000 gulden. Een smak geld, eind jaren zestig. Maar wat kreeg hij er niet voor terug? Een grote boerderij aan het meest rustieke grachtje van Giethoorn: het Noorderpad, nummer 21. Het paste bovendien uitstekend in de tijdgeest: terug naar de natuur. Het was een trend. Steeds meer stedelingen hadden de lokroep van het platteland gehoord. Het artistieke deel van de natie voorop. 'De nieuwe buitenlui' werden ze genoemd. Als mensen als Reve, Campert en Armando tussen het groen inspiratie vonden, of er in ieder geval tot werken kwamen, moest er wel iets heilzaams van uitgaan. Maar de rust van een buitenhuis voor de weekenden bleek overigens betrekkelijk. Vrijdags haalden ze zoon Rijk van school. Twee uur in de spits, klem bij de IJsselbrug in Kampen. En vervolgens in Giethoorn: grasmaaien, lekkend dak repareren, boothuis beitsen, en zondags weer terug. Met een spijtige blik op de punter, die nog steeds op het droge lag.

Bij Andrea Domburg, die tien minuten verderop aan het Molenpad woonde, liepen ze de deur niet plat. Maar het idee dat ze er was, voelde toch geruststellend. De 'Gietersen', zoals inwoners van Giethoorn genoemd worden, waren als het om westerlingen ging toch een beetje stug en op hun hoede. Groot was dan ook de verrassing toen het echtpaar Posthuma de Boer-Domburg bekendmaakte iets nieuws te hebben bedacht: wonen in een molen in Frankrijk, dát was het helemaal. En ze vertrokken – Rijk en Tonny beduusd achterlatend. Die hadden namelijk net de rollen omgedraaid: het Noorderpad als vaste stede, de Nicolaas Maesstraat als huis erbij. Kleine Rijk ging inmiddels ook in Giethoorn op de lagere school.

Scheltema aan de Wieden

En zo werd de lokroep van het platteland overstemd door een andere lokroep, namelijk die van Rijk de Gooyer. 'Jongens, geloof me nou. Het is hier heerlijk! Jóóóngens!' Voor Peter van Straaten was het zonder meer een aanbeveling: als De Gooyer het er uithield, moest het wel wat zijn. Zelf zat hij met zijn Marijke op een flat aan het Overtoomseveld. En het knaagde. Een huisje buiten, hadden ze al vaker gedacht, daar zouden dingen geweldig van kunnen opknappen. Niet in de laatste plaats hun huwelijk. De Gooyer – *uw makelaar in onroerende goederen* – had al iets op het oog. Op een steenworp afstand van zijn eigen huis aan het Noorderpad. Bruggetje en een drassig pad over naar een buurtschapje van een boerderij of zes. 't Klooster heette het. Nummer 4 stond te koop, voor 17.000 gulden. 'Met een prachtig uitzicht op de rietlanden, Peter. Vergeet je schetsblok niet!'

Zo begon Rijk de Gooyer Giethoorn-Noord een beetje 'aan te kleden'. Zijn goede vriend Eelke de Jong was de volgende. Daar hoefde hij zo mogelijk nog minder hard aan te trekken. De Jongs weduwe Conny Meslier voelde het, zo vertelt ze achteraf, al aankomen. 'Eelke was een buitenmens,' zegt ze. In hun benedenhuisje in Amsterdam hielden ze 'havanna's': chocoladekleurige konijnen die zich kwadraatsgewijs vermenigvuldigden. Honderdzesendertig hipten er inmiddels door de achtertuin. En ze hadden er al honderd uitgezet op de Veluwe en in het Vondelpark. 'Toen Rijk belde,' zegt ze, 'was Eelke niet meer te houden.' En er stond nóg een boerderijtje te huur, ook aan de Beulakerweg. Dus niet veel later ging de telefoon bij Herman Pieter de Boer. De tekstschrijver woonde tienhoog aan de verkeerde kant van het IJ en was volmaakt gelukkig. Tenminste, dat dacht hij. Want zijn vrouw Judy verlangde terug naar Java, naar de ganzen en de klapperbomen. En toen ze de snerpende stem van Rijk hoorde, en iets opving van 'water' en 'stilte', kwam ze uit de keuken gerend, om de hoorn over te nemen. 'Rijk,' riep ze, 'we komen!'

Twee boerderijtjes aan de Beulakerweg. Judy en Conny reden er op een middag heen om kijken of het wat was. En diezelfde middag werd het beklonken. Judy koos de romantische uitvoering, op nummer 40, half weggezakt onder een strooien hoed. Conny koos een wat zakelijker exemplaar, 'De Zanden' geheten, op 22. Herman Pieter de Boer herinnert zich de verhuizing nog goed: hij had de dozen nog niet uitgepakt, of hij zat al weer in zijn Renaultje terug naar Amsterdam, terug naar Scheltema. 'Ja, jongens,' zei hij daar en bestelde een colaatje – drinken deed de tekstschrijver inmiddels niet meer – 'ik woon nu óók buiten.' Om er na een slok aan toe te voegen: 'En ik weet bij god niet waarom.'

Rijk de Gooyer, de pater familias, de Don Corleone van een zelfgestichte gemeenschap. En Amsterdam kwam op bezoek. Hans Sleutelaar, Kees van Kooten, Armando, Dimitri Frenkel Frank... En Amsterdam bleef logeren.

'Soms kort,' zegt Peter van Straaten.

'Soms lang,' zucht Conny Meslier.

'Jan Cremer bijvoorbeeld,' zegt Herman Pieter de Boer, 'kon weken blijven plakken, samen met vriendin Helmy Slaaf en zijn husky Kozak.' Torenhoge telefoonrekeningen liet Cremer achter. Maar Herman Pieter de Boer vond het allemaal best – die keek tegen Cremer op, met z'n grote verhalen.

Eenmaal verzekerd van gezelschap liet De Gooyer zijn boerderij voor zestigduizend gulden opknappen. Het was 1972, de inkomsten van Duitse serie *Spaß durch Zwei* stelden de bank half gerust. Voor de ander helft stelde vriend en projectontwikkelaar Maurits – Maup – Caransa zich garant. Achter in de tuin verscheen een groot zwembad. Dat had hij op de HISWA gekocht, van een boerenslimme handelaar. Die was er eens naast komen staan, toen De Gooyer een maquette bekeek. 'Meneer De Gooyer interesseert zich voor een zwembad?' vroeg die.

Een beetje neutraal antwoordde De Gooyer dat een zwembad wel lekker was om in te zwemmen. En toen hij de maten had gegeven van zijn tuin, met een oppervlakte van zo'n drieduizend vierkante meter, begon het mannetje – Bruis heette hij – te rekenen.

'Een badje van acht bij twaalf zou ideaal zijn. Drie meter diep aan de ene kant, oplopend tot stahoogte aan de andere kant. Een lage duikplank erbij, een filter en uiteraard verwarming.'

'Kost dat?' vroeg De Gooyer, die een beetje van het ene been op het andere stond te wippen.

'Vijftigduizend.'

'Vergeet het maar. Dag meneer Bruis.' Maar hij had zich nog niet omgedraaid, of er werd aan zijn mouw getrokken. 'Meneer de

Gooyer, mag ik u nog iets vragen? Komen er bij u veel artiesten over de vloer?'

De Gooyer voelde hem al aankomen. 'Meneer Bruis,' zei hij, 'ik moet ze wegjagen: Willem Duys, Mies Bouwman, Snip en Snap, De Mounties. Het is bij mij de zoete inval. En niet even bellen van tevoren. Ze staan ineens voor je neus. Dingdong. Wel gezellig hoor, maar je heb er geen tíjd voor, snapt u.'

'In dat geval,' zei Bruis, 'gaan we nóg eens rekenen.' Hij zakte met zijn prijs naar twintigduizend. En er kwam een zwembad. Rijk de Gooyer zette de verwarming in het voorjaar al aan. Tot in het najaar. Dat was het mooist, 's nachts zwemmen als het licht gevroren had. Het gras was berijpt. En in het licht van de buitenlampen sloeg de damp van het water. 'Met onze blote poten renden we door dat bevroren gras en doken zo de warme deken in.'

's Nachts was het zwemmen voor drie heren, met Eelke De Jong en Peter van Straaten. Zwemmen op één oor, of met een been in de lucht, borreltje op het hoofd... Alles met veel gespetter en lawaai. Uitspattingen die door hardwerkende Gietersen, wars van uiterlijk vertoon, met scheve ogen werden gevolgd. 'Die westerlingen, daar wordt het hier niet mooier van,' zei achterbuurman Scheffer, leunend op een schop. En kruidenier Jan Petter, die boodschappen rondbracht, begreep precies wat hij bedoelde. Soms leek ook het alsof De Gooyer het erom deed, als hij in zijn krap bemeten zwembroek naar de Vivo kuierde voor een flesje witte wijn. En er weer een melkschuit voorbijdreef, voortgeduwd door een man in overall. Maar tegenover z'n compromisloosheid stond zijn gastvrijheid. Kinderen uit de buurt mochten altijd komen zwemmen. Als hij er zelf niet was. Dat nam veel ouders de wind weer uit de zeilen. En verder speelde natuurlijk mee dat hij een bekende Nederlander was.

Voor zijn directe buurman, Brodie Bakker, gold dat nog het minst. Toen die zich na lang sparen een televisietoestel kon veroorloven, begreep hij ineens waar ze het in het dorp allemaal over hadden. Hij stond met een zeis het gras te maaien, toen De Gooyer voorbijliep.

'Buurman,' zei hij, 'buurman, we hebb'n je gister'n op de televisie gezien, hoor. Ik zeg tegen de vrouw: "Da's Rijk!"'

'Ha,' zei De Gooyer. 'En, hoe vond u het?'

'Je leek precies!'

'Ja, maar vond u het léuk?'

'Daar hebb'n we eigenlijk niet op gelet,' realiseerde Bakker zich.

Andere dorpelingen hadden het beter in de gaten. 'Rijk, je mot es een paor van die meid'n uit je show meebreng'n,' grijnsde een keuterboer. Hij zag het showballet waarschijnlijk al gaan, op een platbodem over de Beulakerwiede.

'O ja? En dan?' zei De Gooyer.

'Nou, daar weet'n we wel raad mee hoor,' lachte de man. 'Nou, nou, nou...' Ook de recreatie- en horecatak van Giethoorn-zuid, die na *Fanfare* met de slogan 'het Venetië van het Noorden' dagjesmensen probeerde te lokken, had zijn boerderij dankbaar in de rondvaartroute opgenomen. 'Hier links ziet u, bekend van radio en tv...' Er is eens zo'n boot omgegaan, door mensen die abrupt aan één kant gingen hangen.

De skriever en de boer

Herman Pieter de Boer was geen buitenmens, dat was snel bekeken. Van zichzelf schetst hij graag het beeld van iemand bij wie de verhalen 'door het open raam naar binnen woeien'. Dat was sterk, want de ramen van de tekstschrijver zaten altijd potdicht, evenals zijn gordijnen. Op de rand van zijn bureau stond een Air Wick-luchtverfrisser. Dennengeur. Dat was voor hem 'buiten' genoeg. In de stad was hij gewend 's nachts te werken, lekker stil. Maar op het platteland begon het dan pas te leven. *Iiek-iiek-iiek* – een uil; *krtss-krtss-krtss* – een onbekend veenbeest in de spouwmuur; het geluid van een angstig loeiende koe – zo'n kreet ineens door de nacht.

Judy leefde op – zij was dol op het verpotten van planten, schoffelen in de moestuin en eieren rapen. Maar de schrijver zelf kwam niet buiten. Hoe kon dat ook, op witte laklaarzen? Overbuurman Smit, de palingvisser, begreep er níets van: een man die nooit 'om z'n huus' loopt. 'En dat brandhout, meneer de skriever,' had hij al eens gezegd, dat hoorde niet op een rustiek hoopje voor de deur, 'maar neddies achter het huus, onder een golfplat'n dak.' Ze gaven je graag advies, in Giethoorn. Iets te graag, volgens De Boer. Objectief gezien kun je ook niet zeggen dat hij het handig aanpakte. In een interview had hij zich laten ontvallen de Gieterse vrouwen de lelijkste van het land te vinden. Zo maak je natuurlijk geen vrienden. Toen hij zich dat realiseerde, heeft hij op een nacht overal aan de Beulakerweg excuusbriefjes in de bus gegooid. Dat het allemaal een misverstand was geweest, 'beste buurtjes', en dat hij niet Gíethoorn, maar een fictief dorp had bedoeld. 'Zegt het voort. Als altijd, uw toegenegen buurman.'

Het werken daarentegen ging geweldig. 'Ik schreef in Giethoorn als een waanzinnige,' zegt hij. 'Dat kwam door die rust, denk ik. Alle verhalen kwamen er achter elkaar uit, soms wel drie op een nacht.' En anders schreef hij wel een liedje met Rijk de Gooyer, omgekeerd zittend op een stoel – 'Nellie van den Heuvel' bijvoorbeeld, of hij knutselde het krantje *Info* in elkaar. Zijn vrouw Judy en Conny Meslier deden de redactie. Het was een blad waar half literair Nederland met groene vingers – de nieuwe buitenlui – op geabonneerd was en waarin oproepen ('Wie heeft er een biggenlamp?'), tips ('zo weck ik peren') en poëzie uit de moestuin elkaar afwisselden.

De Boers plichten als goede buur leden er wel onder. In Amsterdam kon het relatief anoniem, op tienhoog aan het IJ. Maar in Giethoorn werden er bepaalde dingen van je verwacht – dichte gordijnen hielpen dan niet. In geval van overlijden, geboorte en feesten werd je geacht acte de présence te geven, dat wil zeggen bij zes buren links en zes buren rechts. Eén keer is het hem gelukt, op een zilveren bruiloft, waar hij tot twaalf uur achter een sapje heeft zitten glimlachen. Het was een lange tafel met links de mannen, en rechts de vrouwen. 'Want dat mengde niet.' Onder tafel, tussen de benen door, is hij uiteindelijk naar de uitgang gevlucht.

Een andere gewoonte was dat op oudjaar iedereen even bij elkaar langsging voor een hapje en een drankje. De andere drie gezinnen gingen daarin mee. Eelke de Jong zelfs met enige gretigheid. Die wilde graag zien hoe echte Gietersen erbij zaten. Maar de deur van De Boer bleef de hele avond dicht. Waarmee hij zich, zonder dat hij het wist, aanbood voor een andere traditie uit de noordwesthoek: het wegslepen van elkaars roerende eigendommen. Zodat hij op 1 januari zijn fietsen en brievenbus uit de sloot achter het huis kon vissen. Ze lágen hem niet, de Gietersen. En als hij de signalen goed las, was dat omgekeerd ook het geval. Maar wat gaf het? Toen zijn bundel *De vrouw in het maanlicht* uitkwam, bleek de vrucht van z'n grote afzondering. Nico Scheepmaker schreef in zijn column 'Treifel' dat De Boer niet meer weg te denken was uit de Nederlandse literatuur. 'Ik heb gedanst,' zegt hij. 'Met grote sprongen rond de tafel. Eindelijk kúnstenaar!'

Peter van Straaten merkte niets van een artistieke opleving. Hij tekende gewoon voort. Hoogstens barbecueden *Vader & zoon* in die periode iets meer – daar was hij zelf namelijk dol op. En wuifde er in zijn prenten nog meer riet dan daarvoor.

De tekenaar werkte in een kast. 'Een oude servieskast, als ik het me goed herinner,' zegt hij. 'Je kon er nét in, als je eerst de tekenplank omhoog klapte. Het was er rustig en vooral warm. Ik kreeg het nooit warm in die verdomde boerderij.' Net als Judy werkte Marijke graag in de tuin. En daarnaast had zij een nieuwe hobby gevonden: het verzamelen van antiek. Ze reisde er stad en land voor af, vooral naar veilingen, waarbij hij haar dan vergezelde. De boerderij raakte voller en voller. 'Allemaal voor de verkoop,' beloofde ze. 'Ooit open ik een brocante annex galerie.' Maar een angstig gevoel bekroop Van Straaten toen Conny Meslier haar oog inderdaad op een tegeltje had laten vallen, maar de koop ervan niet doorging – Marijke was er te veel aan gehecht. Dat maakte de kans dat alle rommel die erín was gekomen er ooit ook weer úit zou gaan, wel erg klein.

Voor de dorpsbewoners gold het huishouden van Van Straaten als het meest artistiek. Misschien ook wel omdat het echtpaar aan elkaar genoeg had om lang en feestelijk dronken te worden. De tekenaar die tegen het krieken van de ochtend tot drie keer toe uit zijn punter valt, gierend van de lach, terwijl zijn vrouw even verderop languit over een bruggetje ligt, ook kraaiend van de pret – de gordijnen van de boerderijen gingen voorzichtig even opzij. Voor hun dochter Mascha, die naar de brugklas in Steenwijk ging, was dat een extra handicap. Ze was al meer het stadse kind dan ze kon verbergen, haar moderne kleren spraken boekdelen. En daar kwamen de geruchten nog eens bovenop.

'Zal ik je morgenmiddag van school halen?' vroeg Van Straaten eens onder het avondeten. 'Dan kom ik met de auto, en stoppen we je fiets achterin. 'Als je de auto eerst wast,' was haar reactie. En op de vraag waarom ze nooit vriendinnetjes mee naar huis nam, kwam het hoge woord eruit. 'Paps en mams,' zei ze en legde haar vork neer, 'ik schaam me voor jullie.'

De man die zich het beste aanpaste aan de nieuwe omgeving was Eelke de Jong. Niet alleen artistiek: hij had in de *Haagse Post* een column 'Dorpsschetsen', waarin hij wekelijks belevenissen, fantasieën en herinneringen op een luchtige manier door elkaar klopte. Dat konden pareltjes zijn – De Jong was een groot stilist. Maar ook aan zijn rol van buitenmens had hij zich ten volle overgeleverd. 'De veehouder' noemde Jan Cremer hem. Achter in de wei stond een oude Renault die Eelke voor 350 gulden van Hein Vroege had gekocht, op een nacht dat hij per se uit Den Ilp – waar Vroege woonde – terug naar huis wilde. De auto had het net gehaald en was pruttelend op de Beulakerweg tot stilstand gekomen. Sindsdien deed de Renault dienst als kippenhok. Eelke liet de auto aan De Gooyer zien. Er zaten twee kippen op het stuur. 'Zo kunnen ze goed naar buiten kijken,' zei hij. De accu was nog niet helemaal leeg en

De Jong zette de ruitenwissers aan. 'Dat vinden ze leuk,' zei hij.

Als Eelke aan het werk was, kon je hem van de weg af zien zitten, in het kamertje voor, achter zijn typemachine. Maar buurvrouw Geertje de Wolde herinnert hem zich vooral scharrelend rond het huis. 'Met die grote snor. En daarboven de vriendelijke maar zorgelijke blik van iemand die het allemaal maar niet onder controle krijgt.'

'Hij had altijd dieren waar wat mee was,' zegt Van Straaten. 'Een blind paard – dat had ie op de markt gekocht. Want dat-was-zozielig. Het beest liep ook overal tegenop, zodat er weer een afrastering moest komen.' In zijn herinnering was Eelke altijd aan het timmeren. Hokken voor de honden, waarin dan prenten van honden hingen. Hoenderhokken met balkonnetjes, afdakjes, veranda's. 'Hij draafde soms een beetje door,' geeft Conny Meslier toe.

Een sluis tussen twee weilanden, een geheim luikje waardoor de schapen niet in het kippenhok konden komen, een voerton voor de kalkoenen, met een ingewikkeld doseersysteem dat eigenlijk alleen door de mussen werd doorgrond. 'Het was tobben,' zegt zij. 'Dan stond hij weer met een stok in de sloot te prikken omdat hij een kalkoen kwijt was. De man van Geertje kwam dan helpen zoeken. En constant holde hij achter zijn zorgenkind Mae West aan.' Mae West – geboren Jeltje 19 – was een Fries zwartbont kalf, naar Giethoorn gebracht door Jan Cremer en Hans Sleutelaar. Een aardigheidje voor Eelkes verjaardag. 'Volgens mij hebben we haar onderweg gekocht, op een veemarkt in Meppel,' zegt Sleutelaar. 'Je wilt toch niet met lege handen aankomen.' Om haar nek zat een grote rode strik. 'Hier jongen, voor jou,' had Cremer gezegd. Het zou het begin van een lange worsteling worden, waarin de nieuwe veehouder steeds sterker het gevoel kreeg tekort te schieten. Een deugdelijk hok kwam maar niet af. En als het kalf 's ochtends weer in de regen stond, de ogen strak op het huis gericht, kroop het baasje onder het raam door naar de schrijftafel. Want zodra hij was gesignaleerd, begon het beest lang en verwijtend te loeien.

De veerman

Intussen was Maurits Caransa ook een keer in het dorp komen kijken. Hij was op weg naar Groningen en kondigde op tijd zijn bezoek aan. Hij wilde dat boerderijtje wel eens zien. De kersverse eigenaar van het Amstelhotel reed in een nieuwe Bentley-cabriolet: donkerblauw van buiten en wit leer van binnen. Die kon hij alleen op het Noorderpad niet kwijt – parkeren kon op het erf van boer Vink. Kwam er bezoek uit Amsterdam, dan schoot Vink uit zijn stal te voorschijn. 'Dat is dan een kwartie, alstublief dank u wel.' Caransa was in stijl gekleed, in de kleuren van zijn schitterende voiture: donkerblauwe pantalon, wit overhemd en blauwe pet. Alleen het rode haar kwam nergens in terug. Toen hij het erf op draaide, schoot Vink uit de staldeur te voorschijn. 'Kwartie!' riep die.

Caransa gaf de man een gulden.

'Tjonge,' zei Vink en keek geïmponeerd in zijn hand en daarna naar de Bentley. 'Kost vast wel tienduuzend guld'n.'

'Doe er maar negentigduizend bij,' zei Caransa.

'Ja hoor,' lachte Vink en liep met een wegwuifgebaar terug naar binnen. 'Je dach zeker da 'k gek was.'

En een uur later, tijdens de lunch in hotel Prinsen aan de Beulakerweg, liep het ego van Caransa voor de tweede maal averij op. De bediening, een wat schuchtere, lange jongen, beviel hem. 'Weet je wie ik ben?' vroeg hij.

'Nee, meneer,' antwoordde de jongen.

'Ik ben Caransa.'

'Ja, meneer.'

'Ik ben projectontwikkelaar'.

'Ja, meneer.'

'Ik heb net het Amstelhotel gekocht.'

'Ligt dat aan de Amstel?'

'Natuurlijk ligt dat aan de Amstel, anders heette het niet zo. Zou jij daar willen werken?'

'Nee, meneer.'

'Over en uit,' zegt De Gooyer. 'Typisch Gieters.'

Tonio Hildebrand heeft het leven van Rijk de Gooyer in die Giethoornse periode eens vergeleken met de film *The Captain's Paradise*, waarin acteur Alec Guinness als veerbootkapitein heen en weer pendelt tussen twee werelden. Aan de ene oever vindt hij zijn breiende vrouw; aan de andere kant, in de haven, wacht het vertier, het nachtleven. Het Giethoorn uit die tijd werd nogal eens als een kunstenaarskolonie beschouwd, wat overdreven is. Als er geen gasten uit Amsterdam waren, en de mannen niet bij elkaar op het terras zaten, waren het vier relatief rustige, wat op zichzelf betrokken huishoudens. Gezinnetjes. De zoon van Herman Pieter de Boer was al wat ouder, de twee kinderen van Eelke de Jong te klein, maar Mascha, de dochter van Peter van Straaten, en Rijk jr. hadden ongeveer dezelfde leeftijd. In die zin hadden de twee stadse kinderen ook wel steun aan elkaar, hoewel Rijkie een paar jaar eerder was gekomen. Die had zijn grootse strijd al had geleverd toen hij op de lagere school in Giethoorn was gedropt. Inmiddels had hij zich redelijk aangepast en zelfs Gieterse vriendjes gemaakt, waardoor de overgang naar de middelbare school in Steenwijk een soepele was.

Tussen de twee vaders kwam de opvoeding wel eens ter sprake – niet te vaak, het moest wel gezellig blijven. In het geval van de kleine Rijk werd die opvoeding vooral door Tonnie ter hand genomen. En áls Rijk de Gooyer thuis was, vond Peter van Straaten hem aan de autoritaire kant. Terwijl de cadeaus die vader voor Rijk meebracht weer buitensporig groot waren. Van Straaten schetst het beeld van een druilerige middag waarop de kleine Rijk in de tuin zat, een afstandsbediening onverschillig in de hand, terwijl even verderop een zeilboot rondjes draaide in het zwembad. Het kleine prinsje.

Rijk jr. zélf glimlacht. Volgens hem speelt het romantisch inlevingsvermogen van de tekenaar hierin een niet geringe rol. Maar helemaal ongelijk geven doet hij hem niet. Als compensatie voor de grote afwezigheid sloeg zijn vader wel eens naar de andere kant door: in de cadeaus die hij gaf en in het soort activiteiten dat ze samen ondernamen. Een spelletje halma zat er niet in – de hekel aan spelletjes van De Gooyer is bekend. Nee, vader en zoon gingen naar het circuit in Zandvoort, crossen in een speedboot, waterskiën, duiken, zweefvliegen, motorcrossen…

'Daar kun je als opgroeiende jongen heel goed mee leven,' zegt Rijk jr.. Aan de ander kant was het geduld van zijn vader beperkt: als hij een discipline niet snel onder de knie had, zochten ze wat anders. Wat dat betreft ging parachutespringen beter dan zeilen. Rijk de Gooyer zelf hechtte eraan zijn zoon alles te geven wat hij zelf had gemist. En het autoritaire aspect – 'Ik kan niet ontkennen dat ik wat van mijn vader heb geërfd,' zegt hij. Op zijn beurt vond hij weer dat Peter van Straaten de teugels érg liet vieren. Toen Mascha bij de majorettes wilde, heeft De Gooyer hemel en aarde bewogen om dat te voorkomen. 'Je laat je dochter toch niet in haar blote kont door het dorp paraderen,' zei hij, 'met al die ouwe, geile boeren.' Het gebeurde toch. De ouders waren allang blij dat hun dochter in iets aansluiting had gevonden bij anderen.

Beste jongens

En er werd natuurlijk gedronken. Vooral als Rijk tussen twee opnames thuiskwam. Giethoorn betekende vakantie. *Partytime.* Peter van Straaten en Eelke de Jong hielden hun hart vast als ze zijn brommertje hoorden naderen. 'Borreltje?' De Gooyers beleid was strikt: pas na vijven mocht hij een jonge.

Bij hem stond de grootste vrieskist. 'Even een hazenruggetje doen?' Zijn vrouw Tonnie hanteerde een strikt toelatingsbeleid – veel lawaaierige vrienden kwamen niet verder dan het tuinpad – maar Peter en Eelke konden een potje breken. En zo had Rijk de

Gooyer het 't liefst. Hijzelf in de keuken snijdend, schort voor, glas wijn binnen handbereik en ondertussen: verhalen. Wie niet meedronk, telde niet mee. Dus geen Herman Pieter de Boer. Die gold sowieso als het buitenbeentje. 'Niet meer weg te denken uit de Nederlandse literatuur? Daaaag. Liedjes ja, sketches, korte verhalen...' Cremer bleef hem ook steevast 'de reclameboy' noemen. Oké, nog één fles en dan door naar het huis van Peter, waar Marijke feestelijk meedronk. Maar Rijk was meer een mannenman, dus daarna gedrieën weer verder, naar het café of het huis van Eelke. Of nee wacht, éérst het café en dán...

De volgende dag, bij kruidenier, hoorde je het allemaal terug. Daar stonden ze: Berend Keesie, Christen Hendrik, Kaas Hein en Jan met de Zilversnor – in Giethoorn hadden ze bijna allemaal een bijnaam – en ze schudden het hoofd. Het was weer tot vijf uur bal geweest vanochtend. De lege flessen dreven nog in zwembad. En was dat nou vuurwerk dat die mafkezen midden in de nacht hadden staan afsteken?

Van het driemanschap waren Rijk de Gooyer en Eelke de Jong weer het best bevriend. Soms stond De Gooyer zo vaak op de stoep dat Eelke eraan ging twijfelen of het alleen voor hém was. Dan stak het bezorgde hoofd boven de heg van Van Straaten uit, en gaf hij lucht aan het vermoeden dat Rijk en Conny een geheime verhouding hadden. Het hield de mannen ook een beetje van de straat. Weken vol getob, steelse blikken en insinuaties eindigden weer in een lange drinknacht, waarop alles een vergissing bleek, en de mannen de vriendschap weer hechter voelden dan ooit tevoren. Zo togen een keer naar Nijeveen, Eelke de Jong en Rijk de Gooyer omdat de laatste daar een kennis had wonen: Jan Veld, een antiquair met polio. De man was zwaar gehandicapt – woonde bij zijn ouders en verplaatste zich met een elektrisch wagentje. Maar met Jan Veld als ritselaar en zakenman was niks mis. In De Gooyers boerderij had hij de plavuizen geregeld, met de mannen die ze kwamen leggen erbij, en zo waren ze bevriend geraakt.

'Jullie moeten eens wat zien,' zei Veld, toen Rijk en Eelke uit de auto stapten. Hij ging ze met een zacht zingend motortje voor naar de rand van het erf. Van daaruit overzag je een weiland met een ooievaarsnest op een paal.

'Drie kleine,' zei hij trots.

'Da's mooi,' zei Eelke de Jong. 'En hebben ze dat helemaal zelf gemaakt?'

'Die paal hebben wij neergezet,' zei Veld. 'Dat is om ze een handje te helpen.'

'En dat karrenwiel?' vroeg De Jong. 'Hebben ze dat wél zelf gemaakt?' Hij zei het zonder een spier te vertrekken.

'Heu, neu, dat hebben wij ook gedaan,' zei Veld. 'Zo'n karrenwiel, dat kunnen ze niet.'

'Er is anders een ooievaarsgroep in de Camargue,' zei De Jong, 'ergens in Zuid- Frankrijk. Die maken ook hun eigen karrenwielen.'

'Dat heb ik nóóit geweten,' zei Veld.

'Het is ook een zeldzame en edele kunst,' zei De Jong. 'Maar ze beheersen het heel aardig.' Velds blik dwaalde nog een keer af naar de paal en het nest. De twee gemakzuchtige vogels erbovenop zag hij ineens met heel andere ogen.

Eelke de jong was de man met de gouden pen, maar tegelijkertijd was het schrijven hem een marteling. De angst dat er niks meer zou komen op een dag, dat het op was, beheerste hem helemaal. Peter van Straaten, die die angst ook kende, onderving die door vooruit te werken. Maar De Jong had een deadline nodig, anders kwam er niks uit zijn vingers. En hij bleef het moment dat hij ging zitten maar voor zich uit schuiven – rond het huis lopen, karweitjes opknappen. 'Hij heeft die veestapel opgezet om maar in godsnaam niet te hoeven schrijven,' zegt Van Straaten. Op de zondagavond zaten de mannen vaak bij elkaar. En omdat dat ook de avond van de deadline was, stond het gezicht van Eelke de Jong vaak bedrukt. En de aanblik van Peter van Straaten, die met één bil op een kist nog snel even een tekening voor *Vrij Nederland* maakte, terwijl hij er al

Beste jongens: De Gooyer, Eelke de Jong en Peter van Straaten achter diens huis aan 't Klooster, juli 1977. *Foto Conny Meslier*

drie achter de hand had, stemde de getourmenteerde stukjesschrijver niet vrolijker.

Op zo'n avond is 'Beste jongens' bedacht. Ze zouden elkaar brieven schrijven, voor de lol, dat in de eerste plaats, maar ook met het idee om Eelke 'vlot te trekken'.

Dat die brieven zo grappig zouden worden, dat het zonde was om er niets mee te doen, hadden ze toen nog niet bedacht. Uiteindelijk werd het in 1977 en 1978 een serie in *Haagse Post*, zodat De Jong er vooralsnog alleen een deadline bíj had. 'Beste jongens.' Het liefst schreven ze de correspondentie gedrieën aan een tafel, op het zuidterras van Peter van Straatens boerderij. Flesje wijn erbij. Ontzettend veel roddel en vrolijke onzin kwam er voorbij, vooral in de brieven van De Gooyer die steevast werden afgesloten met een 'PS'.

'Eelke, geef je vrouw een flinke zoen op d'r babbelaar en tot ziens.'

'Buurman Bakker heeft hier als Mathilde Willink de jaarlijkse gondelvaart gewonnen.'

'Ik heb het nog voor je nageplozen, en je had gelijk – Martine Bijl draagt inderdaad geen onderbroek wanneer ze optreedt.'

'Wist je dat Alexander Pola óók een onecht kind van prins Hendrik schijnt te zijn?'

'Zie ik je nog op de promotie van Corry Brokken?'

'Het gerucht gaat, dat Peppi en Kokki uit elkaar zijn. Weet jij daarvan?'

Van de serie – die ze begin jaren tachtig weer even kort hebben opgepakt – zijn twee bundeltjes verschenen. En een heel enkele keer, als je ze doorbladert, schemert er iets serieus in door. Zo heeft Rijk de Gooyer het tweemaal over een depressie waaraan hij ten prooi is gevallen. Beide keren sloot zich op in de wc, net zo lang tot het helemaal over was. Wat hielp, schrijft hij, was zich de verjaardagen voor te stellen van alle ooms en tantes die op de kalender stonden, met de hoedjes en de toeters erbij.

Een andere keer is Eelke de Jong in de agenda van Rijk de Gooyer op gevoelige dagboekaantekeningen gestuit. 'Jammer dat je die voor iedereen verborgen wenst te houden,' zegt hij. 'Dat je naar buiten toe liever de gebraden haan uithangt, dan de mensen een blik in je hart te gunnen.' Kruidenier Petter volgde de afleveringen op de voet. In zijn winkel vroeg hij Peter van Straaten eens wat er allemaal waar was van die verhalen. Van Straaten antwoordde: 'Eelke fantaseert, Rijk liegt en ik overdrijf.' Kernachtiger was het waarschijnlijk niet samen te vatten.

Spotters huusie

Avonden begonnen en eindigden vaak in het café aan het einde van de Beulakerweg. 'Onder de Linde' heette het officieel, maar iedereen noemde het 'Bij Martha' – naar de stoere, zigeunerachtige vrouw die er achter de bar stond: Martha van Vierhoven.

Martha was niet alleen warmbloedig, maar ook al vroeg weduwe, wat de aantrekkingskracht van het café zal hebben verhoogd. Rijk de Gooyer deed niets liever dan zijn gasten uit de stad laten zien wat een gezellige, huiskamerachtige kroeg ze in Giethoorn hadden.

'Wie is dat Rijk?' vroeg Martha, toen hij de eerste keer met Jan Cremer binnenkwam.

'Ik ben Jan Cremer,' zei Jan Cremer.

'O ja. Nou toe dan maar,' zei Martha. 'Willen de heren een biertje?'

'Graag.'

'Ik woon in New York,' zei Jan Cremer, wie het blijkbaar toch niet helemaal lekker zat.

'Nou toe dan maar,' zei Martha. Zelf was ze nooit verder gekomen dan Zwartsluis.

'Ik heb vijf boeken geschreven,' zei Cremer.

'Op jullie gezondheid,' zei Martha. 'We hebben thuis ook vief boek'n. *Aafkes tiental* heb ik stukgelez'n.'

Half Scheltema was ondertussen al bij Martha over de vloer geweest. Met wisselend succes. Lawaaiige types als Hein Vroege hielpen het integratieproces van 'de nieuwe buitenlui' niet bepaald op weg. Niet dat De Gooyer vrienden van buiten nodig had om in de problemen te komen. Dat kon hij heel goed zelf. Op straat werd hij nagekeken. Maar in het café was er altijd wel een Gieter nog bluffeiger, lawaaieriger en, wat belangrijker was, gróter dan hij, zodat het clubje halverwege de avond moest opbreken om bij een van hen thuis verder te drinken. Met de melkrijder was het bijvoorbeeld kwaad kersen eten.

'Rijk had zo zijn buien,' weet Timi Petter. 'En soms kon hij ontzettend kleinerend zijn.' Dat zette kwaad bloed bij de bevolking. Bij boerenzoon B.K. bijvoorbeeld, die zich op een avond met zijn brommer op de brug voor De Gooyers huis had geposteerd – het gas voluit. De Gooyer stoof naar buiten met een jachtgeweer. 'Ik heb een vergunning, hoor,' zei hij. Voor wát was niet helemaal duidelijk. Zijn standpunt was helder. Ruziemaken in de kroeg was één ding. Maar van zijn gezin, van zijn huis, van zijn geld moesten ze afblijven. 'We steken je boerderij nog een keer in brand, De Gooyer!' riep de jongen en scheurde weg over het Noorderpad. Hij sloeg er geen acht op en ging weer naar binnen.

Ook spotters huusie wil wel 'ns branden. Volgens Peter van

Op de rokende puinhopen van de boerderij in Giethoorn.

Straaten is het een gezegde uit de noordwesthoek. En bekend is inmiddels hoe kien ze daar op tradities zijn. Op de vroege ochtend van 3 februari 1974 legde een felle uitslaande brand de boerderij van De Gooyer in de as. Met een rieten dak ging het snel. En het gezin was al blij dat het er zelf heelhuids uit was gekomen. Dat was te danken aan Tonnie, die om drie uur – ze sliepen beneden – wakkerschrok van een geluid. Het hele dak stond toen al in lichterlaaie. De Gooyer kon nog één keer terug om Stoffel, de hond, te redden, daarna was het ondoenlijk. De Vrijwillige Brandweer Brederwiede reed zich vast in de Appensteeg, waar een auto verkeerd stond geparkeerd. Maar het is de vraag wat ze hadden kunnen uitrichten.

Er was niets, helemaal niets van de boerderij over. Op een foto in de *Zwolse Courant* stond Rijk de volgende dag peinzend tussen de smeulende resten, de handen in de zakken. 'De politie vermoedt dat de brand is veroorzaakt door kortsluiting,' vertelde het bericht. Maar al snel daarop werd duidelijk hoe de vork echt in de steel zat. Op een tip van Martha van Vierhoven werden B.K. (23 jaar) en handlanger H.M. (25 jaar), een notoire pyromaan, gearresteerd. Ze hadden die avond in Onder de Linde zitten drinken. En boven een pot bier gesproken hoe ze 'dat huis van die acteur' zouden aanpakken – Martha had het voor dronkemanspraat gehouden. 'Asociale klootzakken' – De Gooyer kan er dertig jaar later nog niet anders over praten.

'Het was een brand met heel veel sfeer,' zegt Van Straaten dromerig. 'Op zo'n berijpte ochtend...' Hij was naar Eelke gelopen – het was een uurtje of zes – om hem op de hoogte te brengen. Eelke, die vroeg op was om zijn column te tikken, zat achter zijn bureau voor het raam. De wind stond de andere kant op, daarom had hij niks gemerkt. En toen Peter van Straaten het hem vertelde, zei hij: 'Dat komt verdomd slecht uit. Ik heb mijn stukje nog niet af.' Uit de buurt ontving familie De Gooyer niets dan steun en sympathie. 'Lawaaischopper of niet,' zegt Timi Petter. 'Dit had nooit mogen gebeuren. Dit was het werk van een gek. Letterlijk.'

Er werden spullen ingezameld. Meubels, beddengoed, keukengerei. Ieder met zijn eigen idee van wat primaire levensbehoeftes waren. Vriend Leon Swaab bracht een televisietoestel. Uitgever Theo Sontrop deed hun de complete Russische bibliotheek cadeau. En de burgemeester van Huizen, de heer Fontein, bood hun zolang zijn tweede huis in Giethoorn aan. Maar wat weg was, was weg. Alle herinneringen, foto's, filmpjes uit de oorlog, uit zijn eigen jeugd, van zoon, zijn eerste grammofoonplaatje met de Manakora's, de statenbijbel van zijn vader... Hij was er meer van onder de indruk dan hij had gedacht.

Met de brand begon het hoofdstuk 'Giethoorn als vriendenclub' ten einde te lopen. Eerst vertrok Herman Pieter de Boer. Eelke de Jong solliciteerde als schaapherder in Hoog Buurlo – volgens Van Straaten gewoon als grap, maar hij wérd het. Hij was de enige reflectant. En na Peter van Straaten verdween ook De Gooyer. Aanvankelijk was de stichter van de Amsterdamse kolonie onvermurwbaar geweest. Hij zou zich niet laten wegjagen. Op dezelfde plek verrees dezelfde boerderij, zij het een slag kleiner, want het pand was behoorlijk onderverzekerd geweest. Maar wat gaf het. 'Ik kreeg het kreng toch al niet warm.' Ook Rijk de Gooyer was de laatste fase ingegaan. Terecht of niet: hij ervoer vijandelijkheid uit het dorp, en hij voelde zich helemaal naakt nu hij zonder de dekking van zijn kameraden kwijt was. Daar kwam bij dat het huwelijk met Tonnie de laatste jaren onder spanning was komen te staan. En toen hij de tweede vrouw uit zijn leven tegenkwam, in Amsterdam, werd hij van een regelmatige een sporadische bezoeker. Tonnie en Rijk jr. bleven er wonen.

'Voor mij was het een toptijd, toen de vrienden nog bij elkaar waren,' zegt De Gooyer. 'Ik vond het ook verschrikkelijk om te vertrekken,' zegt Van Straaten, 'ook al waren het tropenjaren. Ik zal het ook nooit meer in mijn hoofd halen om buiten te gaan wonen.' Herman Pieter de Boer, tot slot, hoef je het eigenlijk niet te vragen. 'Met de periode zelf was niks mis. Die was enig. Maar Giethoorn zelf? Bedánkt Haanstra!' roept hij en dan volgt er een schelle maar holle lach.

XII

De onder-acteur

Ik heb liever Rod Steiger naast me dan meneer Kwispenbiebel, want dan ga je mee in het zinkende schip.
(Uit een interview met Ab van Ieperen, *Vrij Nederland*, 1981)

De inbreker

De roerige jaren zestig lieten ook hun sporen na in de Nederlandse filmwereld. De democratisering, die door alle lagen en segmenten van de samenleving trok, had ook de cinema bereikt. Het medium film was niet langer een hobby van elitaire regisseurs die de crème de la crème van het Nederlandse toneel uitnodigden. Er werd een filmacademie opgericht, waar het vak werd onderwezen. En de nieuwe generatie regisseurs had ook beter in de gaten welke eisen het medium stelde, ook aan de acteurs. De kracht van het 'klein spelen', het naturel, werd ontdekt. En dat was precies de kans die Rijk de Gooyer moest krijgen.

Een duidelijke exponent van de nieuwe generatie filmmakers was Frans Weisz. Weisz was van de toneelschool overgestapt naar de filmacademie, die hij met glans had doorlopen, en had er toen nog een paar jaar filmschool in Rome aan vastgeplakt. Zijn eerste lange speelfilm maakte hij in 1966, *Het gangstermeisje* (naar het boek van Remco Campert), met Kitty Courbois – met nouvelle-vagueachtige beelden en veel betekenisvolle stiltes. Weisz en De Gooyer kenden elkaar uit De Kring. 'Kennen' is eigenlijk het woord niet. Weisz was geen drinker, kón ook niks met dronken mensen, en voor De Gooyer was hij zelfs een beetje bang.

De regisseur was joods, klein van stuk en kalend – hoeveel meer munitie kon je De Gooyer geven? Bovendien was hij gewaarschuwd, door de vele joodse artiesten op De Kring – zelfs door zijn eigen moeder, die sinds Auschwitz ook zo'n 'telefoonnummer' op haar arm had staan: 'Die vent deugt niet.' Maar hij was ook door De Gooyer geïntrigeerd. Die lawaaierige man die voortdurend alle aandacht naar zich toe trok. Zelfs als hij zat te pokeren aan een ta-

Met Jon Bluming in de door Frans Weisz geregisseerde speelfilm *De inbreker*, 1972.

feltje met een paar vrienden, een Caballero schuin in de mond. Om vervolgens met een glas whisky in de hand naar de piano te lopen, en 'Strangers in the Night' in te zetten. Tot ongenoegen van Ramses Shaffy, die dan weer het veld moest ruimen.

De vergelijking met Frank Sinatra – dat onderkoelde, macho gedrag; tiptop gekleed, *slick* als het moest, maar met een ontegenzeggelijke drang tot zelfvernietiging; het netwerk van soms maffiose vrienden, en de ondergeschikte rol die vrouwen daarin speelden – die vergelijking drong zich altijd op aan Frans Weisz.

Ze zaten aan de hoefijzervormige bar, ieder aan een kant. Rijk de Gooyer loerde naar Frans Weisz. Die vind mij vast een ontzettende klootzak, dacht hij.

En Frans Weisz loerde naar Rijk de Gooyer. Naar die ogen, die op en neer schoten. Ze kunnen veel over hem zeggen, dacht hij, maar in die ogen schuilt geen kwaad.

Precies met die ogen begint *De inbreker* (1972), de eerste film die ze samen maakten. Een close-up van twee ogen in een reep licht. De ogen behoren toe aan de gentleman-dief Glimmie. Als de camera iets uitzoomt zie je dat de man achter een ruit staat, waar hij met een glassnijder een cirkel op uittekent. Dat alles gebeurt in grote rust. De uitdrukking op zijn gezicht is vriendelijk, aandachtig – een man met liefde voor zijn vak. En om dat element te benadrukken voert Glimmie ook even de goudvis op het bijzettafeltje, voor hij zich aan de kluis achter het bureau zet.

Dat had Weisz op de filmschool in Rome geleerd. Een cowboy kan dertig man neerschieten, in de rug als hij wil. Maar op het moment dat hij de hond schopt die voor de saloondeurtjes ligt te zonnen, wordt hij pas écht een *crook*. Dan kan hij ook nooit meer terug.

De inbreker is helemaal opgehangen aan de figuur Glimmie. Er was dus lang gewikt en gewogen: wie kon die rol spelen? Weisz had een Charles Aznavour-achtig type voor ogen. Frits Lambrechts bijvoorbeeld – 'de knipperbol', zoals hij werd genoemd, omdat hij zo met z'n ogen knipperde. Lambrechts werd uiteindelijk de politiecommissaris. Het idee van producent Rob du Mée was een soort *Tony Rome* te maken, een vlotte Amerikaanse detective waarin Frank Sinatra als detective Rome de hoofdrol speelde. De gedachte aan Rijk de Gooyer lag nu voor de hand. Probleem was alleen dat Glimmie in het boek *De inbreker* van Arthur Defresne vijfentwintig jaar was. Rijk de Gooyer was inmiddels zesenveertig. Maar leeftijdsgebonden is de acteur nooit geweest, de teller is heel lang op 1960 blijven staan: een onbestemde dertiger. Waarbij het leek alsof hij steeds een ongelukje nodig had om weer een paar jaar vooruit te schieten.

Hij kreeg de rol, en vanaf de eerste draaidag waren het de beste vrienden, Frans Weisz en Rijk de Gooyer. De vakidiotie van Weisz was spreekwoordelijk. 'Die man eet celluloid op z'n brood,' was een

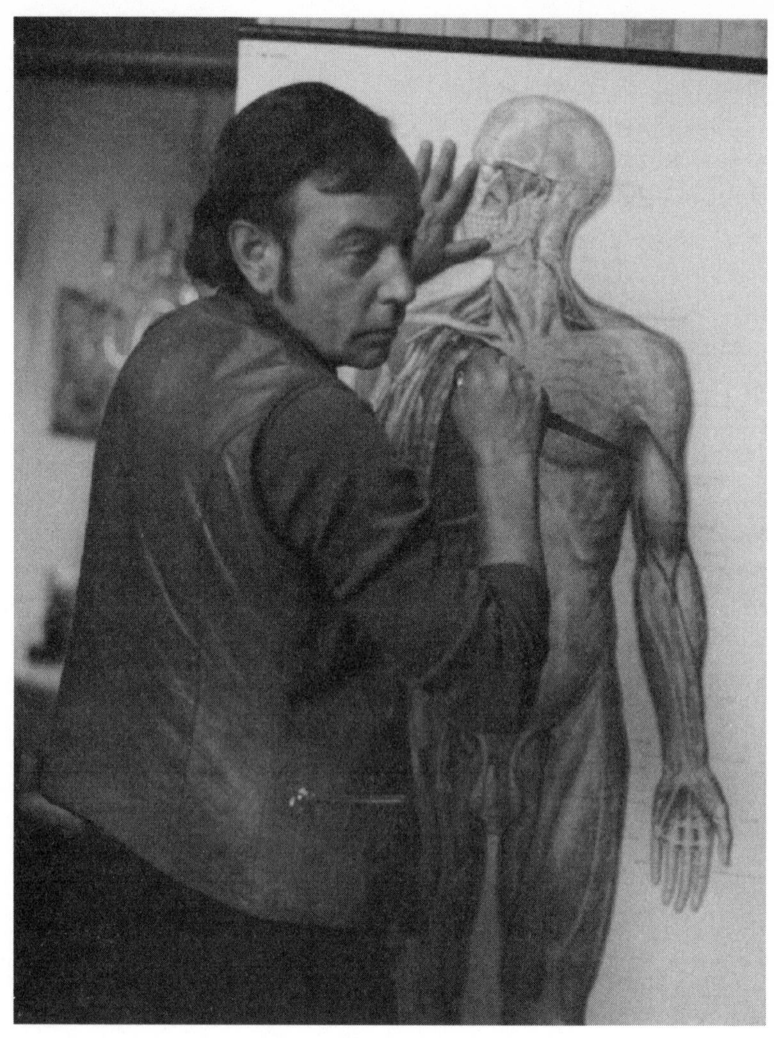

De Gooyer als inbreker Glimmie.

vaste De Gooyer-typering. En inmiddels beroemd is de anekdote dat Weisz bij een bankoverval op de Lairessestraat geïmponeerd aan de man met de bivakmuts vroeg wie de regisseur was. Hij kon meteen plat op de grond gaan liggen. Dit was inderdaad 'naturel'. Voor Weisz valt *De inbreker* onder zijn periode van vingeroefeningen. In 1975 zei hij in een interview met Ischa Meijer in de *Haagse Post*: 'Het was eigenlijk de eerste keer dat een Nederlandse acteur de film maakte. Rijk heeft me echt over het probleem heen geholpen van: Nederlanders kunnen nu eenmaal niet in films spelen'.

Al snel leerde Weisz hoe hij de acteur De Gooyer zich liet sturen. Niet moeilijk doen. Informeer hem: waar kom ik vandaan, waar ga ik naartoe. En val hem vooral niet lastig met zogenaamde subtekst. Dat Glimmie eigenlijk een vadercomplex heeft, en zijn gemis aan een sterk, richtinggevend figuur in zijn jeugd nu sublimeert in et cetera... Geen gepsychologiseer. Hij ziet zichzelf als een groot knoppenbord – de regisseur hoeft alleen maar even aan te geven wat hij wil. In de eerste scène van de dag kon hij een huis uit lopen, en de straat oversteken. Een 'KZD'tje' noemde hij dat: kakken zonder drukken. Geen tekst, niks moeilijks, alleen even een loopje.

'Rijk,' riep Frans Weisz dan, 'waar kom je vandaan?'

'Uit dat huis.'

'Weet je nog wat je daar gezien hebt?' Die scène was namelijk al een paar dagen geleden opgenomen.

'Geen idee, Frans.'

'Een lijk, Rijk. Een verschrikkelijk verminkt lijk. En je steekt de straat over alsof je van een verjaardag komt.'

'O ja,' zei De Gooyer, en liep grinnikend terug naar zijn beginpunt. Bij de tweede take deed hij het wel goed: met getourmenteerde blik.

Wat hij speelde, moet dicht bij hem liggen: emoties waar hij zo uit kon putten. Dat maakte hem op bepaalde gebieden 'transparant' voor Frans Weisz. 'Ik zag aankomen wanneer hij zou vastlopen in zijn tekst. Sterker nog: ik voelde ook aankomen als hij zou gaan vallen, bij een bepaald loopje, de trap af naar. "Let op," zei ik tegen de camaraman, "die gaat onderuit." En inderdaad.' Met *De inbreker* vestigde De Gooyer zijn reputatie als de ongekunstelde acteur. Recht voor zijn raap, *underacting*, zoals het werd genoemd. Voor De Gooyer zelf was de grootste ontwikkeling dat hij zonder pruik, snor of bril een rol kon spelen. 'Ik was ook bang dat mensen zouden gaan lachen op momenten dat het ineens serieus werd, ' zei hij in 1981 in *Vrij Nederland*. 'Dat is niet gebeurd, maar ik had absoluut geen vertrouwen in mezelf op dat punt. Daar heeft Frans Weisz voor gezorgd.'

Bij een voorvertoning voor alle medewerkers van *De inbreker* had De Gooyer Johnny Kraaykamp uitgenodigd. 'Ben benieuwd wat je ervan vindt,' had hij gezegd. 'Denk wel dat het een leuk filmpje is.' Kraaykamp prikte daar onmiddellijk doorheen. Het gebeurde maar zelden dat ze elkaar om commentaar vroegen. Dan moest er wel echt iets aan de hand zijn.

'Hij was er zo onzeker over,' zegt Kraaykamp. 'Volgens mij omdat hij zag wat ik óók zag: dat het goed was – en eigenlijk geloofde hij dat niet. We zaten met zijn tweeën achterin, ik weet het nog goed, hij zei wel drie keer: "Wil je weg?" Ik zei: "Ben je besódemieterd. Ik zit te genieten!"'

'Vond je ervan?' vroeg De Gooyer na afloop.

'Ga lekker maar lekker naar bed, of naar de kroeg of wat dan ook,' zei Kraaykamp, 'je hebt een hele goede Nederlandse speelfilm gemaakt. En dat wil wat zeggen.' *De inbreker* werd inderdaad een succes. Met bijna 650.000 bezoekers en lovende kritieken. Als dubbele bekroning stopte de limo, voor de première, voor het Utrechtse City-theater – de bioscoop uit zijn jeugd. Zonder verdraaide stem en de jas of hoed van zijn vader, zonder zich ouder voor te hoeven doen dan hij was, werd hij doorgelaten. De deuren zwaaiden open. 'Meneer De Gooyer, welkom in dit theater.'

De inbreker betekende op meerdere punten in zijn leven een omslag. Op de set was hij de vijfentwintigjarige Nel van Huykelom tegengekomen. De jonge productieassistente had de hoofdrolspeler eerst met argwaan bezien, vervolgens met lichte waardering – iemand die een leven als nachtbraker en acteur zo professioneel kon combineren – die ten slotte omsloeg in verliefdheid. Het werd de tweede vrouw in zijn leven, hoewel ze pas jaren later echt voor elkaar zouden kiezen. Dat lag niet in de laatste plaats aan 'Malle Jachie', de profeet Maleachi, die het Oude Testament afsluit met een vlammend betoog tegen ontrouw. Gij zult uw echtgenote niet 'trouwelooslijk' behandelen, daar zij toch 'uwe gezellin en de huisvrouw uws verbonds' is (2:14). 'Gij zult niet echtbreken' (Exodus 20:14) – dat gebod zat er dieper in dan hij voor mogelijk had gehouden.

De samenwerking met Weisz werd datzelfde jaar al voortgezet, zoals ook *Tony Rome* een vervolg had gekregen in *Lady in Cement.* Na *De inbreker* kwam *Naakt over de schutting* (1973), met opnieuw

Scene uit *Naakt over de schutting* (1973) met Adèle Bloemedaal, Frans Halsema en Ton Lensink.

Jennifer Willems en Jon Bluming in grote rollen naast De Gooyer. De mannen kenden elkaar intussen door en door, en wisten ook hoe ze elkaar op de kast moesten krijgen.

'Zeg Frans, je weet toch dat ik vanmiddag om twee uur weg moet? Ik heb een voorstelling in Terneuzen.'

'Wat?' De regisseur schoot onmiddellijk in een stuip. 'Wat krijgen we nou. We moeten vanavond tot tien uur...'

'Grapje, Frans. Gráááápje.'

'Wil je dat nooit meer doen.'

Andersom ontdekte Weisz iets wat hem bij *De inbreker* niet was opgevallen: de moeite die De Gooyer had met 'intieme momenten'. De ongekroonde koning van het naturel, de 'two take-actor', zoals hij zichzelf noemde, kon geen liefdesscènes spelen. Die moesten steeds opnieuw over. Adèle Bloemendaal, bij wie hij in *Naakt over de schutting* in bed belandt, had er een karige minnaar aan. In dezelfde film houdt Rijk de Gooyer duiven, op zijn platdak – een citaat uit *On the Waterfront* (1954), met Marlon Brando. Zo'n beestje kon hij nog even liefdevol strelen, voor hij het een zetje gaf het luchtruim in. Bij een houterige actie tussen lakens riep Weisz dan ook: 'Denk aan de duif, Rijk. Denk aan de duif. Dat ging een stuk hartstochtelijker!'

'Zal ik er zachtjes bij koeren?' stelde Adèle Bloemendaal voor.

'Ze hadden gelijk,' zegt De Gooyer. 'Bij dat soort scènes voel ik gêne. Vrijen voor de camera is een soort vrijen in het openbaar, met die crew om je heen. Ik kan er ook niet tegen als mensen in het openbaar zitten te vrijen. Doe ik nooit – kán ik ook niet. Misschien een gevolg van mijn gereformeerde opvoeding.' In zijn filmcarrière zijn ook maar weinig voorbeelden van amechtige liefdesscènes te vinden. Zelfs met Monique van de Ven – in de comedy *Hoge hakken, echte liefde* (1981) – ging het hem, naar eigen zeggen, moeilijk af. Hoewel de zoen met Cox Habbema, in de laatste shot van de rauwe gokfilm *Rufus* (1975), als de uitzondering mag worden beschouwd die de regel bevestigt. Frans Weisz heeft hem drieëntwintig jaar na *De inbreker* in *Hoogste tijd* opnieuw voor het blok gezet.

In karakteristieke rol als Gestapo-man in *The Lucky Star* met Rod Steiger (1980).

Met Gerard Thoolen in de tv-serie *In voor- en tegenspoed* (1994).

Twee keer zelfs in één film. Een intiem moment op de bank met de jonge actrice Camilla Siegertsz wordt door een peuter verstoord, maar in een scène waarin hij door een man oraal wordt bevredigd, is er geen ontsnappen aan. 'Ik heb maar een raar snoetje getrokken,' zegt hij.

Uit in Afrika

Aan *Schachnovelle* had De Gooyer meegewerkt toen hij in Berlijn woonde. Maar verder is er maar één buitenlandse productie geweest, waarvoor hij ook daadwerkelijk naar het buitenland moest: *The Wilby Conspiracy* (1975). Er werd gedraaid in Kenia, dat was het eerste goede nieuws. Het tweede was dat hij mocht spelen met een paar wereldberoemde acteurs: Sidney Poitier, Michael Caine en de grote Shakespeare-vertolker Nicol Williamson. Het verhaal speelt zich af tegen de achtergrond van de apartheid. Poitier, een zwarte verzetsstrijder, wordt op Robbeneiland gevangen gehouden tot de Zuid-Afrikaanse geheime dienst hem op een dag, tot zijn eigen verbazing, vrijlaat. Het motief is natuurlijk ook niet nobel. Ze willen hem volgen naar de leider van de verzetsbeweging, een zekere Wilby, die is uitgeweken naar Botswana. Met De Gooyer loopt het niet goed af. Hij is een van de agenten van de geheime dienst, die in Botswana, wanneer hij uit de helikopter springt om Wilby te arresteren, door inboorlingen wordt gelyncht.

Gezien het thema van de film was draaien in Zuid-Afrika zelf geen optie. Zoals het ook onmogelijk was om Zuid-Afrikaanse acteurs in te zetten. Maar de producent had een idee. Hij wist van de Nederlandse connectie met Zuid-Afrika en ging uit van de veronderstelling dat Nederlanders die Engels spraken wel eens hetzelfde konden klinken als Zuid-Afrikanen die dat deden. Een foute veronderstelling, maar dat ontdekten ze pas toen Rijk de Gooyer en Rutger Hauer al in Kenia waren. Regisseur Ralph Nelson had de films *Turks fruit* en *De inbreker* gezien, en hoewel een Nederlands castingbureau nog wel acteurs screende, stond zijn besluit eigenlijk al vast. De Gooyer speelde met Williamson de 'Jansen & Jansen' van de geheime dienst. Rutger Hauer kreeg een relatief kleine rol als playboy.

Het avontuur begon een week nadat zijn boerderij aan het Noorderpad was afgebrand. Aan de ene kant was dat lastig. Hij moest vrouw en kind achterlaten in een vreemd huis, tussen vreemde spullen. Aan de andere kant was het een cadeautje: gezien de staat waarin hij verkeerde, was elke kilometer weg van Giethoorn er één. En de twaalf draaidagen die hij had, waren comfortabel over twee maanden verdeeld.

Op een miezerige dag in februari vertrok hij met Rutger Hauer naar Londen om kostuums te passen en zijn haar te laten knippen. Heathrow was de vertrekbasis en de volgende middag zaten ze in het vliegtuig met bestemming Nairobi. *Business class*, zo ging dat met acteurs; de crew zat achterin.

Allereerst kwam de familie Caine binnengedruppeld. Caines tweede vrouw, een beeldschone zwarte dame uit Ghana, gevolgd door een blanke kinderjuffrouw met in een korfje een gekleurde baby. Daarachter liep de persoonlijke assistent van de filmster. Ten slotte verscheen Michael Caine zelf met een gezicht als een oorwurm. Rutger Hauer en De Gooyer keken elkaar aan. Dat beloofde nog wat te worden. De familie Caine had zich nog niet genesteld, of de familie Poitier verscheen ten tonele. Voorop Sidneys tweede vrouw, een beeldschone blanke ex-filmster, gevolgd door een zwarte kinderjuffrouw met in een mandje een gekleurde baby. Daarachter kwam de assistent, en als hekkensluiter Sidney Poitier. Het wachten was nu nog op de familie Williamson, dan kon het schoolreisje beginnen. Toen het vliegtuig al met draaiende motoren op de startbaan stond, kwamen ze binnen: Nicol voorop, gevolgd door een kinderjufrouw met een baby in een koffertje, daarna z'n vrouw. Allemaal blank – in het geval van Williamson zelfs akelig bleek.

Pafferig. Hij was bovendien stomdronken, plofte neer in de stoel voor Rijk de Gooyer en viel ogenblikkelijk in slaap. Toen het vliegtuig opsteeg, werd hij wakker en draaide zich om. 'Who the fuckin' hell are you?' zei hij.

De Gooyer zei dat hem dat geen flikker aanging. De herinnering aan Curd Jürgens was nog vers: als hij niet meteen terugsloeg, had hij er nog twee maanden last van. Williamson keek hem aan, knikte, en bestelde bij de steward twee glazen en een fles champagne. Toen ze in Rome een tussenlanding maakten, was de champagne op en waren de mannen de beste vrienden. In Nairobi stonden auto's klaar om hen naar Nanyuki te brengen, dat 250 kilometer noordelijker lag. Een geweldige tocht over de savanne, langs stoffige olifanten, om tegen het middaguur op de Mount Safari Club te arriveren, een super-de-luxe hotel met bungalows. Het *resort* – waarvan filmster William Holden de grootste aandeelhouder was, en prins Bernhard erelid – lag aan de voet van de Mount Kenya (5199 meter hoog), precies onder de evenaar, met temperaturen die stuiterden tussen de nul graden 's nachts en vijfentwintig graden overdag. Het complex had een eigen vliegveldje, de nodige tennis- en golfbanen, zwembaden...

De Gooyer had moeite zijn gezicht in de plooi te houden, zoals zijn collega's deden. Ze werden verwelkomd door regisseur Ralph Nelson en producent Marty Baum: een klein, roodharig mannetje met sproeten. Hij liep in een ridicuul Mexicaans pak, met dito hoed, en kauwde op de grootste sigaar die De Gooyer ooit had gezien. Een figuur uit een tekenfilm. Baum inspecteerde zijn acteurs. Hij vond ze te bleek. 'En Poitier dan?' slikte De Gooyer nog net in. Misschien was het beter als hij deze twee maanden eens rústig begon. Voor ze met draaien konden beginnen, moesten de acteurs een week aan het zwembad liggen. En als hij de smeulende puinhoop in Giethoorn nog niet vergeten was, dan kon het hier: aan de rand van zwembad met uitzicht op de besneeuwde top van de Mount Kenya. Nicol Williamson, Michael Caine en De Gooyer lagen naast elkaar. Caine in het midden. Een eindje verderop lag Baum, met een gezinsfles zonnebrandolie. De acteurs kleurden langzaam bruin; Baum werd zo rood als een kreeft.

Op het kleine vliegveld achter de Mount Safari Club beten ze de spits af, en werd er gerepeteerd voor de slotscène. De figuur Wilby zelf – de spin in het web – had slechts één regel tekst en werd gespeeld door Joe de Graaf, een hoogleraar van de universiteit van Nairobi. Hij was een lastpak die meer uit z'n rol wilde halen dan erin zat. Door hem schoten ze niet op. En op het moment dat geheim agent De Gooyer hem de boeien omdeed, met de handen tussen de benen, was het al tijd voor de 'lunchbreak', en hadden ze nog maar één instelling gemaakt. Voor straf lieten ze de hoogleraar zo staan, in de brandende zon. Pas toen regisseur Ralph Nelson op hem had ingepraat, konden ze verder. Zo'n draaiperiode zou het blijven: vol klein oponthoud en ongemak. Aan de andere kant zaten ze niet in Stadskanaal, zodat het leed was te overzien.

De eerste brekebeen was Michael Caine, die iets aan z'n oog kreeg. Hij vertrok naar Nairobi en moest twee dagen in het donker liggen. Twee dagen lagen de opnames stil. Rutger Hauer, die nog weken de tijd had voor hij aan de beurt was, besloot Mount Kenya te beklimmen. Williamson, Baum en De Gooyer lagen weer aan het zwembad. Toen Caine beter was, zetten ze zich aan de scène waarin een helikopter naar beneden getrokken moest worden. De 'fighting director', Bob Simmons, had hiervoor een week lang een aantal inlandse figuranten opgeleid.

In gevallen van 'risicovolle acties' was er voor Sidney Poitier een 'stand-in', een voor Idi Amin uit Oeganda gevluchte prins. Hem leek het wel aardig, zo'n baantje bij de film. Maar na een paar uur in de hete zon viel de glamourkant het hem toch tegen. Hij sprong in zijn witte Mercedes en was weg. Het zoeken was naar een tweede stand-in, maar de draaidag liep al ten einde: om vijf uur stond de zon te laag om nog te kunnen draaien. Sidney Poitier, die de volgde dag moest aantreden, liet via de opnameleider weten aan de diarree te zijn, zodat er weer een dag open lag. Nicol Williamson en zijn vrouw besloten met De Gooyer op safari te gaan. Luchtsafari. Vanuit een gehuurd vliegtuigje nijlpaarden kijken in Lake Naivasha. Vervolgens overdadig lunchen en weer terug naar de Mount Safari Club. Daar bleek Poitier nog steeds aan de diarree te zijn, zodat het drinken kon worden voortgezet. Niemand hoefde vroeg op.

De raspaardjes Caine en Poitier waren juist weer op de been, toen producent Baum de regisseur Ralph Nelson ontsloeg. Die had volgens hem een scène verkeerd gedraaid. Tot vervanger Eli Kazan overgevlogen zou zijn, nam de assistent-regisseur het over. Wonderlijk genoeg staken Caine en Poitier geen vinger voor Nelson uit. Terwijl Poitier met *Lilies of the Field* (1963) nog een Oscar aan hem te danken had. Alleen Williamson was ondubbelzinnig.

'Als Ralph weg moet, ga ik ook!'

'Als jij dat doet, breek ik al je botten!' riposteerde Marty Baum.

'Vuile vieze Oostenrijkse SS'er, ik heb betere advocaten dan jij!' Beide mannen liepen boos weg, en Nelson zat als een kind te huilen aan de bar. Het eind van het liedje was dat, dankzij Williamsons onverzettelijkheid, Nelson mocht blijven.

Iedereen leek er uiteindelijk klaar voor te zijn, de kwaaltjes en misverstanden waren weggemasseerd, toen De Gooyer op het idee kwam de crew eens te bezoeken. Die zat twee mijl verderop, in een wat bescheidener onderkomen. Hij deed direct mee met een truc met lege bierflesjes. Met in iedere hand een flesje moest je vooroverbuigen, steunend op de flesjes, die je steeds verder naar voren schoof. Uiteindelijk was het de truc om één flesje los te laten, waardoor je volle gewicht op het andere steunde. Dat was de hele avond bij iedereen goed gegaan, maar uitgerekend bij Rijk de Gooyer brak het flesje. Een fontein van bloed spoot uit zijn polsslagader. In een hobbelende landrover ging het naar het dichtstbijzijnde noodhospitaal, drie kwartier verderop, waar de wond door een vrouwelijke Engelse arts zonder verdoving werd gehecht.

Terug aan de bar, met een whisky tegen de pijn, begon de wond weer te bloeden, en kon de tocht opnieuw worden ondernomen. Ditmaal kwam hij terecht bij een Pakistaanse arts. Die maakte de

Met Michael Caine en Nicol Williamson in *The Wilby Conspiracy* (1975).

wond open en kwam tot de ontdekking dat 'die Engelse trut', zoals hij zijn collega aansprak, de slagader niet had dichtgebrand. Dat gebeurde nu wel, en de arts raadde hem aan een tijdje rust te nemen. Wat slecht uitkwam, want uitgerekend de volgende dag moest hij met getrokken pistool uit een landende helikopter springen. Maar wie dan leeft, dan zorgt. In het hotel ging hij op bed liggen, nam een flinke slok whisky en viel in slaap. Nog geen vijf minuten later stonden regisseur Nelson en de Engelse co-producent aan zijn bed. Ze schudden hem wakker en ontsloegen hem op staande voet. De whiskyfles namen ze mee met de mededeling dat hij zijn roes kon uitslapen in het vliegtuig terug naar Nederland. Het drong allemaal maar half tot hem door. Ook toen ze een uur later weer aan het voeteneinde van zijn bed stonden. Ditmaal met de boodschap dat hij toch mocht blijven als hij beloofde de rest van de productie niet te drinken. De wond zou verdoezeld worden met een zwartleren handschoen. Iets wat het nog luguberder maakte.

Het idee dat ze hem echt wilden ontslaan, heeft hij overigens nooit serieus genomen. Na acht draaidagen, met Poitier en Williamson, en driehonderd figuranten, zet je een acteur niet zomaar uit een film. Wat dat betreft is het cynisch: een regisseur is vervangbaar, een acteur eigenlijk niet. Elke draaidag begon met hetzelfde ritueel. Een stoet auto's die vertrok uit het *resort.* Poitier in de eerste, Caine in de tweede, Williamson en De Gooyer in de derde. Daarachteraan de open truck met de figuranten, als haringen in een ton. Dat was niet alleen een onwrikbaar hiërarchisch gegeven, het had ook een functie: risicospreiding. Toen Hauer eindelijk zijn scène had, fladderde hij tussen de wagens op en neer: 'Kan ik niet met jou meerijden?' Poitier schudde het hoofd. 'Ik kan wel jou?' Caine draaide geïrriteerd het raampje dicht. 'Mag ik dan hierbij?' In de wagen van Willamson en De Gooyer mocht hij instappen.

De laatste week van hun verblijf in Kenia zaten ze in de hoofdstad Nairobi om een scène op te nemen in het gerechtsgebouw, waar Poitier na acht jaar gevangenschap als Zuid-Afrikaans verzetsstrijder zou worden vrijgesproken. De Gooyer en Williamson hoefden alleen maar even 'naar de camera te grijnzen', zoals De Gooyer dat formuleert. Een 'KZD'tje'. Het was dan geen Zuid-Afrika. Maar dat Kenia en vooral Nairobi wat rassenscheiding betreft ook zijn partijtje kon meeblazen, ondervond Sidney Poitier als eerste. Hij vroeg aan een Britse dame die met een tennisracket liep, of er een goede vereniging in de buurt was; hij was zelf een verwoed tennisser. Ze deelde hem beleefd mee dat er op dit ogenblik geen vraag was naar ballenjongens, maar dat hij zijn naam en adres bij haar mocht achterlaten voor het geval dat. Een staaltje van het omgekeerde maakte de acteurs mee op de dag voor hun vertrek. Ze waren door president Kenyatta en zijn ministers uitgenodigd voor een koud buffet in hotel Intercontinental.

Op de parkeerplaats wemelde het al van de witte Mercedessen toen ze aankwamen. Binnen werd de groep door Marty Baum aan alle leden van het kabinet voorgesteld. De president sprak een welkomstwoord. Hij hoopte dat de Amerikaanse filmindustrie nog veelvuldig gebruik zou maken van zijn mooie land. Waarop Poitier iedereen, namens de acteurs, bedankte voor hun grote gastvijheid. Het applaus was nog niet verstomd of de ministers en hun vrouwen stortten zich vol op de drankjes – het koud buffet bleef onaangeroerd. In een recordtijd was het hele corps diplomatique strontlazarus, en nu klonken er heel andere geluiden. Dat ze een bloedhekel hadden aan blanken, en hoopten dat ze zo snel mogelijk zouden opsodemieteren. Toen een kwartier later het hoofd van de politie met zijn pistool begon te zwaaien, uitroepend dat hij ze het liefst allemaal af zou schieten, besloot de cast van *The Wilby Conspiracy* maar eens op te stappen. De president verontschuldigde zich voor het gedrag van zijn ministers en zwaaide hen uit. De volgende ochtend vlogen ze met East African Airlines terug naar Londen.

Het was een wonderlijke ontknoping van een samenwerking die eigenlijk heel goed was verlopen, juist met alle zwarte figuranten. In the Pinewood Studio's, waar ze de film afrondden, schudde De Gooyer nog de hand van zijn jeugdidool Richard Widmark, die er *Murder on the Orient Express* aan het draaien was. Op hun set hing nog de lome sfeer die herinnerde aan Kenia. 'Piedie, peesie, polly, polly, wattie, wattie!' riep iedereen te pas en te onpas. Dat was de uitroep geweest waarmee de opnameleider – een in Nairobi geboren Engelsman – de honderden zwarte figuranten bij de les had gehouden. 'Piedie, peesie, polly, polly, wattie, wattie' – de spelers hadden het zó vaak gehoord dat ze het niet meer uit hun hoofd konden krijgen. Tot een kenner van het Swahili hun vertelde wat het betekende: 'Hou je kop dicht, of ik schop je voor je kloten.'

De snorrende publiciteitsmachine

Het idee dat zich nu een internationale carrière begonnen af te tekenen, plus het feit dat onderhandelen en nee zeggen niet zijn sterkste punten waren, deden hem besluiten een manager te nemen. De aangewezen persoon daarvoor had hij al vaker in Scheltema ontmoet: Gerard van Lennep. Een zeer matige drinker, geen roker. Maar wel een autocoureur en rallyrijder, wat hem in de ogen De Gooyer geschikt maakte voor bijna álles. Voor Rijk de Gooyer was racen een jongensdroom die nooit was uitgekomen. In de jaren vijftig had hij paar keer met zijn eigen Porsche op Zandvoort gereden, maar brood zat er niet in. Sponsoring bestond nog nauwelijks; een paar nieuwe Vredestein-bandjes kon je krijgen, en hij was veel te kien op zijn eigen wagen: hij ging de bochten in alsof die van porselein was. En dat tussen alle rijkeluiszoontjes die niet op een krasje keken. Sindsdien is het bij het bezoeken van de formule-1-klasse gebleven – Monaco, de Nürburgring, Monza, Francorchamps, Le Mans – achter de hekken, met een biertje in de hand.

Van Lennep deed het dus wel en bezat bovendien een winkel in racebenodigdheden in de P.C. Hooftstraat. Ervaringen als manager had hij nauwelijks: hij had een paar jaar Ramses Shaffy begeleid – voorzover die te begeleiden was – en de smaak van het werk te pakken gekregen. Een paar kwaliteiten hadden hem voor De Gooyer ingenomen. Hij was op een top een heer, rechtdoorzee – 'ik vraag tien procent, net als in Amerika,' – en voortvarend. Hij stippelde een artistieke koers voor De Gooyer uit. 'Blijf een tijdje weg bij de televisie,' zei hij. 'Daar slijt je van.' Dat gold in de eerste plaats voor quizzen, en gastoptredens in shows. Maar ook voor de lokroep van de vele dramaseries die er werden gemaakt en waar 'iedereen in zat'. *De fabriek* bijvoorbeeld, de TROS-serie waarin hij de rol van directeur had kunnen spelen (in plaats van Rudi Falkenhagen), en de KRO-serie *De weg*, waarvoor hij als de grote aannemer was gevraagd (het werd André van den Heuvel).

De Gooyers eigen 'rookmelder' was vaak al afgegaan, meestal omdat de scripts rammelden, een bekend Nederlands probleem, en Van Lennep gaf dan graag het laatste duwtje. In het geval van *De weg* was het uiteindelijk een wisseling in de cast (acteur Hans van Tongeren had zelfmoord gepleegd) die De Gooyer deed besluiten af te zeggen. Rijkelijk laat, volgens producent Joop van den Ende, die hem onmiddellijk op de zwarte lijst zetten. De twee hebben sindsdien ook nooit meer samengewerkt.

Maar ook op films waren ze kritisch, de manager en de acteur. In hun beginperiode werd meteen *Het jaar van de kreeft* (1975) afgezegd. Om het script, waar De Gooyer weinig mee had. En om de regisseur, Herbert Curiël, in zijn ogen een 'vriendelijk warhoofd – meestal stoned'. Het feit dat Piet Römer erin meespeelde, zal ook geen aanbeveling zijn geweest. Rutger Hauer kreeg de rol. Met een snorretje om hem ouder te doen laten lijken.

Ook Herman van Veens *Uit elkaar* (1979) viel af. Toen bleek dat er voor de film niet echt een script was – alleen een groot vertrouwen in het improvisatievermogen van de acteurs, liet de manager weten dat de heer De Gooyer geen tijd had. Joop Doderer kon gelukkig wel. Zo bouwden acteur en manager aan een indrukwekkende 'schaduwcarrière' van geweigerde films en series. Maar Gerard van Lennep stelde daar wel wat tegenover. Hij produceerde blijspelen als *Quitte of dubbel* en *Boeing Boeing*, om de toneelkant van De Gooyer te onderhouden, en was tegelijkertijd zo slim om door de TROS registraties te laten maken. Bij ander televisiewerk dat gewoon doorging, zoals de *Johnny en Rijk-show*, kwam in de onderhandelingsfase nu de witte Jaguar van de manager voorrijden. Een tweedehandsje, maar toch, het maakte indruk.

Op tal van terreinen maakte de manager zich nuttig. Maar Van Lennep bezat ook zijn eigenaardigheden. Zo hoefden opdrachtgevers het niet in hun hoofd te halen te gaan marchanderen – af te dingen. Een heer onderhandelt niet. Toen Frans Weisz *Leedvermaak* ging draaien en daarbij een beroep deed op De Gooyer, ketste dat bijna af op het geld. Elke acteur kreeg per draaidag hetzelfde bedrag. Jong of oud, verbonden aan Toneelgroep Amsterdam of freelance. 'Kijk aan,' zei Van Lennep. 'Dat is dan spijtig, maar dan zult u naar een alternatief voor de heer De Gooyer moeten uitzien.'

En een heer val je niet voor elk wissewasje lastig. Zeker niet op zaterdagavond. Dan zit Van Lennep aan de bouillabaisse. Toen Toneelgroep Amsterdam-regisseur Leonard Frank hem in paniek belde op een zaterdagavond, omdat hij een vervanger voor Han Römer zocht in het stuk *Rijgdraad* (1995) van Judith Herzberg, reageerde de manager dan ook korzelig. 'Belt u maandag maar eens terug.' Hetzelfde weekend had Frank een andere vervanger gecontracteerd. En dat was jammer, want de rol waar het om ging had Rijk de Gooyer niet alleen graag gespeeld, hij had er ook bijna octrooi op. In de film *Leedvermaak* had hij hem al voor zijn rekening genomen, en later in *Qui Vive* (2001) – een afgeleide van *Rijgdraad* – zou hij hem wéér krijgen. Overigens bleef dit een van de zeldzame valse noten in ruim vijfentwintig jaar samenwerking, en is de winkel in racebenodigdheden aan de P.C. Hooftstraat inmiddels uitgegroeid tot een volwassen artiestenbureau.

Adviezen kwamen van alle kanten, gevraagd en ongevraagd. Als het over de roddelpers ging bijvoorbeeld. Die kon je schofferen, wat De Gooyer met verve deed. Maar beter was het om aan je *product* te denken, en aan alle mensen die daarbij betrokken waren. 'Rijk, luister nou,' zei een bevriende acteur, 'je moet de bladen benútten – naar je hand zetten.' Voor De Gooyer een onnatuurlijke situatie. Hij had het wel geprobeerd, met een glimlach en een babbeltje, maar hij had ook vaak zijn trekken thuisgekregen. Hij was voor de roddelpers natuurlijk een dankbaar onderwerp: vechtpartijtjes, beledigingen, diepzeeduiken, een gebroken arm, een val uit een hotelraam – het werd allemaal breed uitgemeten, en elke keer was hij weer 'ternauwernood aan de dood ontsnapt'.

Net in de tijd dat De Gooyer het advies kreeg om wat tactischer met de bladen om te gaan, had hij het contact met Henk van der Meyden met een practical joke gesmoord. Van der Meijden had een club geopend aan het Leidseplein, Club Privé, en De Gooyer was er met zijn vriend Lex Daniëls heen gewandeld. In de Leidsestraat vertelde hij Lex een verhaal dat hij net in de kroeg had gehoord, over een vrouw die kreeftcocktail maakt voor een diner bij haar thuis. Daarbij laat ze iets van het aanrechtblad vallen, dat door de kat wordt opgesmikkeld. De volgende avond, als de gasten de cocktail achter de rug hebben, met complimenten aan de kok, ziet ze buiten op het terras de kat liggen. Dood. Wat te doen? Ze besluit het haar gasten te vertellen, die in paniek met z'n allen naar het ziekenhuis gaan. Daar worden de magen leeggepompt. Einde feestje. Als de gastvrouw doodmoe thuiskomt, gaat de telefoon. Het is de buurman. Hij heeft aan het begin van de avond per ongeluk haar kat doodgereden – het spijt hem verschrikkelijk, maar omdat ze visite had, heeft hij het beest zolang op haar terras gelegd.

Lex Daniëls dacht na. 'Als we dat verhaal nou eens aan Van der Meyden vertelde,' zei hij, 'maar dan alsof het Ton van Duinhoven en Ina van Faassen was overkomen?' Aardig idee, maar het kon sterker. Want als Van der Meyden het verhaal nou eens zou checken, je kon niet weten. Dan prikte hij er onmiddellijk doorheen. Dus besloten de mannen het grondiger aan te pakken. Daniëls ging naar binnen, De Gooyer maakte rechtsomkeert naar Giethoorn. 's Ochtends om negen uur al ging de telefoon. Het was Henk.

'Wat vervelend van jullie feestje, hè?' zei hij.

'Welk feestje?' vroeg De Gooyer.

'Nou, dat van de bedorven kreeft en die dode kat, en al die notabelen uit Giethoorn die naar het ziekenhuis in Meppel hebben gemoeten om hun maag leeg te laten pompen. Zelf de burgemeester, heb ik begrepen.'

'O, dát feestje,' zei De Gooyer achteloos. Daniëls had zijn werk goed gedaan.

'Dat zal je gebeuren,' zei Van der Meyden.

'Zeg dat wel,' zei De Gooyer. 'Maar wees zo vriendelijk: publiceer het niet. Da's zo vervelend voor al die mensen. En zo belangrijk is het niet, toch?'

'Natuurlijk niet,' zei Van der Meyden. 'Verder nog nieuws?'

'Geen nieuws,' zei De Gooyer.

De heren hingen op en de volgende dag stond het breeduit in *De Telegraaf*: 'Rijk, de party en de kreeft'. De eerste die bij De Gooyer aanbelde was de buurman. Hij snapte er niets van. De De Gooyers hadden geen kat – hijzelf had geen auto. Laat staan dat die twee elkaar noodlottig getroffen hadden. Vervolgens belde de burgemeester. Hij had die avond toch echt in een raadsvergadering gezeten, en niet op een feestje, zoals zijn vrouw nu bij hoog en bij laag beweerde. Of De Gooyer dat kon rechtzetten? En ten slotte belde ook het ziekenhuis in Meppel. Daar werden ze bestookt met vragen, terwijl ze van niks wisten.

Rijk de Gooyer gaf iedereen hetzelfde antwoord. 'Voor mij is het ook een raadsel, bel *De Telegraaf* maar.' Het balletje was inmiddels gaan rollen, en ook andere kranten besteedde aandacht aan het incident. Van der Meyden was woedend. Een jaar lang draaide hij zijn hoofd om als hij het grijnzende gezicht De Gooyer op een opening of receptie zag. Uiteindelijk ontdooide hij een beetje, en bood hij de acteur zelfs een whisky aan.

'En?' vroeg hij, 'nog nieuws?'

'Zeker,' zei De Gooyer. 'Volgende week vertrek ik naar Kenia om een film te maken met Sidney Poitier en Michael Caine.' Van der Meyden draaide zich kwaad om en beende weg. De volgende dag stond het in *Het Parool* en niet in *De Telegraaf*. En deze keer was het waar.

XIII

Breitner en de prins

Zwarte Piet

De 'Weisz-De Gooyer-Express' lag op koers om door te stomen naar weer een nieuwe film: *Heb meelij, Jet.* Maar dit keer ging er iets helemaal mis. De drie constanten, producent, regisseur en acteur, zaten samen om de tafel. Het uitgangspunt was een verhaal van Heere Heeresma: 'Geef die mok eens door, Jet.' Twee ouwe makkers zoeken elkaar na jaren weer eens op om samen een borrel te gaan drinken. Maar het loopt gezellig uit de hand: oude tijden herleven, en als ze na dagen pas terugkeren bij hun vrouw zijn ze hun laatste wilde haren kwijt. Twee makkers. Eén werd er gespeeld door Rijk de Gooyer – wie moest de andere zijn? De Gooyer wist het wel: Johnny Kraaykamp. Maar dat leek de producent geen goed idee. De associaties met het televisieduo zouden te groot zijn. Op een avond belde Frans Weisz De Gooyer thuis op. 'Het is geregeld,' zei hij, 'we hebben Piet!'

Misschien heeft elke acteur wel een stieftweelingbroer of -zus. Iemand die opduikt op dezelfde audities, voor dezelfde rollen – die als een schaduw meebeweegt. Voor De Gooyer was dat Piet Römer. Steeds als hij zich omdraaide, zag hij Römer net wegschieten achter de bosjes. 'Die man deed mij na – wilde op me lijken.' En mischien leken de mannen ook wel een beetje op elkaar, in hun jonge jaren. 'Als ik geen zin had in een rol als pooier in *Wat zien ik?*, dan mocht Piet. Zo simpel was het. Piet was tweede keus,' zegt De Gooyer. Maar blijkbaar niet voor Frans Weisz en producent Rob du Mée. Die waren al naar Benidorm geweest, waar Piet Römer aan het strand lag, en de contracten waren getekend. Kortom, het was een voldongen feit.

'Dan doe ik niet meer mee,' zei De Gooyer.

'Niet zo kinderachtig, Rijk.' Weisz wist hem zover te krijgen dat hij het zou proberen. Misschien liep het wel los. Probleem was alleen dat het niet zómaar twee rollen in een film waren. De twee mannen deelden lief en leed, trokken elke scène met elkaar op, sliepen samen in een hooiberg... Wat dat betreft was er geen ontkomen aan. Bij de proefopnames ging het al mis. Weisz maakte wat proefshots van de twee mannen. Hij wilde een indruk krijgen: hoe verhielden de twee zich tot elkaar? Hij gaf kleine opdrachtjes. 'Rijk, jij loopt naar buiten, Piet loopt achter je aan.' De Gooyer liep naar buiten. Maar wie kwam er met grote passen langs hem heen en drong hem opzij... 'Piet, áchter Rijk blijven! Je hoort toch wat ik zeg?!' Hij zette ze naast elkaar neer. Twee buddy's, *en face.* 'Rijk, grijp Piet eens vast!' zei hij. De Gooyer aarzelde. Maar Römer, de brede Jordanese man, greep zijn filmgabber onmiddellijk bij zijn middel. 'Zo jongen!' zei hij en schudde hem eens flink door elkaar.

Weisz zag door zijn lens hoe De Gooyer verstijfde. 'Wat zéi ik nou, Piet!' riep hij. 'Wil je dat nooit meer doen. Ongevraagd!' Maar het kwaad was al geschied. Frans Weisz had De Gooyer leren 'lezen'. Hij was de regisseur die al wist dat zijn acteur van de trap ging vallen voordat hij viel. De volgende ochtend, in het Olympisch Stadion, zouden de opnames beginnen. Maar zonder Rijk; Weisz vóelde dat hij er niet zou zijn. 'Wat dat betreft is het net een raspaardje,' zegt hij nu. 'Als hij denkt dat een hindernis te hoog is, weigert ie.' Het raspaardje zat inmiddels aan de bar op De Kring, achter een whisky. Te mokken. Dit zou slaande ruzie worden – hij had er nooit aan moeten beginnen. Hoe kon hij zo stom zijn geweest. De eerste drie glazen zaten er zo in.

Frans Weisz had één idee. Als hij De Gooyer de volgende ochtend aan de start zou krijgen, en het hem lukte hem de acteur door de eerste draaidag door te slepen, dan was het project misschien gered. Op straat kwam hij Wim Wagenaar tegen, een vriend van De Gooyer, en die had een idee. De Gooyer logeerde tijdelijk in het Lido, voor de grap, omdat Wagenaar het een jaar had gehuurd: het gebouw stond leeg. Vanavond zou hij de dronken acteur naar zijn kamer brengen en de deur op slot doen. Hoefden ze hem de volgende dag alleen maar op te komen halen. Zo gebeurde het dat Wagenaar in De Kring een stontvervelende De Gooyer trof, ver boven z'n theewater, die hij omzichtig op hem inpratend naar het Lido en naar zijn kamer bracht. 'Ja, Rijk, Piet Römer is inderdaad een proleet, kom nou maar.'

De volgende ochtend ging de telefoon bij Frans Weisz. Er was iets verschrikkelijks gebeurd. Rijk was uit een raam van het Lido gevallen en lag in het ziekenhuis. Hoofdwond, ribben gebroken, en wat veel erger was: hij had een rugfractuur. Het had maar weinig gescheeld of het had een dwarslaesie gehad. De Gooyer was naar eigen zeggen wakker geworden, niet begrijpend wat er gebeurd was, had de deur op slot aangetroffen, en was via de regenpijp een stukje naar beneden geklommen. Het was namelijk nog geen vijf uur, De Kring was nog open.

Weisz toog naar het ziekenhuis, en vond De Gooyer in een bed – tot zijn borst ingepakt in het gips. 'Zo Rijk,' zei hij. 'Was het je *dit* waard om niet met Piet in een film te hoeven staan?' Er kwam een zuur lachje terug. Voor de film werd alsnog Johnny Kraaykamp aangetrokken. Römer nam de plek van De Gooyer in. Het zou bijna vijftien jaar duren voor Frans Weisz en Rijk de Gooyer met *Leedvermaak* de draad weer zouden oppakken.

Variaties op een flop

'Hoe kieskeurig je ook bent,' zegt Rijk de Gooyer, 'als je in zoveel films zit, zijn er maar een paar uitschieters. De rest zijn flops.' Hij ziet daarbij een groot middengebied over het hoofd. De film *Rufus* (1975) van regisseur Samuel Meyering bijvoorbeeld, deed het niet goed, maar bezat een aantal kenmerken die nog niet eerder in een Nederlandse film waren vertoond. *Rufus* is een gokfilm die zich af-

In de film *Geen paniek*, geschreven door Kees van Kooten.
Links Eddie Constantine, rechts John Kraaykamp (1973).

speelt in de Haagse onderwereld, met de duistere sfeer van een oude Franse policier. Een beetje *De inbreker* voor gevorderden, ook omdat er overtuigend in werd geknokt. Dat laatste was te danken aan de 'fighting director' Bob Simmons – in die periode vast verbonden aan de James Bond-films – die ze op aanraden van De Gooyer hadden aangetrokken. De twee kenden elkaar van *The Wilby Conspiracy.*

Maar ook een flop kent variaties. Om te beginnen vallen flops uiteen in 'verdiende flops' en 'onverdiende flops'. Waarbij de verdiende flops – als recensenten en bezoekers in hun gelijk staan – zich weer onderscheiden in 'jammerlijk verdiende flops' en 'dubbel en dwars verdiende flops'. Het eerste geval heeft altijd iets sneus. In het laatste geval is er sprake van opzet. Broddelwerk. Ze zijn ontstaan uit de beste bedoelingen maar het gevolg van vage beloftes, misverstanden en tegenslag. *Geen paniek* (1973) was daar een voorbeeld van. Het was eerste echte Johnny en Rijk-film, en het eerste deel van een ambitieus drieluik. Hoewel de makers van het vervolg hebben afgezien. Kees van Kooten schreef het scenario. Althans, de afspraak was dat hij een opzetje zou maken, en dat een Brit, een vakman, het werk van hem zou overnemen (vage belofte). Zo had producent Gijsbert Versluys het voorgespiegeld, maar van die Engelsman (tegenslag) is nooit meer iets vernomen.

Van Kooten heeft toen in korte tijd het hele scenario herschreven, en op het laatste moment weer helemaal moeten omgooien (misverstand), omdat ineens de in Frankrijk woonachtige Amerikaanse acteur Eddie Constantine een gastrolletje kwam spelen, dat goed moest worden uitgebuit. Met pijn in het hart gaf Van Kooten het script uiteindelijk af. Hij vond het niet goed – het wás ook niet goed, maar het enthousiasme van regisseur Koedijk verzachtte veel. Die zou er een knaller van maken. En Koedijk was een vakman, daar twijfelde niemand aan. Zijn reclamefilmpjes voor Vrumona (met Johnny en Rijk) en Paturain (met alleen De Gooyer) waren een succes. Een speelfilm regisseren is alleen iets heel anders dan een reclamespot, dat werd al snel duidelijk. De eerste drie minuten zijn nog veelbelovend. Kraaykamp wordt uit een minigevangenis – een oude watertoren – ontslagen door een ontroerde cipier, om te worden opgepikt door zijn oude vriend Rijk in een walmende amerikaan. Daarna zakt het in.

'Bij deze film wist ik al tijdens de derde draaidag dat het niets zou worden. Dat is vroeg. Meestal zie je het pas bij de voorvertoning. Koedijk vond het prachtig. Die bleef maar lachen. "Zullen we deze scène overdoen?" vroeg ik. "Nee jongens, geen denken aan!" zei die dan. Hij vond het allemaal fantastisch.' De Gooyer geneerde zich zo dat hij tijdens de première, vlak voor de aftiteling, wegglipte naar De Kring. Wat hij daarmee ontliep, kon hij heel goed uittekenen. 'Normaal gesproken word je naar voren geroepen en moet je buigen. Als een film goed is, wordt de afstand die je aflegt naar voren al begeleid door applaus. Eenmaal op het podium klappen ze nóg. Bij *De inbreker* was er een staande ovatie van tien minuten. Maar bij een slechte film houdt het applaus halverwege je tocht naar voren op, en beklim je in doodse stilte het toneel. Schaapachtig neem je dan het gebruikelijke geschenk, een fles jenever, in ontvangst, uit handen van twee Hollandse kaasmeisjes. Die afgang wilde ik mezelf een keer besparen.'

Wat een flop doet met het ego van acteur? 'Slechte films betekenen een aanslag op je ijdelheid,' zegt hij. 'En ijdelheid is geen enkele acteur vreemd. Acteurs die zeggen dat ze het vervelend vinden om op straat herkend te worden, liegen. Dat zijn de acteurs die 's avonds, als ze met hun auto voor het stoplicht staan, de binnenverlichting even aandoen in de hoop herkend te worden. In de Nieuwmarktbuurt waar ik woon, loopt een Surinaamse junk rond. Hij weet m'n naam niet, maar weet wel dat ik bekend ben. Daarom begroet hij me altijd met: "Dag, meneer bekend acteur." Herkenning is ook een vorm van succes. Mies Bouwman zei ooit: "Als je elke dag een koe op de televisie brengt, is het binnen een maand een populaire koe." Dat is het goeie nieuws over elke flop.'

Soldaat van Oranje

In *Soldaat van Oranje* (1977) kreeg Rijk de Gooyer te maken met een regisseur die in ongeveer alles het tegenovergestelde was van Weisz. Paul Verhoeven. Een vakbekwaam regisseur, maar humorloos en keihard, voor zichzelf en zijn acteurs. De sfeer op de set was om te snijden. In de populairste Nederlandse film sinds *Turks fruit* kreeg De Gooyer de rol van de SD-man Breitner, die met zichtbaar genoegen verzetman Jan (Huib Rooymans) tot een bekentenis dwingt. Dat kun je aan hem overlaten. Maar volgens Verhoeven gebeurde dat op de repetities niet overtuigend genoeg.

Huib Rooymans als verzetsheld op de voorgrond en De Gooyer aan het werk als Gestapo-man in *Soldaat van Oranje* (1977).

'Ik moest hem met de zijkant van m'n hand op de onderkant van zijn rug slaan,' zegt De Gooyer, 'daar waar z'n nieren zitten.' Verhoeven begon meteen te schreeuwen. 'Ik wil dat je hem écht slaat – je moet hem goed raken, verdomme! Hij moet echt gillen.' En De Gooyer schreeuwde terug: 'Lesje anatomie, Paul! Dan sla ik zijn nieren kapot.' 'Kan me niets schelen! Je doet wat ik zeg, anders donder je maar op!' Zo ruzieden ze door. Met als eind van het liedje dat Rijk de Gooyer Rooymans wel sloeg, maar net ónder de nieren. Dat deed ook pijn, maar kon minder kwaad. Verhoeven was een sadist. Tot die vaststelling was De Gooyer gekomen. En bij andere scènes zou de spanning tussen acteur en regisseur alleen maar toenemen.

Iemand die dat mooi van een afstandje kon zien was de kabelsjouwer, het hulpje op de set: Maarten Spanjer.

Cameraman Joost Vacano was een humorloze figuur, een Duitser die absoluut niet van De Gooyer en zijn grappen was gediend. Dat werd er niet beter op toen De Gooyer een alarmpistool bij zijn oor had afgeschoten. 'Met die kerel werk ik niet meer,' riep Vacano. Dat was lastig, want ze móesten nog een paar scènes. Dankzij de overredingskracht van Verhoeven stemde Vacano erin toe in ieder geval nog de belangrijke 'folterscène' draaien. Breitner moest hierin verzetsman Jan door middel van een klysma tot een bekentenis zien te dwingen. De opnames vonden plaats in een kelder in Den Haag. En toen De Gooyer om negen uur stipt op de set verscheen, lag Rooymans al voorover vastgebonden, met z'n broek op zijn schoenen – de witte billen in de lucht. De klassiek geschoolde acteur. Ze voerden hem een kopje koffie.

De Gooyer schoot in de lach.

'Wat valt er te lachen!' riep Verhoeven meteen. 'Ik zou je maar een beetje inhouden vandaag, De Gooyer!' De sfeer zat er al goed in. Het 'inbrengen' van de slang hoefde de SD-man niet zelf te doen. Dat was de taak van een Duitse soldaat, een 'tonhauser' zoals ze op de set werden genoemd. Alle figuranten werden namelijk geleverd door het figurantenbureau Tonhausen. Op een teken van De Gooyer moest de tonhauser de slang tussen de billen van Rooymans steken en zogenaamd de kraan openzetten. De man was bloednerveus en beefde als een riet – hij had zich bij het van huis gaan waarschijnlijk ook een andere rol voorgesteld. De slang zat in ieder geval niet klemvast en viel er weer uit. 'Je kan het nu nog zeggen, Huib,' snerpte de stem van De Gooyer. 'Wat wil je? Super of normaal?' De aanwezigen barstten in lachen uit, maar Verhoeven was woedend. 'Grappen bewaar je maar voor in de kroeg!' Na de zoveelste mislukte take probeerde De Gooyer het zelf – nu alleen voor de cameraman uit München. 'Die Drei von der Tankstelle!' schalde hij, naar de beroemde film met Heinz Rühmann en Theo Lingen. Het gezicht van Vacano bleef strak in de plooi.

Tijdens het monteren van de film ontdekte Verhoeven iets van het geheim dat met De Gooyers acteertalent te maken heeft. SD-man Breitner stond in een scène op de achtergrond een kopje koffie te drinken. Als beeldvulling, het ging om de dialoog ervóór. Maar louter door zijn aanwezigheid – de manier waarop hij daar stond, het lepeltje uit zijn kopje nam, even op het schoteltje legde en een slok nam, was er van de dialoog op de voorgrond niets meer te volgen. Als kijker werd je blik onmiddellijk naar achteren gezogen. Voor Verhoeven was er weinig meer aan te doen: het materiaal was gedraaid. En ook als les voor de toekomst had het weinig waarde. De twee mannen zouden nooit meer samenwerken.

De duurste Nederlandse speelfilm tot dan toe werd een grote hit. En op de première waren ook Hare Majesteit koningin Juliana en prins Bernhard aanwezig. Er werden handjes geschud. Paul Verhoeven stelde de cast aan het koninklijke paar voor. De verzetsstrij-

'Hoe kúnt u zo'n rol spelen?' Rechts regisseur Paul Verhoeven. *Foto Benelux Press*

ders voorop, dat spreekt – met Jeroen Krabbé stond ze uitgebreid en zeer geanimeerd te spreken – maar uiteindelijk kwam ook De Gooyer aan de beurt. De foto waarop hij Juliana de hand schudt, verscheen de volgende dag in enkele kranten. Voor Eelke de Jong, in de brievenrubriek 'Beste jongens' in de *Haagse Post*, was het meteen onderwerp van spot. 'Wat een onderdanige foto,' schreef hij. 'Ik heb lange tijd verbaasd naar je schijnheilige tronie zitten staren. Zo schijterig, onderdanig, serviel, heb ik je nog nooit gezien.' Waarop De Gooyer per brief antwoordde dat Hare Majesteit hem op dat moment net had gevraagd of hij ene Eelke de Jong kende. 'Het schaamrood steeg me naar de kaken. Ik wist namelijk dat jij een grote hand had gehad in de beruchte foto van prinses Beatrix en Claus von Amsberg in de bossen van Drakesteyn!'

Dat was overigens niet gelogen. Op 1 mei 1965 had verslaggever Eelke de Jong samen met fotograaf John de Rooij de prille romance voor *De Telegraaf* vastgelegd. Voor de ouders aanleiding het nieuws naar buiten te brengen: er was inderdaad sprake van een verlovingskandidaat, maar de twee hadden tijd nodig om een weloverwogen beslissing te maken. 'Als u De Jong nog eens ziet,' had de vorstin zogenaamd tegen Rijk de Gooyer gezegd, 'wilt u hem dan vragen of hij ons alsnog een afdrukje wil sturen? Dat heeft ie indertijd beloofd.'

In het echt ging het zo.

'Wie bent ú in de film?' vroeg koningin Juliana.

'De SD-man Breitner, Majesteit,' antwoordde de Gooyer.

'Ach natuurlijk,' zei ze. 'Wat afschuwelijk. Hoe kúnt u zo'n rol spelen?' Waarop prins Bernhard met een vileine grijns op z'n gezicht: 'Heel goed gedaan, meneer De Gooyer'.

Sorry, Diana

'Eel' – zo noemde Rijk de Gooyer zijn vriend Eelke de Jong. En wanneer hij maar kon ging hij met de journalist mee, op reportage of naar een interview. Zo togen ze op een avond naar een debutant wiens boek door de recensenten nog nauwelijks was opgemerkt, maar daar zou De Jong met een interview in de *Haagse Post* verandering in brengen. Omdat ze nog niet gegeten hadden, besloten ze, na de auto pal voor het huis van de auteur geparkeerd te hebben, nog even naar de snackbar op de hoek te gaan. Een paar slappe kroketten en een bleke gehaktbal. Hoe viezer, hoe lekkerder, vond De Jong. Met de halve gehaktbal nog in zijn hand belde hij bij de schrijver aan, die direct opendeed. Waarschijnlijk had hij achter de deur staan wachten. De *Haagse Post*-journalist stelde zich voor en wees op De Gooyer. 'Mijn fotograaf,' zei hij. Hoewel die laatste niets anders bij zich had dan een staartje kroket, dat hij haastig in zijn mond stak. Maar de debutant was zo gespannen dat hij niets in de gaten had. Hij ging hun voor naar de kamer.

De Jong liet zich in een stoel zakken, at op zijn gemak de rest van z'n gehaktbal op en vroeg toen aan de auteur of die niet een papieren servetje voor hem had. Deze schoot direct naar de keuken en kwam terug met een tissue. De interviewer veegde uitvoerig z'n vingers en z'n mond af. 'Aan de slag nu,' zei hij. Hij voelde in zijn broekzak, beklopte zijn jasje – de wenkbrauwen gingen omhoog. 'Dat is ook mal,' zei hij. 'Hebt u misschien iets om mee te schrijven?' De man haalde een dikke vulpen uit z'n binnenzak. 'Dat zal wel gaan,' knikte De Jong en schroefde de dop eraf. Vervolgens streek hij het servetje strak, legde het op tafel en stelde de eerste vraag: 'Is uw leven veranderd sinds u zich schrijver mag noemen?' De debutant begon een uitvoerig verhaal; De Jong knikte, humde, en begon met de kostbare pen in het servetje te krassen. De schrijver keek angstig toe. Er kwamen grote pluizen aan de punt. Na een minuut op tien, toen het servetje vol was, bedankte De Jong de man. Die nam aarzelend de pen in ontvangst, er zat een wit pruikje

Op 'werkbezoek' met *Haagse Post*-verslaggever Eelke de Jong. *Foto Conny Meslier*

op. De Jong keek op zijn servet, knikte goedkeurend, en snoot zijn neus erin. 'Ik wens u veel succes in uw verdere carrière,' zei hij en stak zijn hand uit. 'Goedenavond.'

Vervolgens gingen de mannen naar de kroeg en werd het nog laat en gezellig. De grote verrassing voor De Gooyer kwam pas toen hij een paar weken later het interview onder ogen kreeg. Het was niet alleen een prachtig verhaal. De Jong had ook nog geen woord gemist.

Samen met de schrijver-schilder Armando had Eelke de Jong een interview met een Nederlandse oud-ss'er. De man had verschillende verzetsmensen om het leven gebracht en was daar zwaar voor gestraft. Nu had hij spijt – die toon had het interview ook. De man struikelde over zijn woorden. En hele zinnen werden in een grote zakdoek gesmoord. Ook uit de keuken, waar zijn vrouw thee na het zetten was, klonk af en toe gesnif. Er viel een stilte, een lange stilte. Eelke de Jong vroeg: 'Zegt de naam Don Duyns u iets?' Toevallig was bij hem die ochtend het geboortekaartje Don Duyns, zoon van collega Cherry Duyns, op de mat gevallen.

'Hou toch op,' riep de man vertwijfeld uit. 'Die zal ik óók wel hebben vermoord.'

Een andere keer bezochten De Gooyer en De Jong een jager. Bij binnenkomst viel hun oog onmiddellijk op een uitgestrekte hondenhuid die voor de open haard lag. De kop was opgevuld en keek hen met glazige ogen aan. Bij een tijger hadden ze zoiets wel eens gezien, maar in het geval van een hond was dat een noviteit. Of het binnen jachtkringen gewoon was, wilde De Jong weten, een hond voor de haard. De jager schudde het hoofd. Het dier, een Duitse staander, was z'n trouwe viervoeter Diana geweest. Hij had haar in 1939 laten opzetten, nadat ze van ouderdom was gestorven. In die tijd gebeurde het 'opvullen' met zware shag, met het voordeel dat de haren door de jaren niet zouden uitvallen. Toen brak de oorlog uit. Eerst kwam de tabak op de bon en later, in de hongerwinter, was er helemaal niets meer te krijgen. Op een avond dat de jager zat te snakken naar een sigaret, viel zijn oog viel op Diana, die hem trouwhartig met haar glazen ogen aankeek.

Hoewel hij het eigenlijk niet over z'n hart kon verkrijgen, pakte hij een mesje en onder het uitspreken van de woorden 'Sorry, Diana', tornde hij voorzichtig een naadje los. Hij trok er een plukje shag uit, en rolde met een blaadje uit de bijbel sinds lange tijd zijn eerste sigaret. Diezelfde avond kwam er bezoek. 'Wat ruiken we nou!' riep de man die de kamer binnenkwam. 'De weduwe Van Nelle?' De jager kon er niet onderuit, en onder het uitspreken van de woorden 'Sorry, Diana' werd het naadje een stukje groter gemaakt. Na een week begon Diana van achteren iets onderuit te zakken. Ter hoogte van het boek Job – qua vloei – nam ze een zittende houding aan, wat haar overigens niet misstond. Bij de Psalmen ging ze langzaam liggen en na een maand was ze zo plat als een dubbeltje. Daar lag ze gestrekt met de poten uit elkaar. Alleen de kop bleef pront overeind – daar zaten oude kranten in. Na de oorlog was hij er niet meer toe gekomen Diana in oude staat te herstellen. Hij was eraan gewend en Diana waarschijnlijk ook.

De Gooyer en De Gier

Vanaf *The Wilby Conspiracy* had De Gooyer vaker met Rutger Hauer samengewerkt en de indruk gekregen van een vriendelijke, wat zonderlinge jongen. Iemand die in het begin van een draaiperiode in zijn camper komt aanrijden en aan het einde weer vertrekt, zonder op iemand ook maar een noemenswaardige indruk achter te laten.

In *Grijpstra en De Gier* (1979) was hij zijn directe tegenspeler. Twee rechercheurs: De Gooyer als Grijpstra, Hauer als De Gier, hoewel dat er nog even om gespannen had. Lange tijd leek het Willem Ruys te gaan worden, maar ineens was dat plan van de baan. Waarschijnlijk omdat Hauer meer ervaring had. Zelf kwam De Gooyer weer eens uit het ziekenhuis. Hij was geopereerd aan een kwaal die hem al zijn hele leven had achtervolgd: staar. Een vertroebeling van de lens als gevolg van een soort eczeem. De aandoening was erfelijk: zijn vader had het gehad, zijn tweelingzus Annie ook. Bij een eerdere operatie was er bovendien een complicatie bij gekomen: een glaucoom aan het rechteroog, waardoor de druk op de oogbol wordt verhoogd. Een pijnlijke kwestie. Deze operatie was al de achtste op rij, en hoewel hij inmiddels wel wat gewend was, sloeg deze alles. 'Je bent plaatselijk verdoofd,' zegt hij, 'ligt vastgebonden op een operatietafel en ziet een boor op je afkomen. Ik ben in één keer grijs geworden.'

Het was een rol die hij met verve speelde. In de jaren zestig had hij jaloers gekeken naar *Maigret*, de Nederlandse televisieserie waarvoor eerst Jan Teulings en vervolgens Kees Brusse waren gevraagd. Volgens hem berustte allemaal op misverstand. Hij had zoveel boeven gespeeld dat de buitenwereld hem had gediskwalificeerd voor de rol van inspecteur. Terwijl, in zijn visie, geen twee rollen dichter bij elkaar liggen. Wat is een inspecteur anders dan een boef die zichzelf onder curatele heeft gesteld? En schuilt er in elke brandweerman niet een kleine of grote pyromaan? Rutger Hauer zocht het vooral in een gedegen voorbereiding: hij wilde een halfjaar meedraaien op een politieschool. Onnodige flauwekul, volgens De Gooyer. En ook producent Rob Houwer had er geen cent voor over. Het was een visie die teruggaat op het zogenaamde method-acting: het idee dat naturel spel volgt uit een zo natuurgetrouw mogelijke nabootsing van de werkelijkheid. 'Ik heb een acteur gekend die zand in z'n ogen wreef, om de rooie ogen te krijgen van een nacht doorhalen,' zegt De Gooyer, die aan deze uit Amerika overgewaaide theorie weinig waarde hechtte. Maar Hauer was een *method actor* pur sang. Die voerde een achtervolgingsscène zo natuurgetrouw mogelijk uit, met piepende remmen, scherpe bochten en levensgevaarlijke capriolen. De Gooyer, die zelf ervaring met autoracen had, zat er met bonkend hart naast. Hij zou het zijn tegenspeler nog eens kunnen uitleggen tijdens de lunch. 'Door in de montage totaalshot en close-up af te wisselen, suggeréer je snelheid, Rutger. Het geluid van piepende banden zet je er later onder. Hetzelfde geld voor vechtscènes. Je maakt wel een slaande of trappende beweging, maar je haalt niet door. Het is de camera-instelling die de suggestie wekt. De doffe klappen worden er later onder gezet.' (Overigens zijn het ook hier ook de uitzonderingen die de regel bevestigen. De dreun die inspecteur Grijpstra aan de junk Bart (Frans Mulder) uitdeelde, was echt. 'Ik mocht die man met die blote mond niet.') Maar De Gooyer was er de man niet naar om over techniek in discussie te gaan. Net zomin als Hauer iemand was om zich de les te laten lezen. Dus stapte De Gooyer op een hoek uit de Volkswagen. 'Ga maar in je eentje verder. Daag.' Hauer had misschien een andere aanpak, hij nam zijn werk wel serieus.

Van het type acteur waar De Gooyer zich aan stoort, was ook een exemplaar op de set aanwezig: Donald Jones. Charmant maar

Met Rutger Hauer in *Grijpstra en De Gier*, 1979.

lui. In *Grijpstra en De Gier* speelde Jones een Papoea genaamd Habberdoedas. Hij verplaatste zich op een motor met zijspan, waarvoor hij drie maanden op les mocht. Maar de eerste draaidag reed hij de cameraman plus camera al omver. Er kwam een stand-in. Jones kende z'n tekst niet. De hele dag zat hij met een walkman op z'n hoofd, in plaats van op z'n rol te studeren. De Gooyer riep: 'Doe dat ding van je kop en leer je tekst.' Het hielp weinig. Het staaft een algemenere theorie van De Gooyer: 'Het zijn altijd de slechtere acteurs die hun tekst niet kennen. En ze hebben altijd een smoes: hun kleding zit niet goed, de lampen zijn te fel, ze moeten naar de wc. Acteurs die denken: het is een bijrol, een schnabbeltje, dat doe ik er even naast – de camera registreert dat meedogenloos. Er bestáán geen kleine of grote rollen, er bestaan alleen kleine of grote acteurs.' In het geval van Jones viel het eindresultaat overigens mee. In de *Speelfilmencyclopedie* wordt zijn spel zelfs geprezen: 'Jones is opvallend goed als Surinamer die de moord heeft gepleegd.'

Rijk de Gooyer hield aan het avontuur met *Grijpstra en De Gier* in elk geval een fanclub over. Op 20 september 1979 verscheen het eerste nummer van een fanzine met als titel *De Gooyer.* Toch een opsteker voor een iemand die jarenlang hetzelfde oude briefje bij zich droeg, dat als volgt luidde: 'Ik ben een bewonderaar van u. Nu zit ik in een inrichting.' De nieuwe fanclub, afkomstig uit Twente, noemde zich 'de eerste Nederlandse acteurfanclub' en stelde zich ten doel 'het oprichten van een standbeeld', waartoe een wedstrijd zou worden uitgeschreven onder 'gerenommeerde kunstenaars', alsmede 'het promoten van Rijk overzee als opvolger van Roger Moore voor de volgende James Bond-film en voor de hoofdrol in een nog nader te noemen gigantische Hollywoodproduktie'. Een nummer twee van het fanzine is er nooit gekomen. Net zomin als het standbeeld. En ook de plannen om Roger Moore op te volgen zijn nooit op het juiste bureau terechtgekomen. 'Maar dat lag niet aan m'n Twentse fanclub,' geeft hij toe.

Een vervolg op *Grijpstra en De Gier* kwam er wel: *De ratelrat* (1987), met ditmaal Peter Faber in de rol van De Gier. De film staat genomineerd in de categorie 'dubbel en dwars verdiende flops'. In 1995 ging zijn grote wens om inspecteur te spelen eindelijk weer eens in vervulling toen hij gevraagd werd voor de rol van De Cock in de RTL4-serie *Baantjer.* Helaas was hij toen net begonnen met de opnames van de AVRO-serie *In voor- en tegenspoed,* zodat hij moest bedanken voor de eer. De rol ging naar... Piet Römer.

XIV

De mannenman

Als Rijk moet kiezen tussen neuken en lachen, dan kiest ie voor lachen. Bondiger kan ik het niet zeggen. Hij is een mannenman.
(Peter van Straaten)

De Gestapo-man

In 1979 zat De Gooyer met acteur Rod Steiger op een dijkje in De Rijp. Ze namen een scène op voor de Amerikaanse film *The Lucky Star*. Steiger kende hem nog. Twintig jaar eerder waren ze elkaar ook op de set tegengekomen.

'Klopt,' zei De Gooyer. 'In Berlijn, bij *Schachnovelle*.'

'Wat speelde u toen ook weer,' vroeg Steiger.

'Een Gestapo-man,' zei De Gooyer.

'En nu?' vroeg Steiger.

'Ook een Gestapo-man,' zei De Gooyer.

'O,' zei Steiger, 'dan bent u ook niet erg opgeschoten.'

Zijn allereerste rolletje voor een camera, nog voor *Willem Parel*, voor de Amerikaanse televisieserie *Secret File USA* (1954), onder regie van Arthur Dreyfuss, was er al een in uniform. In de aflevering 'The Blitzkrieg' speelde hij samen met Ton van Duinhoven en Leo de Hartog sneuvelende soldaten op de hei. Ze waren in een mijnenveld gestuurd. En om het schrikeffect van de drie acteurs te vergroten kwamen de klappen onverwacht: de helmen vlogen in de lucht. In het geval van De Hartog met toupet en al.

Op het dijkje waar de twee acteurs naast elkaar zaten, maakte Steiger een uitgebluste indruk. Hij was dan wel een Oscar rijker (*In the Heat of the Night*, 1967), maar gescheiden van Claire Bloom, depressief, en hij had een zware hartoperatie achter de rug. Wat dat betreft zat de eeuwige Gestapo-man naast hem er een stuk opgeruimder bij. Het heeft De Gooyer nooit kunnen deren, al die rollen als foute Duitsers. Het Gestapo-uniform uit de *Schachnovelle* hing in Giethoorn ook gewoon in zijn kast, tussen de andere pakken in. Hij kon het zo aantrekken, mocht er aanleiding voor zijn. Het is

De eeuwige Gestapo-man, ditmaal in *A Time to Die*, 1983. *Foto Karel Helmer*

voor hem de loop der dingen. Buitenlandse regisseurs die in Nederland komen draaien, doen dat met medeneming van hun eigen grote rollen. In Nederland worden er dan de 'veredelde' figuranten bij gezocht. Zoals de inspecteur die De Gooyer speelt in de geweldige Dracula-verfilming *Nosferatu, Phantom der nacht* (1979) van Werner Herzog, met Klaus Kinski.

In de ogen van een Amerikaan is een Nederlander een soort Duitser. Dus als er in Nederland gefilmd wordt, waarom dan een Duitse acteur gehaald? Als Nederlander moet je accentloos Engels kunnen spreken, wil je boven dat soort rollen kunnen uitwieken. Rutger Hauer kon dat, ere wie ere toekomt. De Gooyer niet. Hij heeft nooit de moeite genomen. Na het mislukte avontuur met de UFA was de internationale ambitie in hem gedoofd, en besloot hij zijn heil in Nederland te zoeken. Voor zijn Duits gold overigens hetzelfde. Hij sprak het gemakkelijk, maar ook een beetje op zijn Rudi Carrells: vernederlandst. Voor de televisieshows was dat een aanbeveling – het Duitse publiek vond dat charmant. En om het in de *Schachnovelle* te maskeren nam hij zijn toevlucht tot een Oostenrijks accent. Iets wat wel effect sorteerde. Het maakt een Gestapo-man in de ogen van de Duitsers nog gemener, nog onuitstaanbaarder.

Maar het spelen van vileine rollen is natuurlijk niet alleen op zijn accent terug te voeren. Hij had er ook de kop voor. Pruilen als de komiek Kraaykamp kon hij niet. Hij maakte in de huiskamers geen golf van moederlijke gevoelens los. En ook de echte beautylook van acteurs als Maxim Hamel, die de vrouwen van zich af moest slaan, ontbeerde hij. Zet De Gooyer op een wit paard, en de prinses zal denken dat hij hem gestolen heeft. Maar welke acteur wil nou de rol van de brave Hendrik spelen? In die zin heeft hij de nadelen, als je ze zo mag noemen, ook in zijn voordeel gebruikt. 'Ik speel graag de slechterik, de boef. Ik kijk ook graag naar acteurs die dat overtuigend en vilein kunnen spelen: Jack Nicolson, Al Pacino, Robert De Niro, Marlon Brando...' De figuur van Breitner heeft hij in *Soldaat van Oranje* ook nog een fijn lachje meegegeven, meer een grijns eigenlijk – dat had hij van regisseur Ralph Nelson geleerd. 'Het maakte iemand nog sadistischer.'

Hij begon andere rollen ook uit de weg te gaan waarvan hij zeker wist dat ze niet bij hem niet pasten. Toen ze hem vroegen een boekhouder te spelen, heeft hij hen beleefd doorverwezen naar Ton Lutz. 'Niet onaardig bedoeld, maar dat bén ik gewoon niet.' En de rol van sullige echtgenoot in *De jurk* (1996) nam hij omdat hij graag met regisseur Alex van Warmerdam wilde werken. 'Maar de uitkomst kende ik al: ik kom niet uit de verf.' Aan de andere kant had hij weer dolgraag de rol van verzetsstrijder in *A Bridge Too Far* (1977) gespeeld. Dat zou een unicum in zijn carrière zijn geweest. Hij had ook geoefend thuis, op een nobele, wat gewonde blik. Maar regisseur Richard Attenborough zag het onmiddellijk. 'I'm very impressed,' zei hij, 'great personality. But you don't look like a resistance man.' De rol ging naar Siem Vroom.

Een jaar na *The Lucky Star* speelde hij als SS-officier de rechterhand van een andere Oscarwinnaar – 'ik speel in ieder geval altijd wel in de schaduw van beroemde acteurs!' – Rex Harrison, in de film *A Time To Die*. Die film werd in 1979 gedraaid, maar kwam in 1983 pas in roulatie. De Oscar had Harrison overigens gekregen voor zijn rol van Henry Higgins, vijftien jaar eerder, in *My Fair Lady*. Maar de sterallures waren er door de jaren niet minder om geworden. En nog stééds speelde hij Higgins, zij het nu op de Londense planken. Om die reden had Harrison ook maar veertien dagen de tijd en werden al zijn scènes achter elkaar gedraaid. Zodra hij op locatie verscheen, verdween hij in zijn kamer, met een wacht voor z'n deur. Meneer wenste door niemand gestoord te worden. Later bleek dat hij last van gezwollen voeten had en daarmee in een teiltje lauw water zat. Het duurt dus steeds even voor hij zijn laarzen aan had.

'Ome Joop' – zo werd hij op de set genoemd – was een man met een gebruiksaanwijzing. De lunch die tijdens de draaidagen werd geserveerd was niet naar zijn zin. Daarom moesten er vervangende maaltijden komen uit het Amstelhotel, waar ome Joop overnachtte.

Tot het voedsel arriveerde – de filmset was in Driebergen – wenste ome Joop niets te ondernemen. Een man uit Steenwijk nam in z'n plaats in. Maar toen uiteindelijk alles was uitgelicht, de shots vaststonden en de eigenlijke opnames konden beginnen, schudde ome Joop het hoofd. De opstelling was niet naar tevredenheid en hij verdween naar zijn kamer, ongetwijfeld om met zijn voeten in een teiltje water te zitten, maar pas nadat hij de regisseur aanwijzingen had gegeven hoe het wel moest. Inmiddels was het vijf uur– hoogste tijd om zich door z'n particuliere chauffeur terug naar het Amstel te laten brengen. De Gooyer had er nog geen scène op zitten, maar maalde daar niet om, want een extra dag betaald voor ome Joop was een extra dag betaald voor Rijk de Gooyer.

De Italiaanse acteur Raf Vallone kwam erbij. De voeten van ome Joop werden uit het teiltje gelicht en de regisseur legde uit wat de bedoeling was. Een *two-shot* van de twee acteurs. Maar Harrison fronst zijn wenkbrauwen. 'Shouldn't the camera be on me?' zei hij. 'I don't think this is going to be very interesting.' De ogen van Vallone spuwden vuur en hij verliet onmiddellijk de set, de deur van de kleedkamer sloeg met een klap achter hem dicht. Lunchbreak. Zo schoot de dag weer lekker op. Hubert Mittendorf was de volgende kandidaat, een Duitse acteur van honderddertig kilo. Ome Joop gruwde. 'I don't want to be in one room with this fat man!' De scène werd zodanig aangepast dat de acteurs elkaar hoefden te zien noch spreken. In de montage kon veel worden opgelost.

Na veel vijven en zessen stonden alle scènes met Rex Harrison erop en werd hem een afscheidslunch aangeboden in een Amsterdams restaurant. Zijn vrouw, een keurige Engelse dame uit Singapore, was ook even overgekomen. Al hing er iets in de lucht – dat hadden de andere spelers al gemerkt. Iets tussen meneer en mevrouw Harrison, waar niemand helemaal de vinger op kon leggen. Maar daar kwam verandering in. Boven de *salade niçoise* en vooral na de zoveelste fles witte wijn barstte de bom. Zij bleek niet in zijn testament te staan. Hij kon hem niet meer overeind kijgen. 'Kuttenkop!' 'Ouwe lul!' De baas van het restaurant sprong er sussend tussen. Harrisons vrouw vertrok naar Zuid-Frankrijk, zelf vloog hij naar Londen om weer te repeteren als Henry Higgins.

De Treek

In de tijd dat Eelke de Jong schaapsherder was in Hoog Buurlo, werd het schrijven voor hem een steeds zwaardere last. Zijn contractuele verplichtingen bij de *Haagse Post* kon hij niet altijd nakomen en drukten zwaar op hem. Uit nood werd een nieuw feuilleton geboren: 'Koos Tak'. Het idee had hij ontleend aan een boek van F. Scott Fitzgerald, de *The Pat Hobby Stories*. Pat Hobby was een schrijver die met hooggestemde idealen naar Hollywood was gekomen, daar vervelende scenario's moest schrijven, ongelukkig werd en aan de drank raakte. Een portret van Fitzgerald zelf eigenlijk. Zijn plan was een serie over een journalist in zijn nadagen te maken, Koos Tak geheten. In samenspraak met De Gooyer werd deze figuur aangekleed. Hij kreeg een rubriekje in het zaterdagbijvoegsel van het onafhankelijke dagblad *De Tijdgeest*, een huis in Abcoude en een stamkroeg genaamd De Drie Fusten, waar hij steevast naast een tweedehands autohandelaar aan de bar zat. In zijn jeugd had hij exemplaren van *Het Parool* in zijn gitaar verstopt met het plan ze later te gaan rondbrengen. *De Tijdgeest* zelf was overigens fout geweest in de oorlog. De figuur van Koos Tak kon maar op één persoon gebaseerd zijn: Jan Spierdijk, chef kunst van *De Telegraaf*. De man die de hatelijke recensie had geschreven naar aanleiding van De Gooyers eerste toneelstuk *Azoek*, en die zijn buurman naar het toneelstuk van Kraaykamp had gestuurd omdat hij zelf geen zin had. En die – als we nu toch over motieven hebben – jaren terug Eelke de Jong bij *De Telegraaf* had ontslagen, omdat die met declaraties zou hebben geknoeid.

Toch was het niet alleen Spierdijk die voor Koos Tak model had

Afscheid van Eelke, in Restaurant De Treek in Amersfoort, augustus 1987.
Foto Conny Meslier

gestaan. Er was ook een snufje Herman Hofhuizen en een mespuntje Frits van der Molen doorheen geklopt. Het feuilleton 'Van onze verslaggever', zoals het heette, verscheen vanaf 1983 in de *Haagse Post*. En al snel was er ook het eerste bundeltje: *De eenzame oorlog van Koos Tak*. Het was geen onaardige man, Koos Tak. Hij teerde op een scoopje van jaren geleden, zoals zoveel journalisten doen, en hoopte nog één keer zijn slag te kunnen slaan. Aan goede moed ontbrak het niet, maar alles wat hij aanpakte viel in stof uiteen. Ze schreven de verhalen om de beurt bij elkaar thuis. De Jong achter de typemachine, De Gooyer ernaast, of ijsberend door de kamer.

'Wat gaat Koos vandaag doen?' De Jong begon te tikken: 'Die

ochtend werd Koos Tak, medewerker van het zaterdagbijvoegsel van *De Tijdgeest*, wakker.' Dat was vaak de eerste zin. De Gooyer droeg de rare wendingen aan. De Jong zorgde voor de beschrijvingingen en probeerde Tak seksuele avontuurtjes te laten beleven, waar De Gooyer steeds een stokje voor stak: 'Dat doet Tak niet. Dat ís Tak niet.' 's Middags schreven ze. Daarna ging de kruk van de fles.

In een interview omschreef De Jong het werken met De Gooyer als een verslavend uitje, een soort vakantie. 'Wat invallen betreft is Rijk echt een eindeloze zee,' zei hij, 'dat bruist maar, de ene inval volgt op de andere.' Veel van gebeurtenissen uit het leven van Koos Tak putte De Gooyer uit eigen herinnering. Het verhaal bijvoorbeeld hoe Koos Tak in zijn jongere jaren onvruchtbaar was geraakt. Het was de pijnlijke geschiedenis van een vriend van De Gooyer, de latere radioreporter Leo Nelissen. Nelissen was een avond bij hem in Tuindorp gitaar komen spelen. Hij had een fiets voorzien van een Knoopzadel, een 'zwevend' zadel van het merk Knoop. Een gewild zadel, blijkbaar, want toen hij weer wegging en met een brede zwaai op z'n fiets sprong, bleek het te zijn gestolen. 'Vanwege de verduistering was het pikkedonker,' zegt De Gooyer, 'en had Leo niks kunnen zien. Z'n angst aanjagende kreet hoor ik nog.' Veel van de verhalen en verwijzingen kwamen uit Scheltema. Door de clientèle aldaar werden de avonturen wekelijks verslonden. Spierdijk zelf reageerde niet. Wel liet hij een keer zijn huisarts met de *Haagse Post* bellen, met het verzoek of ze de serie wilden staken – 'z'n patiënt leed eronder'. In Abcoude, waar hij woonde, werd hij al aangesproken met 'meneer Tak'.

Het was een vrolijk uit de hand gelopen wraakactie. Dat heeft Eelke de Jong later ook wel toegegeven. Uit de hand gelopen, omdat de serie maar bleef lopen en een groot succes werd. 'De geestigste rubriek in het milieu der vaderlandse weekbaden', noemde Martin van Amerongen het. Er verschenen meer bundels: *Koos Tak en de eenzame oorlog, Koos Tak is de naam, Koos Tak en de natte gemeente* en alles ten slotte gebundeld in *De dikke Koos Tak*. De auteurs lazen eruit voor in het land, en soms draafde De Gooyer zelf als de mislukte journalist op. Eind jaren negentig maakte Theo van Gogh er voor de AVRO een serie van, met Gerard Thoolen in de hoofdrol. Aanvankelijk was het idee Rijk de Gooyer die rol te laten spelen, maar die wilde het niet: die wás het niet, zoals hij zelf zei. En Gerard Thoolen speelde rol met verve. *HP/De Tijd*-journalisten Henry de Bie en Arno Kantelberg hadden ervoor gekozen de verhalen naar deze tijd te halen, waar ook wat voor te zeggen valt. Hoewel er ook veel van de oude Scheltema-glorie door verloren is gegaan.

Vier jaar hield Eelke de Jong het vol, als schaapherder in Hoog Buurlo. Daarna verhuisde hij naar Amersfoort, en werd hij hoofd publiciteit van het psychiatrisch ziekenhuis Veldwijk in Ermelo. Hij maakte er een blaadje, organiseerde allerlei activiteiten – de patiënten droegen hem op handen. En toen ging het mis. Eerst kreeg hij longkanker, die even onder controle leek toen ze één long hadden weggenomen. Daarna kwam er een hersentumor bovenop. Het ging razendsnel bergafwaarts. Op zijn tweeënvijftigste kon hij niet meer lezen, schrijven, verloor hij z'n oriëntatievermogen en raakte hij in een rolstoel. Een week voor zijn dood hebben Peter van Straaten en Rijk de Gooyer en Eelke de Jong nog een gesprek in hotel-restaurant De Treek, op een landgoed bij Leusden. Het initatief kwam van *Haagse Post*-hoofdredacteur Gijs van de Westelaken, die het verhaal optekende.

Het verscheen op 8 augustus 1987 en is het verslag van een wonderlijke reünie, waarin de mannen naar woorden zoeken om over de dood te praten. Peter van Straaten zit vooral te luisteren. De Jong omschrijft zijn situatie als elke dag verwarder. 'Het is net alsof je achterover van een duikplank valt, aan één stuk door.' Hij heeft het over 'zinsbegoochelingen'. Hoe hij in Frankrijk reed en er ineens een losse arm aan kwam zweven. 'Weet je zeker dat je niemand had aangereden?' vraagt De Gooyer. 'Aan het kledingstuk zag ik dat die arm van mij was,' antwoordt De Jong. 'Maar ik kon niet de link leggen tussen dat lichaamsdeel en mijn lichaam.' Het gesprek tussen dat zich tussen de mannen ontspint, typeert de twee karakters. Verzet tegenover berusting.

'Ik zou razend zijn,' zegt De Gooyer. 'Waarom ik? Ik maak iedere dag nog nieuwe dingen mee die ik niet zou willen missen.'

'Je kan nergens in beroep,' antwoordt De Jong.

'Toen mij vader overleed was hij 84. Dan denk ik: ja, jezus, 't was zijn tijd. Ik vind 52 te jong. Toen ik bij je in het ziekenhuis was zei je: "Ik hecht niet zo aan het leven." Ik hecht waanzinnig aan dit leven. Waarom hecht je niet aan dit leven? Iedereen doet dat.'

'Het is een raar gegeven, de dood,' zegt De Jong. 'Een gegeven dat de dingen aardig verstoort, uit hun balans brengt, en tegelijk is het, als je naar de natuur kijkt, iets volstrekt vredigs. Dat bos daarbuiten, daar bij die dennenboompjes is het één voortdurend doodgaan aan insecten, zonder dat iets verrimpelt of verroert. Dat sparretje daar gaat gewoon dood...'

'Jawel,' zegt De Gooyer, 'dat weet ik wel. Maar dat sparretje ernaast vindt 't niet leuk.'

De Jong: 'Het zal dat sparretje absoluut geen flikker kunnen schelen.'

De drie mannen drinken wijn en mijmeren over de begraafplaats in Assel, waar De Jong al 'een stukje bos' had gekocht. 'Het ziet er een beetje Germaans uit,' vertelt hij, 'Richard Wagner. Kunnen we niet iets moois van Wagner ten gehore brengen?'

'Ik zat er net over te tobben,' zegt Van Straaten, 'hoe kóm ik daar?'

'Dat wordt Eelkes laatste practical joke,' zegt De Gooyer. 'Niemand kan het vinden, iedereen raakt de weg kwijt en dwaalt over de Veluwe.'

Eelke de Jong: 'Het is uniek daar, een van de mooiste plekken van Nederland. Jij bent er nooit geweest, hè Peter? Dan hoop ik je daar alsnog te ontvangen.'

De begrafenis in Assel zou nog dicht bij het scenario komen dat Rijk de Gooyer had geschetst had. Hijzelf zat in de wagen met Gerard van Lennep, die een stafkaart bij zich had. Maar anderen die dat niet hadden, zoals Peter van Straaten, hebben urenlang moeten zoeken. De vrienden droegen de kist naar de groeve – die was loodzwaar. Van Straaten: 'Volgens mij heeft hij z'n schoenen nog aan!' Eelke droeg altijd stevige hoge schoenen. Rijk de Gooyer sprak een afscheidswoord. Dat het hem niet zou hem verbazen als Eelke straks achter een boom te voorschijn zou springen. Omdat dat helemaal in zijn lijn was.

'Heel lang ben ik niet los van Eelke geweest,' zegt hij nu. 'Met hem was het altijd feest, en opeens was dat voorbij. Heel lang moest ik dagelijks aan hem denken. Gebeurde er iets waarvan ik dacht: dit had Eelke nog moeten meemaken. Ik heb ook na zijn dood heel lang geen letter op papier gezet. Een jaar of vier na z'n dood werd ik gevraagd voor een reclametekst. Het was maar een klein, armetierig verhaaltje. Maar bij iedere zin moest ik aan hem denken. Het ging gewoon niet.'

Foutje, bedánkt

Zijn eerste reclamefilmpje stamt uit 1953, en als je het nu ziet, lijkt het eindeloos te duren. Wat voor de huidige opvattigen ook zo is: het spotje duurt zes, zeven minuten, en was speciaal bedoeld voor de bioscoop. Een broodmagere De Gooyer speelt de rol van een oppas, die zich eindelijk eens kan uitstrekken op de bank. 'Jan-Piet is gaan pitten, kan ik eindelijk eens gaan zitten.' Hij zoekt in zijn broekzak naar een rolletje pepermunt. King, van Tonnema. 'Hoe wordt dat eigenlijk gemaakt?' vraagt hij zich af. Er volgt er een instructiefilmpje uit de fabriek, waar de pepermunt in grote partijen van de lopende band rolt. Mannen in witte pakken staan er enstig bij te kijken. Er wordt weer teruggesneden naar de huiskamer. De kinderen komen naar beneden, krijgen ook een pepermuntje, gaan weer naar boven. De oppas zakt weer in de bank...

Et cetera. En dan moet de hoofdfilm nog beginnen.

Inmiddels heeft Rijk de Gooyer een halve eeuw reclame achter de rug. In vijftig jaar heeft hij zijn stem en gezicht voor de meest uiteenlopende producten geleend – de helft ervan kan hij zich niet meer herinneren, maar welkom was het altijd. Het betaalde de vaste lasten. Waarbij de KPN-spotjes, eind jaren negentig, in meer opzichten als de kroon op het genre kunnen worden gezien. Gesteld dat er niet nog een campagne achteraan komt. Van acteurs die in het verleden een fijn mondje trokken omdat het 'minderwaardig werk' zou zijn, heeft hij zich nooit iets aangetrokken. Vaak bleken die een paar jaar later zelf ook van hun geloof te zijn gevallen.

In de tijd van de hoorspelen, eind jaren veertig, maakte De Gooyer al reclame voor Remova-horloges in kranten en tijdschriften. De foto toont hem druk aan het werk achter de microfoon. 'Wat *Remova* is voor onze jonge radiomedewerker,' staat eronder, 'is *Remova* voor alle werkers… onmisbaar! U voelt zich rijk met een *Remova* horloge!' Als Kobus Rarekiek stond hij een jaar later met een pilsje in de hand. 'Begrijp me goed, versta me wel, de zaak is deze: er moesten nog meer bierdrinkers wezen!' De slogan was van tekstschrijver Peter Knegjes. Tegen de tijd van zijn eerste televisieoptredens maakte hij reclame voor Erres. Met het haar strak in de brillantine zat hij omgekeerd op een klapstoeltje in een tv-studio, tussen allerlei draden en lampen. Zijn hoofd rustte in zijn hand. Onder de foto een omslachtige vergelijking: zoals televisiepresentatoren achter de schermen er hard aan trekken om een perfecte uitzending te maken, zo doen de arbeiders in de Erres-fabriek dat ook. 'Een *Erres* TV toestel, een toonbeeld van volmaaktheid,' was de leus.

Met Kraaykamp deed hij spotjes voor frisdrank ('Vrumona, de fles zonder klachten') en in de jaren tachtig de langlopende reeks voor C&A, tot er op de marketingafdeling van het bedrijf een nieuw maatpak kwam, die de heren te ordinair vond. De spotjes die hij met veel liefde deed waren voor een verzekeringsmaatschappij Reaal, ontstaan uit een fusie tussen De Centrale en Concordia. Tussen 1991 en 1995 zijn er tien verschillende filmpjes gemaakt, met vrolijke oplichter-patjepeeër Van Looy, die op alle mogelijke manieren zijn verzekeringsagent (Bert Kuizenga) probeert te tillen. 'Mijn boot is gestolen!' aldus Van Looy, telefonerend op het het dek van een schip. 'Ja zeker, is dat vervelend.' 'Ken ik effe vááingen?' En altijd viel hij door de mand. 'Welk merk is de boot?' 'Eh, effe kijken: Rént-a-boot'. Met de verontschuldigende uitsmijter: 'Foutje, bedánkt!' En de stem van Kuizenga: 'Als er nou echt eens wat is: Reaal regelt het allemaal.' De oorspronkelijk bedachte tekst, 'Krijg nóu tieten... foutje, bedankt', ging de verzekeringsmaatschappij iets te ver. Maar de kreet gonsde een paar jaar door het land. En toen de maatschappij De Gooyer bedankte, was dat ook met de grootste complimenten. 'We wilden naamsbekendheid,' zei de verzekeraar in 1995 in het *Algemeen Dagblad*, 'maar bekender kunnen nu we niet worden.' De spotjes werden overigens o.a. geregisseerd door Frans Weisz.

Dat er achter een pakkende kreet niet altijd een team hoeft te staan van noest associërende en brainstormende reclamemensen, bewezen de spotjes van Paturain, die vanaf 1977 liepen. Het betrof hier een nieuw smeerkaasje, in Frankrijk Tartare geheten, dat in Nederland 'in de markt gezet moest worden', zoals dat heet. En om het product te promoten toog Rijk de Gooyer een paar dagen naar de Bourgognestreek. Daar graasden de witte koeien die het kaasje zijn 'specifieke smaak' gaf. Bovendien was de omgeving uitermate geschikt om te filmen. Het weer zou stralend zijn, aldus de voorspellingen. Niet gek om daar even naar te informeren, want het was eind oktober. Toen ze 's avonds met de filmploeg aankwamen, viel de regen met bakken uit de hemel. Ze namen hun intrek in een hotel. De volgende ochtend werden ze gewekt door de regen op de ruiten. De Gooyer gedroeg zich als een prof: in het hotel zitten, eten en drinken – het was voor hem routine. En die kwam goed uit, want ook de volgende dag hing er een loodgrijze lucht waaruit de regen gestaag viel. Ze besloten nog één dag te wachten, en dan om de tafel te gaan zitten. Het oorspronkelijke plan – De Gooyer ligt in de wei met acht koeien waarop 'Paturain' staat geschilderd – verdiende een klein aanpassing.

De volgende ochtend *onweerde* het. Er werd vergaderd. Als hij nu eens met één koe onder een afdakje ging staan? De camera zou het tafereel vanuit de overkant, vanuit een schuur, vastleggen. Maar de Franse opdrachtgever, die naar vorderingen kwam kijken, nam daar geen genoegen mee. Er waren acht koeien beloofd, met opdruk. Onder het afdakje pasten alleen onmogelijk zoveel dieren. Er zo ontspon zich een gesprek tussen ernstige heren over de hoeveelheid koeien en de waterbestendigheid van de zwarte verf. Uiteindelijk mocht Rijk de Gooyer onder het afdakje met één koe. De schuur en het afdakje waren eigendom van de burgemeester van een dorpje in de buurt van Avalon. Een uiterst vriendelijke man. In zijn boerderij mocht De Gooyer zich ook omkleden, terwijl buiten de koe beschilderd werd. En toen de regisseur de man daar zo hulpvaardig bezig zag, besloot hij hem, naast De Gooyer en de koe, als beeldvulling te gebruiken.

Even later stonden de acteur, de koe en de burgemeester onder een druipend afdakje, en konden de opnames beginnen. Het was zo koud dat ze hun handen warmden aan de koe, even later bleek cognac ook te helpen. Drie uur werd er intensief gewerkt – en uiteindelijk waren ze aan de laatste take toe. Toen De Gooyer zijn slotzin had uitgesproken, 'Paturain, da's pas fijn', zei hij uit meligheid tegen de burgemeester, die al die tijd stokstijf in de camera had staan kijken: 'Ga toch effe zitten, jochie!' Het geluid en de camera hadden dat nog nét meegepikt. En door het ongewone van de situatie, en de opluchting dat allemaal voorbij was, schoot iedereen in de lach. Besloten werd het slotzinnetje er nog even in te houden. Je wist maar nooit.

Vanaf de eerste keer dat hij op televisie werd vertoond, was de commercial een succes. Paturain werd een begrip, lag in alle winkels op de schappen en verdrong zelfs zusje Boursin van de eerste plaats. De slotclaus hoorde je terug op straat, en op de voetbalvelden als er een speler onderuitging: 'Ga toch effe zitte, jochie!' Ook

'Foutje, bedankt!' De vrolijke oplichter Van Looy.

de koddige 'Franse boer' kreeg overal complimenten. Hoewel er één dame was die meende dat niet alleen de Franse boer in kwestie, maar een heel vólk werd geschoffeerd. Ze diende een klacht in bij de Reclamecodecommissie. De klacht werd ongegrond verklaard.

Na een jaar werd er besloten een vervolgspot te maken. Ditmaal met stralende weer en opnieuw was de burgemeester van de partij. Het 'Ga toch effe zitte, jochie!' werd nu door Rijk de Gooyer vervangen door 'Goed gedaan, jochie!' De koeien waren inmiddels naar de achtergrond verhuisd. Maar de acteur had talent voor marketing, dat kon niemand hem ontzeggen. Ook de nieuwe kreet zong nog lang rond in het vaderland.

Hoe gemakkelijk hij zich voor allerlei commerciële karretjes heeft laten spannen, de loyaliteit duurde zolang de spotjes liepen. En soms zelfs dat niet eens. Tijdens de derde Paturain-spot, zei hij in het weekblad *Nieuwsnet*: 'Wat is nu Paturain? Een imitatie van Boursin. Ze betalen me 25.000 gulden omdat één keer aan te prijzen voor de camera. Paturain is romig en fijn, en smeert zo lekker uit. Goeiedag, vijfentwintig mille in de knip. Het stuit me eigenlijk tegen de borst om met een slap stukkie kaas voor de camera te staan. Maar wat dat betreft ben ik een hoer, een slet.' De angst om zonder geld te zitten speelde altijd op de achtergrond mee.

Aan de ene kant iets wat alle freelancers parten speelt: de zorg om het pensioen. Aan de andere kant nam het bij De Gooyer een tikkeltje neurotische vormen aan. In het interview met Ischa Meijer uit de *Haage Post* (1974) sprak hij al over de 'waanzinnige angst' dat het op een gegeven moment op is. 'Als ik in m'n zak voel moet er geld zitten, anders word ik gek. Toen ik in Berlijn geen geld had, ben ik gewoon in bed gaan liggen. Armoede vind ik vreselijk.' Dat zal iets met zijn generatie te maken hebben. Hoewel hij zelf in zijn jeugd nooit armoede heeft gekend. 'Een *big spender* ben ik nooit geweest,' zegt hij, 'tenminste niet iemand met een gat in zijn hand. Maar de levensstijl waarvan ik hou, gaat het wel snel: veel op vakantie, vaak uit eten, veel drinken...'

Halverwege de jaren negentig leek het er even op. Hij had nog honderd gulden op de bank. Maar zoals altijd kwam er ook tóen weer iets op zijn weg. In dit geval een uitgebreide serie reclamespotjes voor KPN. Met een jaarsalaris waarmee de zorgen van de zeventigjarige acteur wel even waren weggenomen. Hoewel je in het geval van Rijk de Gooyer altijd blijft twijfelen. Ook het reclamebureau was er lang gedubt over de rolverdeling. Het duo Rijk de Gooyer en Johnny Kraaykamp was lang in de race. Maar eigenlijk zochten ze bij KPN twee generaties: de ene moest de andere in heldere termen kunnen infomeren over de gemakken van moderne telefonie. Het werden Rijk de Gooyer en Maarten Spanjer.

Grappig is dat in het echte leven de rolverdeling precies andersom lag: De Gooyer was de man die alles bijhield, de nieuwste apparatuur in huis haalde, vrolijk zat te internetten, terwijl Maarten Spanjer aan het begin van de KPN-reeks nog maar net het principe van de fax onder de knie had. In januari 2002 stopten de spotjes – bij het noodlijdende bedrijf werd er op dat moment op ongeveer álles bezuinigd. Voor Rijk de Gooyer geen aanleiding om zijn kritiek nog even op te zouten. In een interview in *Het Parool* met Corrie Verkerk gaf hij toe de samenwerking met KPN 'financieel heel aantrekkelijk' te hebben gevonden, maar leuk? 'Ik kon er zelf niet zo om lachen,' zei hij. 'Die van Reaal vond ik veel gemener, brutaler. Maar bij de KPN moeten ze ook denken aan hun abonnees in Staphorst.'

Hildebrand

De eerste ontmoeting stamt uit de jaren zestig. Op een avond kwam De Gooyer thuis op de Nicolaas Maesstraat, toen Tonnie zei: 'Er zit een meneer boven, met een snor. Ik krijg hem niet weg.' De man, gestoken in onberispelijk Brits kostuum compleet met choker, stelde zich voor als Tonio Hildebrand en gooide een bos sleutels op tafel. 'Ik heb gehoord dat u interesse hebt in een Porsche,' zei hij. 'Alstublieft.' Het bleek om de Porsche van dokter Gerlach te gaan, naamgever van de beroemde bocht op het circuit van Zandvoort. Daar was die namelijk ooit uit gevlogen met noodlottige gevolgen, in dezelfde Porsche die De Gooyer nu kreeg aangeboden. Hildebrand had hem van de weduwe gekocht en laten uitdeuken. De deal ging niet door, maar het was wel het begin van een bijzondere vriendschap. Tonio was de zoon van A.D. Hildebrand, de schrijver van *Bolke de Beer*, en maakte het Leidseplein onveilig met Heintje ten Harmsen van der Beek, zoon van de geestelijk vader van Flipje van Tiel. Rijkeluiszoontjes, allebei afkomstig uit Blaricum, vlot in het pak.

Hildebrand, steevast met een havanna in zijn mond, zwaaiend met grote flappen, handelde in nagenoeg alles, op zijn eigen vrolijk-doortrapte manier. 'Meeneemprijs 349 gulden, een sieraad voor uw woning!' stond er bijvoorbeeld op een tafel gemaakt van spoorbielzen in zijn meubelzaak aan de Zocherstraat, volgestouwd met rotan, imitatieleren bankstellen, verlichte huisbars en Roemeense zithoeken. Na het geld in ontvangst te hebben genomen sleepte hij De Gooyer mee naar zijn kantoor om door de luxaflex heen te loeren naar de ongelukkige koper, die de bielzentafel met geen mogelijkheid van de grond kreeg. 'Ze wonen op de Van Swindenstraat tweehoog,' grinnikte hij.

Tweedehands auto's verkocht hij vanuit het eerdergenoemde Barretje Hilton. De parkeerplaats van het hotel was toen nog openbaar gebied – daar stonden zijn glimmende occasions. Garantie gold tot aan de brug, wat in sommige gevallen nog een hele belofte was. Maar ontevreden kopers die hem aan de bar wisten te vinden, woof hij lachend weg. 'Dan had u maar een *nieuwe* aan moeten schaffen, die gaan minder snel stuk.' En: 'Achter het lijk wordt niet gesproken.' De Gooyer schoof vaak aan om zich te laven aan de humor en verhalen, vooral op maandagavond, als de penoze zijn opwachting maakte.

Buiten boezemvrienden als Piet Wiersma en Eelke de Jong – eigenzinnige, wat zwijgzame types, wars van prententies – verzamelde De Gooyer een kring 'mannenmannen' om zich heen: kleurrijke, uitbundige types, die zich voortdurend moesten laten gelden. Die het liefst tot hun negentigste in een open sportwagen zouden rijden, met een geruite racepet op het hoofd, in de veronderstelling dat de meisjes vanzelf achterin blijven springen. Ze dronken, kaartten en rookten met andere mannenmannen. Slapjanussen werden geweerd, en vrouwen moesten hun plaats kennen. Of zoals Adèle Bloemendaal het formuleert: 'Vrouwen werden gedoogd. En geneukt uiteraard, maar vooral gedoogd: als garnituur, decoratie.'

Nu was Bloemendaal toevallig een uitzondering. 'Met Adèle kun je paarden stelen,' was de uitdrukking van De Gooyer. Ze zat er stralend tussen, als mascotte. De mannenman kon uiteenlopen van goed verzorgd, bijna deftig, tot het type dat geen kans onbenut laat om zijn geslacht uit zijn broek te halen. Rijk de Gooyer zat op die schaal ergens halverwege. Maar op het gebied van sterke verhalen deed hij in niets voor de anderen onder. In de ogen van Adèle Bloemendaal was het de testosteron geweest die Rijk in 1944 naar het zuiden had gedreven, op naar bevrijd Nederland. 'Dat was niet voor koningin en vaderland,' zegt ze, 'ben je mal. Avontúúr! Hij moest eruit, weg uit dat beklemmende, truttige Utrecht.'

Avontuur was er in de tijd van Barretje Hilton genoeg. In zijn vrije tijd was Tonio Hildebrand coureur – De Gooyer vergezelde hem vaak naar Zandvoort – en een fervent jager. Vaak ging hij daarvoor naar ongerept natuurgebied in Rusland. Dan vloog hij naar Moskou en van daaruit met een klein vliegtuigje naar het jachtgebied: een onmetelijke toendra met een verlaten boerderij. Hildebrand bij het uitstappen tegen de piloot: 'Zeg vriend, valt hier voor een roestige roebel nog een lokaal dametje te versieren?' Op bescheider jachtpartijen zoals in de Eiffel mocht De Gooyer mee. Een paar uitgelaten mannen vertrokken 's avonds om elf uur uit het café met de Volkswagen van Hein Vroege. Na in Antwerpen Hildebrand te hebben opgepikt, die nog een zakendiner had, klonk er voornamelijk gesnurk in het autootje dat zich met één werkende koplamp een weg baande door de dichte mist. 'Je moet ze pakken als ze laag vliegen,' was het adagium van Hildebrand. En De Gooyer vulde dan aan: 'Je moet ze schoppen als ze bukken, neuken als ze liggen en bellen als ze thuis zijn.'

Tweedehands auto's, onroerend goed, kunst (in een atelier met de naam 'Fine Art'): Hildebrand bestierde het allemaal. En daarnaast organiseerde hij feesten. Een vroegere Amsterdamse marktkoopman die in onroerend goed was gegaan, had aan de A2 bij Vinkeveen een hotel laten bouwen: La Residence. Hildebrand was ingehuurd om de opening te verzorgen. Hij had meteen een kantoortje in het hotel betrokken en nodigde De Gooyer uit om er een weekje te komen logeren. De opening was pas over een week, en het hotel moest nog 'ingegeten' en 'ingedronken' worden. Dat ging allemaal op de 'nulbon', zoals Hildebrand het noemde, en dat liet De Gooyer zich geen twee keer zeggen. De marktkoopman tegen Hildebrand: 'Wie moet het openen?'

'Prins Bernhard,' antwoordde die onmiddellijk.

'Wat, kun jij dat regelen dan?'

'Natuurlijk,' zei Hildebrand, 'geen punt.'

Hij blufte niet. Hij was een vriend van Robbie van Erven Dorens, die op goede voet verkeerde met de prins. 'Robbie belt *Bennie* wel even,' zei hij. Twee telefoontjes later was het rond. Prins Bernhard wilde komen, voor vijftigduizend gulden. De marktkoopman stemde toe. Hij was verguld. Het werd een grootse avond. Gilbert Bécaud zong. Maison Van den Boer zorgde voor kreeft en kaviaar. Hildebrand had zijn vrienden op het hart gedrukt geen geintjes uit te halen. 'Nee Tonio,' hadden ze gezegd, 'geen geintjes.' Maar toen 'Bennie' eenmaal arriveerde waren ze al een slok verder. 'Tonio, het is niet *Hare*, maar *Zijne* Koninklijke Hoogheid!' En toen Hildebrand een hand op schouder van de Prins legde, schalde De Gooyer: 'Tonio, hij hééft al een auto!' Het werd een van de leukste feesten ooit. De burgemeester van Vinkeveen had een speech voorbereid. Maar voor hij die kon uitvouwen had De Gooyer hem al uit zijn handen getrokken. 'Ach meneer,' zei hij, 'er wordt al zoveel geluld.' De man was totaal de kluts kwijt en zette het op een drinken. Een uurtje later lag de ambtsdrager op de vloer, volstrekt in de olie. De prins was toen al vertrokken.

Voortaan organiseerde Hildebrand ieder jaar een ontmoeting met prins Bernhard, de dag voor diens verjaardag. Een *entre nous* voor zakenlieden, die daar grif tien mille voor neertelden. Hildebrand kocht een gezamelijk cadeau: een golfautootje, een merkhorloge – je kunt bij Bennie niet met lege handen aankomen. Die mensen die mee mochten naar Soestdijk waren als kinderen zo blij. Architect Cees Dam, het headhuntersduo Thierry en De Vroedt, Harry Mens... Hoewel die laatste niet meer mee mocht nadat hij zich een keer door het weekblad *Privé* had laten fotograferen toen hij het terrein van paleis Soestdijk op reed. Maarten Spanjer is een keer mee geweest. Rijk de Gooyer nooit. Hildebrand heeft het Bernhard wel eens gevraagd: 'Zal ik volgend jaar de acteur Rijk de Gooyer meenemen?' ''t mag wel,' had de prins geantwoord, 'maar het hoeft niet.'

Mannen in open sportauto's, de arm nonchalant over de deur gelegd. Of ze nou zestig zijn, zeventig of tachtig. Langzaam begint iets te rammelen, eerst aan de wagen, daarna aan henzelf, maar ze hebben nog niets in de gaten. De gulle lach blijft, evenals de luide stem. Tot ze een keer omvallen. Adèle Bloemendaal zocht Tonio Hildebrand enkele jaren geleden op, toen hij een beroerte had gehad. Hij zat op het terras van een Amsterdams verpleegtehuis in een rolstoel – een plaid over de knieën. Maar van veraf hoorde ze zijn keurige stem al. En dichterbij zag ze ook het vertrouwde rookpluimpje dat opsteeg van zijn sigaar. Hij droeg een geruite kamerjas. Een groepje mannen, sommigen ook in een rolstoel, zat om hem heen en luisterde vol ontzag naar zijn verhalen: zo'n leven, zoveel avontuur…

XV

Nieuwmarkt-jaren

Het is een hond, een lul, hij is niet loyaal, hij neemt mensen in de zeik. Maar het is wel een hele leuke, interessante man! (Maarten Spanjer)

Binnenbrand

Eigenlijk was het al meteen duidelijk hoe de verhoudingen lagen. Rijk de Gooyer en Maarten Spanjer. Ze zouden eind jaren zeventig een *Grijpstra en De Gier*-achtige serie spelen, getiteld *Internationale detective.* De een als inspecteur, de ander als zijn rechterhand. Maar verder dan een proefuitzending is het nooit gekomen. Na de eerste repetitiedag vroeg de oude aan de jonge acteur of ze nog een borreltje gingen drinken. Ze scheelden een dikke vijfentwintig jaar. Spanjer kende De Gooyer van de televisie en van films – hij had hem van dichtbij aan het werk gezien bij *Soldaat van Oranje*, waar hij zelf kabelsjouwer was geweest. Maar van dat verschil in leeftijd en ervaring was niets te merken. Zeker niet na het derde glas wijn: ze roddelden over mensen uit het vak alsof ze elkaar al jaren kenden. Bij het bestellen van de tweede fles wijn informeerde de jonge acteur of misschien niet eens naar huis moesten, om de tekst te leren.

'Ah nee,' zei De Gooyer en maakte een wegwerpgebaar. 'Dat komt allemaal wel.' En hij schonk nog eens in. Wat een geweldig vak, dacht Spanjer. Beetje spelen, lekker doorzakken, beetje spelen... Toch wierp hij het een fles later weer op.

'Rijk, moet ik míjn tekst niet leren?'

'Weet je wat het is,' zei De Gooyer. 'Ze nemen het allemaal in kleine stukjes op. En tussen de scènes door heb je tijd genoeg om aan je tekst te snuffelen.'

Dat zal dan wel, dacht Spanjer.

De volgende dag bleken de opnames niet in stukjes te gaan. De Gooyer kende zijn tekst, vlekkeloos. 'Of hij die 's avonds nog had geleerd, of dat hij 's ochtend heel vroeg was opgestaan,' zegt Spanjer, 'ik weet het niet.' Zelf stond hij in ieder geval enorm te stunte-

Maarten Spanjer: 'Maar het is wel hele leuke, interessante man.'
Foto Kippa

len, tot ergernis van de regisseur. En daarover heen klonk de stem van Rijk de Gooyer, triomfantelijk: 'Maarten, je moet wél je tekst kennen!'

Met deze man viel een hoop lol te beleven, dat was duidelijk, maar hij hoefde er niets leerzaams van te verwachten: geen support, geen mentorachtige adviezen. Net zomin als De Gooyer die in zijn eigen carrière had gehad, was hij van plan die aan anderen door te geven. In zijn ogen was het niet snel goed wat ze maakten, daar kon hij wel eens schamper over doen. Tot onomstotelijk bleek dat het deugde.

Voor Spanjer zat er nog een andere uitdaging aan de samenwerking. In de vele projecten die hij met De Gooyer zou gaan doen, moest hij opknokken tegen schimmen uit het verleden. In programma's als *Maarten & Rijk*, in reclamespotjes of bij Talkradio, was hij de man ná Kraaykamp. En met hun gezamenlijke column in de *Nieuwe Revu* trad hij in de voetsporen van Eelke de Jong. Twee illustere voorgangers van wie De Gooyer 'weduwnaar' was, zonder de uitgesproken behoefte zich nou opnieuw met iemand te verloven.

Voor de buitenwereld waren Spanjer en De Gooyer vooral twee schoffies die elkaar konden opjutten.

'Wat ik gisteren zag,' zei Spanjer tegen hem in Bodega Keyzer.

'Jeroen Krabbé in de rol van zijn leven. Luister, die man stond voor het raam van zijn huis, tweehoog, te schilderen. Maar niet zomaar. In gepeins verzonken. Naar het doek rennend, weer afstand nemend...'

'Geweldig,' zei Rijk de Gooyer. 'Dat moet ik zien.'

'Dat was gisteren, Rijk.'

'Je kunt niet weten.' Het huis van Krabbé aan het Vondelpark lag op een steenworp afstand van Keyzer. Toen de mannen daar aankwamen, was de vreugde groot. Daar stond de meester, precies zoals Spanjer het had beschreven. Hand aan de kin, penseel in de aanslag, een eindje van het doek verwijderd – dan er ineens weer op toesnellend. Spanjer stond er weer gefascineerd naar te kijken. En toen zijn blik langs de gevel omlaag gleed zag hij dat Rijk de Gooyer twee verdiepingen lager tegen de gevel van het huis stond te wateren. Dat maakte het beeld compleet. Op tweehoog de acteur, ver verheven boven het dagelijks rumoer, kleuren mengend, nuances zoekend – beneden zijn oudere collega, met een holle rug. Foeterend. Klaterend. Opeens was De Gooyer verdwenen, om uit de bosjes te voorschijn te komen met een steen. Hij hief zijn arm.

'Zal ik het doen, Maarten?'

'Ja, Rijk, já!'

Toen liet hij de steen weer zakken. 'De buren hebben ons gezien. Snel, wegwezen!'

Een andere keer, op een of andere societyachtige opening.

'Zie je die dikke man daar?' zei De Gooyer, en knikte met zijn hoofd. 'Die kwal die daar over die vrouw gebogen staat?'

'Ja, Rijk, dat is Willem Smitt, de hoofdredacteur van *Privé*.'

'Durf jij die een brandende peuk in zijn zak te steken?'

Spanjer kon De Gooyer nu eenmaal moeilijk iets weigeren. Dus leende hij bij Tonio Hildebrand een sigaar en stak die in de jaszak van Smitt. Een kringeltje rook steeg eruit op. Langzaam begon het te walmen. Maar naar de zin van De Gooyer nog niet sterk genoeg. 'Durf je ook een peuk in zijn ándere zak te steken?' siste hij in Spanjers oor. Spanjer opnieuw even naar Hildebrand. Met een havanna liep hij vervolgens naar Smitt en liet de brandende sigaar geruisloos in de andere zak glijden.

Smitt praatte rustig verder, van twee kanten rookontwikkeling veroorzakend. Spanjer draaide zich weg. Les één bij zelfgestichte brandjes: altijd de andere kant op kijken. Zo zag hij niet dat Smitt op de schouder werd getikt door iemand die vervolgens naar het gniffelende duo wees. De Gooyer had het wél gezien. Hij stormde erop af en haalde uit voor een rechtse hoek. Een dreun vol op zijn bek. Eenmaal overeind gekrabbeld moesten Smitt en De Gooyer door omstanders uit elkaar gehouden worden. Toen de hoofdredacteur was vertrokken klonk de stem van Hildebrand: 'Dat was niet geheel handig, maar ook niet onkomisch.'

Soms had Spanjer het gevoel dat De Gooyer maar een klein duwtje nodig had om tot vuurwerk te komen. Als het hem uitkwam, probeerde hij dat duwtje ook wel eens te geven. Maar af en toe gebeurde het vanzelf, zoals in dit geval, en dan ook zo heftig dat iedereen ervan schrok. Niet in de laatste plaats De Gooyer zelf, die zich de volgende dag weer liep af te vragen hoe het allemaal gekomen was. De man was hoofdredacteur van een roddelblad. Dat was aanleiding genoeg. Aan de andere kant: een brandende peuk moest toch voldoende zijn.

Kalf op de vluchtstrook

John Kraaykamp heeft er een speciaal hoekje voor ingericht, een permanente tafel met alle prijzen die hij in zijn leven heeft gekregen. Bij De Gooyer zwerven ze daarentegen door het huis. Hij gebruikt ze als presse-papier, als hij op het dakterras zit: de Dolfijn (trofee van het Portugese Tróia Festival), de Prijs van de Stad Utrecht en – als het écht hard waait – een Gouden Kalf. Hij bezit er inmiddels drie, waarvan een er een wat wankele indruk maakt. De eerste kreeg hij in 1980 tijdens het eerste Utrechtse Filmfestival. Voorzitter Jan Vrijman belde hem op.

'Rijk, je krijgt een Gouden Kalf!'

'Wat is dat,' vroeg De Gooyer.

'Dat is de Nederlandse Oscar.'

Wat een na-aperij, dacht De Gooyer. Wat Hollands. 'Ik kom niet,' zei hij.

'Dan krijgt Rutger Hauer hem,' riposteerde Jan Vrijman.

'Doe hem de groeten,' zei De Gooyer.

En zo geschiedde. Het jaar erop belde Jan Vrijman weer.

'Dag Jan,' zei De Gooyer.

'Dit keer zit er een cheque van vijfentwintighonderd gulden bij,' zei Vrijman.

'Dat is wat anders,' zei De Gooyer. 'Ik kom.'

In 1995 kreeg hij bericht dat hij opnieuw genomineerd was. Ditmaal niet alleen voor zijn rol in de film *Hoogste tijd*, maar ook voor de Grolsch-filmprijs (ter waarde van vijftigduizend gulden). En voor zo'n bedrag haalt hij zelfs zijn smoking uit de kast. De Utrechtse Filmdagen bestonden vijftien jaar; het zou een feestje worden. En de genomineerden – de eregasten – werden verzocht twee uur eerder ter plaatse te zijn. Ze moesten wachten in een zaaltje met niets te eten of te drinken, om na een uur te worden doorgestuurd naar een andere ruimte, waar ze op een shoarma, lauwe jenever, wijn en sinas werden onthaald. Stoelen en tafels ontbraken, en conversatie was onmogelijk omdat een boerenkapel uit Macedonië hun de oren van het hoofd blies.

Voor een repetitie was geen tijd, en de gevolgen daarvan bleven de hele avond zichtbaar. Alles wat op een prijsuitreiking mis kan gaan, ging mis. Er werden verkeerde namen genoemd en verkeerde fragmenten vertoond, er vielen pijnlijke stiltes, kortom: alle tenen kromden zich in hun feestelijke schoeisel. Gelukkig voor de organisatie was de uitzending niet live, zodat er geknipt worden. En gelukkig voor De Gooyer kreeg hij zijn Kalf, al ging de vijftigduizend aan zijn neus voorbij. Na afloop van de plechtigheid herhaalde zich de situatie. Voor de genomineerden waren geen stoelen of tafels gereserveerd, ze moesten zelf in de rij staan voor consumptiebonnen, die in weer een andere rij verzilverd dienden te worden. In die gemoedstoestand – een van oplopende ergernis – trof Maarten Spanjer de Gouden-Kalfbezitter.

Spanjer was de hele avond op pad geweest voor zijn televisieprogramma *Taxi*. Zijn laatste kandidaat had hij om een uur of tien bij het Filmfestival afgezet. En mooiere plek om nog een biertje te drinken was nauwelijks denkbaar. Alles was al ingepakt, de camera en geluid. Zijn zendertje was ontkoppeld. Maar toen hij de verhaal van zijn vriend hoorde, wist hij de crew nog een keer op te trommelen. Ze zouden nog één ritje maken, met een verbolgen prijswinnaar. In de taxi terug deed De Gooyer het verhaal nog eens dunnetjes over. De gebrekkige organisatie, en zo'n armoedig Kalfje – 'De naam alleen al. Ik flikker dat ding net zo lief uit het raam,' zei hij. Waarop Spanjer er onmiddellijk bovenop sprong. 'Doe dan, Rijk. Dan moet je het ook doen. Doe dan, doe dan!'

In de volgwagen hielden ze de camera al in de aanslag. En inderdaad: in het licht van de lantaarns vloog het Kalf opeens in een boog uit het raampje en stuiterde weg over de vluchtstrook. De Gooyer had zijn genoegdoening, de organisatie was op haar nummer gezet, en Spanjer had een geweldig item, waar nog lang over werd nagepraat. Om te beginnen in café De Zon, aan de Amsterdamse Nieuwmarkt, waar het die avond gezellig laat zou worden. Met het licht beschadigde Kalf – dat natuurlijk weer was opgeraapt – op een ereplaatsje achter de bar.

Vier jaar later was De Gooyer opnieuw genomineerd, voor zijn rol in de film *Madelief* (1998). Hij speelde zijn eerste rol als opa. Wat voor een mannenman even slikken was. Bedachtzaam kuieren over de dijk met een huppelend klein meisje. Maar alles zat mee aan deze productie. Het script, de acteurs – 'Madelief is een natuurtalent,' zegt hij – en de secure aanpak van Ineke Houtman, de regisseur met wie hij goed kon opschieten. De film won de publieksprijs in Berlijn, en was dus nu de nominatie voor een nieuw Gouden Kalf.

Maarten Spanjer stelde voor om in zijn programma *Spanjer* een soortgelijk item te maken als indertijd met *Taxi.* Maar over één ding was De Gooyer duidelijk. Móćht hij winnen, dan gooide hij niet nog een keer zijn ongeschonden Kalf uit het raam. Dus haalde hij bij café De Zon het gedeukte exemplaar, dat nog achter de bar stond. Die ging in de kofferbak. En samen togen ze naar Utrecht. De rolverdeling was doorgesproken: Maarten Spanjer zou verontwaardigd zijn, omdat De Gooyer na alles wat er gebeurd was kennelijk toch weer een Kalf wilde. Terwijl De Gooyer zou vergoelijken dat de prijs inmiddels toch enigszins aan prestige had gewonnen, sinds hij hem zelf twee keer had gehad. Het hele festival had meer uitstraling gekregen. Aardige mensen ook allemaal...

De Gooyer schoof aan het diner en gaf de andere genomineerden een hand. De organisatie had van haar fouten geleerd: de tafels waren hoog opgetast met zalm, salades en champagne. Spanjer stond er in zijn spijkerjack naast.

'Daar heb je Krabbé,' zei hij, 'moet je die niet ook even aflikken?'

'Ach ja, natuurlijk,' zei De Gooyer, 'dag Jeroen.' En grijnzend gaf hij de Krabbé een hand. De genomineerd voor de beste acteur waren Fedja van Huêt, de Vlaming Dirck van Dijk en Rijk de Gooyer.

'En de prijs gaat naar...' Monique van de Ven opende de envelop.

'Je blijft zitten,' siste Spanjer.

'Rijk-de-Gooy-er!' De Gooyer wrong zich los en betrad het podium, zijn jasje dichtknopend. Het deugde eigenlijk niet dat hij daar stond, vond hij. Dat betekent dat er dit jaar weer geen concurrentie was. Maar vooruit. Een uitspraak die op het journaal van tien uur al te zien was. In de auto terug pakten de heren het script weer op. 'Geweldige avond,' glom De Gooyer. 'Monique van de Ven, Willeke van Ammelrooy... Allemaal fijne meiden.' Het einde van het liedje was dat er weer een Kalf in volle vaart het autoraampje verliet. Na de worp vroegen de mannen uit de volgwagen of het nog een keer kon, voor een ander shot. 'Nee jongens,' zei De Gooyer, een tikkeltje geïrriteerd. 'Twee keer is mooi geweest.' En hij zette het geschonden Kalf liefdevol op de achterbank.

Uw erkende vakman

Gert-Jan Dröge was zo in zijn nopjes dat hij een rol in een Belgische film mocht spelen, dat hij Rijk de Gooyer opbelde.

'Waar moet ik op letten Rijk?' vroeg hij. 'Geef eens wat tips?'

'Leer je tekst, Gert-Jan.' Dat mocht wat mager klinken uit mond van iemand die gold als 'de enige echte Nederlandse filmacteur', en zo vatte Dröge het ook op. Maar dat was niet helemaal terecht. 'Vanaf m'n allereerste film heb ik altijd heel goed m'n tekst geleerd,' zegt De Gooyer. 'Ik lees eerst globaal het hele script, en begin dan, stukje voor stukje, met mijn hand op de tekst, stukken te memoriseren. Net zo lang tot ik het tot op de letter ken. Vervolgens zet ik in huis allerlei stoorzenders aan, de tv of de radio, en probeer het nog eens. Als ik de tekst dan nog ken, is de grootste stap gezet. Maar dan ben ik er nog niet. Want het moeilijkste is de tekst te reproduceren met handelingen erbij: afwassen, dingen in de kast zetten, opruimen – zo oefen ik net zo lang tot alles er vloeiend uit komt. Ken je tekst beter dan je tegenspeler, dat is een begin.'

'Hoe heb je het vak dan precies geleerd?' vroeg Maarten Spanjer een keer.

'Door veel naar Amerikaanse films te kijken,' antwoordde De Gooyer.

'Dat doet iedereen – ik ook,' zei Spanjer. 'Dat telt niet.'

'In films zie je bijvoorbeeld dat acteurs elkaar niet altijd aankijken als ze tegen elkaar praten. En dat moet ook. In het echt gaat je blik ook rond: je kijkt eens naar buiten of naar het tafelblad. Dat maakt het geloofwaardiger. Voor dialogen geldt hetzelfde. In het echte leven wacht je ook niet tot de ander is uitgesproken, voor je zelf met een regeltje komt. Maar kijk er Nederlandse films of series maar op na. Dat heeft ook een technische reden. Als ze eerst een opname van jou maken en daarna van de ander, kun je niet "snijden" als er door elkaar gepraat wordt. Maar maak je een zogenaamde *two-shot* – dus beiden in een totaal – dan kan het wel.'

Als De Gooyer één ding heeft geleerd, dan is het vooral om

‘Goeie jus ligt stil.’ De Gooyer als vader Van Egters in *De Avonden*, met Thom Hoffman en Viviane de Muynck. *Foto NOB*

Achter de schermen bij *Hoogste tijd* met Frans Weisz. *Foto Pief Weyman*

Als Reder Bos
(*Op hoop van zegen*).

praktisch te denken. Frans Weisz vertelde over een scène uit de slotaflevering van *Bij nader inzien*, waarbij de oude garde in een kamer bijeen zit. 'Zoek allemaal een plekje in de ruimte waarvan je vindt dat het bij je personage past,' had hij aan het begin van de draaidag gezegd. De Gooyer – die een rol als kiwikoning uit Australië speelt – koos onmiddelijk een comfortabele stoel. De opnames gingen zeker vijf uur duren, hij zat goed. En hij keek meewarig naar Willem Nijholt die met één bil op een krukje plaats had genomen.

'Zou ik niet doen, Willem.'

'Waarom niet, Rijk?'

'Omdat je straks een houten kont hebt.'

Het gezelschap zat in een andere scène aan de bouillabaisse. Bij de repetitie begon Nijholt nijver te lepelen.

'Willùùùm,' zei De Gooyer. Hetzelfde verhaal, legt hij uit. 'Voor je het weet zit je vijf uur soep te eten. En buiten het feit dat die cateringsoep dagenlang meegaat, hou je dat gewoon niet vol.' In de betreffende scène zie je De Gooyer ook heel spaarzaam wat brood breken, en af en toe een stukje in zijn mond steken.

In 1989 hadden Frans Weisz en Rijk de Gooyer elkaar weer gevonden. Eerst met *Leedvermaak* van Judith Herzberg, over de lotgevallen van een joodse familie in de schaduw van de oorlog. Weisz twijfelde even of hij De Gooyer wel kon vragen, met het 'telefoonnummer' van de joodse actrice nog vers in zijn achterhoofd. De Gooyer kon het ook niet laten. Op de eerste repetitie keek hij vergenoegd rond en zei: 'Jongens, komt Seyss-Inquart nog?' Peter Oosthoek reageerde furieus: 'Als dit de toon wordt, kap ik ermee!'

Weisz wist het te sussen. En een andere wanklank is niet meer gevallen. Met *Leedvermaak* begon een nieuwe periode waarin hij in aanraking kwam met het type dat wel 'acteuracteur' wordt genoemd. Toneelspelers die volledig in de huid van hun personage kruipen, de weg om tot een rol te kómen belangrijker vinden dan het spelen ervan, diep in zichzelf graven om de juiste emotie te vinden, en die werken met scripts vol met krabbels, pijlen en associaties. Een mannenman, kortom, is geen acteuracteur. Het idee 'u vraagt, wij draaien', dat De Gooyer altijd heeft beleden, vloekt zelfs met die andere opvatting, maar botste er vreemd genoeg niet mee. Hij had grote bewondering voor acteuracteurs als Pierre Bokma of Josse de Pauw, die hun vak zo anders opvatten dan hij. En ongemerkt schoof hij zelfs een beetje in hun richting op.

In *Hoogste tijd* zit een scène waarin de oude acteur Uli Bouwmeester terugdenkt aan zijn jeugd. 'Probeer aan je eigen moeder te denken,' adviseerde Frans Weisz. 'Iets wat ik vroeger nooit aan Rijk had durven vragen,' zegt hij nu. 'Maar ik zag het gebeuren. Ik zag de trekken in zijn gezicht zachter worden, de ogen omfloerst. Het kon dus tóch.' De Gooyer had lang getijfeld of hij de rol wel wilde. 'Frans gaf me het script mee op vakantie naar Kotok,' zegt hij, 'een eilandje aan de kust van westelijk Java. Kees van Kooten en zijn vrouw waren ook mee. Het script overtuigde me niet: te veel symboliek, te intellectualistisch. Kees en m'n vriendin Nel hebben me uiteindelijk overgehaald het toch te doen.' Het bleek een zware rol,

Debuut als opa met Madelief Verelst, 1998.

en veeleisend: minder drinken, vroeg naar bed. En nóg nauwkeuriger dan anders zijn tekst leren.

En toch was er weer een incident. De Gooyer zat in Bodega Keyzer van een van zijn laatste vrije dagen te genieten, toen Ischa Meijer binnenkwam.

'Waarom heb je een kale kop, Rijk?' vroeg hij.

De Gooyer vertelde over de film. 'En ach ja,' voegde hij er stoer aan toe, 'het houdt me uit de kroeg.'

'Kijk eens aan,' vroeg de journalist geïnteresseerd, 'opnieuw met Frans?' De volgende dag in de column van Ischa Meijer waren de uitgewisselde beleefdheden uitgesponnen tot een heel gesprek, waarin De Treurige Acteur – zoals Meijer De Gooyer aanduidde – met iedereen de vloer aanveegde. Met Harry Mulisch ('Die Halfjoodse Haakneus met Universele Aspiraties'), tegenspeelster Kitty Courbois ('de Wilde en Ogenschijnlijk Immer Geëmotioneerde Maar Daarom Niet Minder Stompzinnige Actrice') en tenslotte ook met Frans Weisz ('de Mini-Fellini').

'Daar wilde je toch nooit meer mee werken, herinner ik me?'

'Zo is het,' kreunde De Treurige Acteur. 'Ik haat die man.'

De Gooyer belde Frans Weisz. 'Lees *Het Parool* maar niet,' zei hij. Waarop Weisz naar de sigarenman snelde. En woedend was. Rijk had het weer voor elkaar, opnieuw een dag voor de opnames begonnen! De Gooyer had het overigens over zichzelf afgeroepen. Hij had een paar jaar daarvoor op televisie gezegd dat Ischa Meijer van een artiestengala was weggehaald op last van de officier van justitie, omdat het 'dwergwerpen' in Nederland nog altijd bij de wet verboden was. Een opmerking die hij nu terug op zijn brood kreeg, waarbij het gevoel van timing van Meijer verbluffend was. Uiteindelijk kwam het tot een kort geding. De advocaat van De Dikke Man stelde dat zijn cliënt in een column zijn eigen mening in de mond van ander mocht leggen. De aanklager schikte. En daarmee was de kous af.

Van 1979 tot 1989 lag het werktempo voor Rijk de Gooyer ongebruikelijk hoog. In 1981 kwamen er maar liefst zes speelfilms uit, waaronder *Hoge hakken, echte liefde* – waarin hij een dubbele hoofdrol speelt. Het is nog steeds een van de leukere Nederlandse comedy's. Maar de eerlijkheid gebiedt te zeggen dat het adagium van Simon Carmiggelt – 'een Nederlandse speelfilm is pas een Nederlandse speelfilm als Rijk de Gooyer erin meespeelt' – ook wel eens werd omgedraaid: laten we Rijk maar vragen, misschien haalt hij de boel wat op. Het bracht hem in de ongekende positie dat hij kon krijgen of afwimpelen wat hij wilde. Aan de kleine rollen, zoals rechercheur Muyskens in *Ciske de rat* (1984), of Pete Steward, de helikopterpioloot in *Schatjes* (1984), beleefde hij het grootse plezier.

Uit diezelfde periode stammen ook twee rollen waar hij wel hard voor had moeten knokken. De eerste in *De Avonden* (1989) van regisseur Rudolf van den Berg. De klassieke debuutroman van Gerard Reve behoort tot de lievelingsboeken van De Gooyer, en dus belde hij de regisseur. Van den Berg was nog op zoek naar iemand die de vaderrol kon spelen, en gaf ruiterlijk toe aan iedereen gedacht te hebben, behalve De Gooyer. Het moest een goeiige, wat introverte man zijn. Maar auditeren kon altijd.

'Eigenlijk speelde ik mijn eigen vader,' zegt De Gooyer. 'De vader van Reve en die van mij leken sterk op elkaar. Bovendien verschilde de sfeer van een communistisch gezin in die tijd niet veel van die van ons. Het is allebei een geloof.'

Hij voegde en passant zelf nog een regel aan het Reve-repertoire toe: 'Goede jus ligt stil.' Die uitspraak kwam van zijn vader: 'Waterige jus schommelt, maar goede jus niet, vanwege het randje vet. Mijn vader maakte de beste jus van de wereld.'

Hij kreeg de rol. En vervolgens hij redde hij de film, ook financieel, want de producent kwam ruim drie ton te kort. De Gooyer gebruikte zijn contacten uit Barretje Hilton om het verschil bij te leggen. Op maandagavond zat daar Willem Smit, een grote jongen uit de computerbranche. De Gooyer had *De Avonden* meegenomen en legde het voor hem op tafel.

'Willem, dit boek wordt verfilmd. Zou jij eventueel vier ton op tafel kunnen leggen?'

'Wat is dat voor boek?' vroeg Smit.

'Lees het,' zei De Gooyer.

'Is het met seks?'

'Geen seks.'

'Ik lees geen boeken,' zei Smit, 'alleen maar kranten. Wat speel jij erin?'

'De vader,' zei de Gooyer. 'Een mooie rol.'

Smit knikte. 'Bel morgen m'n advocaat maar op. Het is oké. En, De Gooyer... Alleen omdat jij het bent.'

De andere rol waarvoor hij zich in een bocht had moeten wringen was die van de reder Clemens Bos in *Op hoop van zegen* (1986). Die was hem toegezegd, en met hetzelfde gemak weer afgenomen. Dat had hij tenminste viavia gehoord. Dus belde hij producent Mathijs van Heijningen, midden in de nacht.

'Dat klopt,' zei die. 'Want ik heb begrepen dat jij in de serie *De Brekers* speelt als de film uitkomt, en dat wil ik niet hebben.'

'Heb je het dan niet gehoord?' zei De Gooyer. 'Die serie gaat niet door.' Het was een leugentje om bestwil. 'Maar in sommige gevallen,' zegt De Gooyer, 'is alles geoorloofd.' De rol was anders naar Piet Römer gegaan.

Op televisie speelt hij begin jaren negentig met zichtbaar genoegen de rol van Fred Schuit in de serie *In voor- en tegenspoed*. Toenmalig VARA-voorzitter Marcel van Dam had het aangedurfd de zwarte humor van Johnny Speight op de buis te brengen. De serie had dezelfde sfeer als *All in the Family*, dankzij de zorgvuldige regie van Marc Nelissen, acteurs als Kees Hulst, Michiel Romeyn en Gerard Thoolen, en natuurlijk De Gooyer, die de rol van aartskankeraar als geen ander kan spelen. Aan de ene kant is dat bewonderenswaardig. 'Op Rijk de Gooyer na ken ik geen Nederlandse acteur die de ploert wil uithangen bij een comedy,' schreef Maarten Huygen in *NRC Handelsblad*. En daar zit wat in. Mensen willen graag aardig gevonden worden. De Gooyer kan het niet schelen hoe hij wordt gezien, maar liever als de buurman die de bal lek steekt, dan als de beminnelijke oude acteur.

Natuurlijk is dat wel een beetje een zwartwit-voorstelling. 'Want Rijk ís natuurlijk geen ouwe zeur,' zegt Maarten Spanjer. 'Opstandig, ja. Maar ik heb zelden zo'n levenslustige man meegemaakt. Haast een soort blije geit. Een heel positief mens. De manier alleen al waarop hij de beentjes voor zich uit schopt. Dat optimistische loopje.'

De Gooyer zelf in 1995 in *Het Parool*: 'Milder? Ik? Sodemieter op! Ik ben nog steeds dezelfde driftkikker!' Adèle Bloemendaal mag beweren dat De Gooyer 'eigenlijk' een warme persoonlijkheid is en dol is op poëzie; Kraaykamp kan reppen van diens 'veelzijdigheid' en 'trouw' ('dat wil zeggen: aan mensen die hij mag'), je kunt hem een 'heel gevoelige' man noemen, zoals Frans Weisz doet, 'en bijzonder intelligent'. Dat kan allemaal, maar niet hardop. Tenminste niet waar hij bij is.

The Burglar Strikes Back

Het gebeurde in het voorjaar van 2001. Op de sportschool aan de Blasiusstraat. Hij zat op zo'n 'roeiding', omdat hij werkte aan een geblesseerde knie, toen hij ineens ophield. Met een raar gevoel in zijn hoofd. En tegen de fysiotherapeut, die erbij kwam staan, stamelde hij een paar woorden Spaans. Een 'middelgroot infarct' – zo luidde de diagnose in het nabijgelegen Onze Lieve Vrouwegasthuis. Hij hield er afasie aan over – een taalstoornis. Ironisch lot voor een rasverteller. 'Voorlopig geen Hamlet voor mij,' zei hij dit jaar tegen de *Nieuwe Revu*. Maar thuis is hij aan het oefenen geslagen. Hardop voorlezen uit de krant.

'Zeg je, Rijk?'

'Niks Nel, ik ben hardop aan het lezen.' En als hij tijdens het vertellen van een verhaal blijft steken, zegt Nel: 'Rustig praten. Probeer je zinnen af te maken.' Voor iemand die nog nooit een zin helemaal

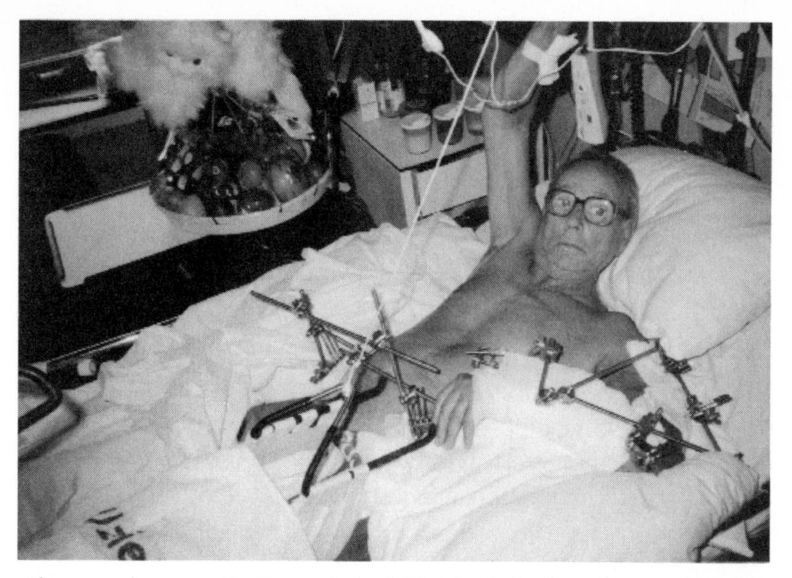

Alweer een leven van De Gooyer. In het VU-ziekenhuis, ditmaal met verbrijzelde arm en dubbele bekkenbreuk. 'Ik viel van het dak.'

heeft afgemaakt, is dat een ingewikkelde opgave. Hij is inmiddels het een en ander gewend. Tijdens de oorlog heeft hij een flink aantal keren oog in oog gestaan met de dood. Daarna twee behoorlijk vallen, de eerste uit het Lido met als gevolg een gebroken rug, en in 1994 van zijn platje, vijf meter naar beneden: zijn bekken, pols en een aantal ribben in de vernieling. Met de ambulance naar het VU-ziekenhuis. Heeft dat busje vroeger naast de telefoon toch nut gehad, dacht hij.

Hoeveel levens kun je hebben? Een kat heeft er negen. Maar De Gooyer begint dan pas te tellen. Dat heeft ook alles te maken met de wil om na al die opdonders weer terug te komen. Op de set van *In voor- en tegenspoed* zagen ze hem tijdens de lunch verbeten oefenen om in een scène straks te kunnen telefoneren, zonder dat zijn verbijzelde pols opvalt. In de films daarna is hij daar steeds behendiger in geworden. Het stijve been gebruikt hij in zijn voordeel.

'Ik kom uit een sterk geslacht,' zegt hij. 'M'n grootvader van moederskant werd honderd, m'n moeder drieënnegentig, veel zussen haalden de negentig. Als acteur moest ik ter wille van verzekeringen regelmatig worden gekeurd. Als ik dat dan vertelde over mijn ouders en grootouders, deden de heren artsen hun boeken dicht. "Meneer de Gooyer, u hoeven we niet te keuren. 't Zit in de genen." Het is alleen de vraag, of dat voor een wat uitbundiger levensstijl ook telt.'

De kans dat hij een duel in of voor een café aan zijn einde komt, wordt in ieder geval steeds kleiner. Sociëteit De Kring heeft hem in de jaren tachtig definief geroyeerd, hoewel hij de gelegenheid om 'rasopportunist, republikein én commissaris van de Koningin' Han Lammers flink te schoppen nog wel te baat heeft kunnen nemen. Maar echt vechten doet hij niet meer. Daar heeft hij tegenwoordig iets tegen, het medicijn lithium – één tablet per dag. Daarmee zijn de scherpe kantjes er wat af. Hoewel het voor hoofdredacteuren van roddelbladen nog steeds geen enkele garantie biedt.

Vriend Peter Knegjens zei eens: 'Rijk, af en toe schudt God aan de bongerd en vallen ze als appeltjes uit de bomen. Maar wij hebben gelukkig een sterk steeltje...'

Hij staat voor het raam van zijn huis aan de Nieuwmarkt, de handen in de zakken van zijn ribbroek. 'Peter is ook al dood,' zegt hij. 'Dat is de meest vervelende kant van het ouder worden: je verliest mensen om je heen die je lang dierbaar waren.'

Hij heeft nog twee zussen, Greet en Jannie, beiden in de negentig. 'Wel meteen m'n leukste,' zegt hij, 'dat is weer meegenomen.' Voor het gezelschapsmens dat hij is, was de band met de grote familie nooit hecht. Het contact met zijn tweelingszus Ankie nog het minst. 'Die is inmiddels ook al dertig jaar dood.' Tussen hem en zijn ouders ging het altijd goed, hoewel ik die misschien ook meer had moeten bezoeken,' zegt hij. "Eert uw vader en uw moeder, opdat het u welga in het land dat God u geven zal. Tja."'

Soms denkt hij nog terug aan het einde van de eens zo roemruchte De Gooyers Bakkerijen. In de jaren vijftig was het bedrijf van vader De Gooyer gefuseerd met een ander bakkersbedrijf, Het Anker. Dat was beter, zeiden ze tegen zijn vader, tegen de concurrentie. De baas van Het Anker – 'Hij heette ook nog Poen!' – bleek een enorme oplichter. Na een jaar ging de boel failliet. De laatste jaren van hun leven hebben ze bij hun dochter Greet in Amsterdam gewoond, in de Milletstraat. Toenmalig wethouder Den Uyl woonde met z'n gezin daarboven. Hij had geen vloerbedekking. En naast het feit dat elke voetstap van hem en zijn kinderen te horen was, zat Den Uyl tot diep in de nacht te tikken. Met een venijnige aanslag die hinderlijk doordrong naar beneden.

'Toen mijn vader op sterven lag ben ik naar boven gegaan en heb keihard op de deur gebonsd en geroepen: "Vuile, vieze klote socialist, hou eens op met dat getik!" Hij deed niet open.' Na de dood van zijn vader is moeder De Gooyer – voor wie gelukkig een goed pensioentje uit het vuur was gesleept – naar een bejaardenwoning gegaan, ook in Amsterdam. 'Ze is gaan reizen,' zegt hij. 'Al die plekken waar mijn vader nooit naartoe wilde: Parijs, Londen, Zwitserland. En naar Zambia, waar mijn zuster Jannie met haar man woonde. Die hadden daar een sinaasappelplantage. M'n moeder was toen al drieëntachtig. Ik zocht haar op om afscheid te nemen – ze zou wel een halfjaar wegblijven. Het was een ingewikkelde reis. Ze moest eerst naar Londen, waar ze een halve dag moest wachten om verder te kunnen vliegen naar Elisabethville. Daar moest ze zes uur wachten om vervolgens met een ander toestel naar Zambia te gaan. Mijn zuster wachtte haar daar op met een jeep, voor nog een halve dag reizen de rimboe in. Ze zei: "Ik neem voor Jannie gerookte paling mee, dat vind ze zo lekker." Ik zei: "Dat kun je beter niet doen, ma, je bent veel te lang onderweg." "Nee, geen gezeur, ik neem gerookte paling mee – dat vindt Jannie lekker." Ik met oudste broer Arie gebeld hoe we dat toch uit haar hoofd konden praten. Mijn broer verzon een list. "Ik heb met de ambassade gebeld," zei hij tegen mijn moeder, "en het blijkt dat paling Zambia helemaal niet ín mag. Er geldt een invoerverbod. U krijgt last met de douane, het spul wordt in beslaggenomen en dan heeft u alle moeite voor niets gedaan."

Maar mijn moeder dacht: je kan me nog meer vertellen. Ze heeft in haar korset vakken genaaid en daar die paling rechtop ingezet. Het korset bond ze om, bloemetjesjurk erover, en zo ging ze op reis. Vanaf Amsterdam droeg ze die paling op haar blote lijf. In Elisabethville mocht ze het vliegtuig niet uit, want er werd in de buurt van het vliegveld geschoten. Eenmaal bij mijn zus belde ze ons direct op: de paling had de bijna drie dagen durende reis goed doorstaan. "Ze waren lekker." Zo'n actie was typerend voor mijn moeder. Een onverzettelijke vrouw. Die ginds ook nog even het apartheidsprobleem oploste. Tenminste, dat dacht ze. Mijn zus had negerjongens in dienst, die buiten de nacht doorbrachten. Dat gaf geen pas, vond ze. Die jongens moesten binnenkomen. Dat was je christenplicht.'

Het leven is nu een grote vakantie, en daar moet je van houden. Op terrasjes zitten met Adèle Bloemendaal. Varen door de Amsterdamse grachten in zijn sloep *De Rijnel*, wat een optimistische samentrekking is, want Nel houdt niet van varen maar Jan Lenferink gelukkig wel. Een maandje naar Bonaire, een maandje naar Zuid-Frankijk. Onderweg even lang bij Barbara en Kees. Maar soms kriebelt het weer. Als Frans Weisz straks met een vervolg op *Leedvermaak* komt, kan hij de rol van Zwart weer spelen – die kan toch ook avasie hebben gekregen? 'Dat speel ik heel realistisch.' Er zijn plannen om de sitcom *Kiss Me Cate* te gaan doen, met actrice Olga Zuiderhoek, op wie hij erg gesteld is. Misschien ergens een column. En wát hij wel leuk zou vinden: nog een policier. Of de rol van een oude inbreker. Zijn laatste kraak: *The Burglar Strikes Back*. Maar tot die tijd... 'Veel en hardop lezen uit de krant. En rus-tig pra-ten. Rúústig, zegt Nel.' Hij kijkt naar het drukke leven op de Nieuwmarkt met de blik van een jongetje dat eigenlijk naar buiten wil, maar zijn huiswerk nog niet af heeft.

Rijk de Gooyer, 2002.
Foto Marian van de Veen

Films met Rijk de Gooyer

Chronologisch, vanaf 1955

1955 – *Het wonderlijke leven van Willem Parel.* Regie: Gerard Rutten. (Met Wim Sonneveld, Peronne Hosang, Joop Doderer e.a.)
1957 – *Kleren maken de man.* Regie: Georg Jacob. (Met Kees Brusse, Andrea Domburg, Guus Hermus e.a.)
1960 – *Schachnovelle* (DU). Regie: Gerd Oswald (Met Curd Jürgens, Claire Bloom, Hansjörg Felmy e.a)
1962 – *Rififi in Amsterdam.* Regie: John Korporaal. (Met Maxim Hamel, Jan Blaaser, Anton Geesink e.a.)
1969 – *De blanke slavin. Intriges van een decadente zonderling.* Regie: René Daalder. (Met Günther Ungeheuer, Andrea Domburg, Tony Huurdeman e.a.)
1972 – *De inbreker.* Regie: Frans Weisz. (Met Jennifer Willems, Frits Lambrechts, Willeke van Ammelrooy e.a.)
1973 – *Geen paniek.* Regie: Ko Koedijk. (Met Johnny Kraaykamp, Hetty Blok, Trudy Labij e.a.)
1973 – *Naakt over de schutting.* Regie: Franz Weisz. (Met Jennifer Willems, Jon Bluming, Sylvia Kristel e.a.)
1974 – *Een meisje van dertien.* Regie: Jan Vrijman.
1975 – *Rufus.* Regie: Samuel Meyering. (Met Pleuni Touw, Cox Habbema, Yoka Berretty e.a.)
1975 – *Zwaarmoedige verhalen voor bij de centrale verwarming* (Een winkelier keert niet weerom). Regie: Nouchka van Brakel (Met Johnny Kraaykamp)
1975 – *The Wilby Conspiracy* (USA). Regie: Ralph Nelson (Met Sidney Poitier, Michael Caine, Rutger Hauer e.a.)
1977 – *Soldaat van Oranje.* Regie: Paul Verhoeven. (Met Rutger Hauer, Jeroen Krabbé, Derek de Lint e.a.)
1978 – *De mantel der liefde.* Regie: Adriaan Ditvoorst. (Met Hans Boskamp, Joost Prinsen, Siem Vroom e.a.)
1979 – *De Grens.* Regie Bobby Eerhart (Met Derek de Lint e.a.)
1979 – *Grijpstra en De Gier.* Regie: Wim Verstappen. (Met Rutger Hauer, Donald Jones, Willeke van Ammelrooy e.a.)
1979 – *Nosferatu. Phantom der Nacht* (DU/USA). Regie: Werner Herzog. (Met Klaus Kinski, Isabelle Adjani, Lo van Hensbergen e.a.)
1980 – *The Lucky Star* (USA/NED). Regie: Max Fischer. (Met Rod Steiger, Louise Fletcher, Joop Admiraal e.a.)

1981 – *Hoge hakken, echte liefde.* Regie: Dimitri Frenkel Frank (Met Monique van de Ven, Geert de Jong, Dolf de Vries e.a.)
1981 – *Rigor Mortis.* Regie: Dick Maas. (Met Olga Zuiderhoek, Wim T. Schippers, Helmert Woudenberg e.a.)
1981 – *Twee vorstinnen en een vorst.* Regie: Otto Jongerius. (Met Kitty Courbois, Linda van Dijck, Jan Decleir e.a.)
1981 – *Het dertig april gevoel.* Regie: Jurriën Rood.
1981 – *Het verboden bacchanaal.* Regie: Wim verstappen. (Met Geert de Jong, Bram van der Vlugt, Hugo Metsers e.a.)
1981 – *Een vlucht regenwulpen.* Regie: Ate de Jong. (Met Huib Rooymans, Marijke Merckens, Peter Tuinman e.a.)
1982 – *Sabine.* Regie: René van Nie. (Met Benthe Forrer, Mike Burstyn, Ben Vereen e.a.)
1982 – *Een akkoord.* Regie: Bauke Kappers.
1983 – *A Time To Die.* (Oorspronkelijk: *Seven Graves for Rogan*) (USA). Regie : Matt Cimber. (Met Rex Harrison, Rod Tailor, Linn Stoke)
1983 – *An Bloem.* Regie: Peter Oosthoek. (Met Kitty Courbois, Renée Soutendijk, Marina de Graaf e.a.)
1983 – *Vroeger kon je lachen.* Regie: Bert Haanstra. (Met Simon Carmiggelt, Carolien van de Berg, Kees van Kooten e.a.)
1983 – *Zwarte ruiter.* Regie: Wim Verstappen. (Met Hugo Metsers, Pleuni Touw, Cristel Braak e.a.)
1984 – *Ciske de rat.* Regie: Guido Pieters. (Met Danny de Munk, Willeke van Ammelrooy, Herman van Veen e.a.)
1984 – *Schatjes.* Regie: Ruud van Hemert. (Met Akkemay Marijnissen, Frank Schaafsma, Geert de Jong)
1985 – *De Prooi.* Regie: Vivian Pieters. (Met Maayke Bouten, Marlous Fluitsma (Ria de Jong), Joop Doderer e.a.)
1986 – *In de schaduw van de overwinning.* Regie: Ate de Jong. (Met Jeroen Krabbé, Edwin de Vries, Marieke van der Pol e.a.)
1986 – *Mamma is boos.* Regie: Ruud van Hemert. (Met Geert de Jong, Peter Faber, Sanne van der Noort e.a.)
1986 – *Op hoop van zegen.* Regie: Guido Pieters. (Met Kitty Courbois, Danny de Munk, Huub Stapel e.a.)
1987 – *De ratelrat.* Regie: Wim Verstappen. (Met Peter Faber, Jon Bluming, Marc Klein Essink e.a)
1989 – *De Avonden.* Regie: Rudolf van den Berg. (Met Thom Hoffman, Viviane de Muynck, Pierre Bokma)
1989 – *Leedvermaak.* Regie: Frans Weisz. (Met Pierre Bokma, Catherine ten Bruggencate, Annet Nieuwenhuijzen)

1991 – *Bij nader inzien.* Regie: Frans Weisz. (Met Coen Flink, Porgy Franssen, Loes Wouterson e.a.)
1995 – *Hoogste tijd.* Regie: Frans Weisz. (Met Josse de Pauw, Kitty Courbois, Camilla Siegertsz e.a.)
1995 – *Filmpje!* Regie: Paul Ruven. (Met Paul de Leeuw, Olga Zuiderhoek, Tom Jansen e.a.)
1996 – *De Jurk.* Regie: Alex van Warmerdam. (Met Ariane Schlüter, Annet Malherbe, Ricky Koole e.a.)
1998 – *Madelief.* Regie: Ineke Houtman. (Met Madelief Verelst, Peter Blok, Thomas Acda e.a.)
1999 – *De bal* (BE). Regie: Dany Deprez. (Met Hilde van Mieghem, Ernst Löw, Michael Pas e.a.)
2001 – *Qui Vive.* Regie: Frans Weisz. (Met Pierre Bokma, Marjon Brandsma, Catherine ten Bruggencate e.a.)

Verantwoording

Rijk; de negen levens van de Gooyer is de neerslag van interviews die tussen 1999 en 2002 zijn gehouden. Met dank aan Adèle Bloemendaal, Herman Pieter de Boer, Rijk de Gooyer jr., Nel van Huikelom, John Kraaykamp, Conny Meslier, Jop Pannekoek, Hans Sleutelaar, Maarten Spanjer, Peter van Straaten en Frans Weisz.

Het hoofdstuk 'Tropenjaren in Giethoorn' verscheen eerder in een verkorte versie in het kerstnummer van *HP/De Tijd* (2001).

Gebruikte literatuur:

Herman Pieter de Boer. *Krentebollen, Kogels en Klatergoud.* Tiebosch Uitgeversmaatschappij, 1979.

Rijk de Gooyer. *Gereformeerd en andere verhalen,* Elsevier, 1981.

Wim Ibo. *En nu de Moraal... Geschiedenis van het Nederlands cabaret* (2 dln.). A.W. Sijthoff, 1981.

Frank Meyer. *Anekdotes over Rijk de Gooyer.* Unieboek, 1984.

Artikelen en interviews waaruit is geput (chronologisch):

'Levensgenieter Rijk de Gooyer.' Bibeb, *Vrij Nederland* (10 juni 1967).

'Rijk de Gooyer.' Ischa Meijer. *Haagse Post* (17 februari 1971).

'Frans Weisz.' Ischa Meijer, *Haagse Post* (12 juli 1975).

'Ik moet blijven spelen tot mij dood toe.' Marc van Impe & Cees Overgaauw, *Nieuwsnet* (25 augustus 1979).

'Ik heb liever Rod Steiger naast me dan meneer Kwispenbiebel.' Ab van Ieperen, *Vrij Nederland* (24 januari 1981).

'Acteurs zijn allemaal klootzakken, egotrippers.' Ben Haveman, *de Volkskrant* (30 mei 1983).

'Eelke.' Gijs van de Westelaken, *Haagse Post* (8 augustus 1987).

'Goeie jus ligt stil.' Peter van Bueren, *de Volkskrant* (31 maart 1989).

'Aangever en schreeuwlelijk; Altijd op zijn best in het café.' Bas Blokker en Dik Rondeltap, *NRC Handelsblad* (30 september 1991).

'Dat rare besluit om buiten te gaan wonen.' Marjan Berk, *Algemeen Dagblad* (17 februari 1992).

'Milder? Ik? Sodemieter op!' Peter van Brummelen, *Het Parool* (4 maart 1995).

'Het lijden dat Rijk vreest.' Pim Stoel, *Haagse Courant* (16 december 1995).

'Goeiedag en 25 mille in de knip.' Henk van Gelder, *NRC Handelsblad* (22 februari 2000).

'Tv moet slechter.' Maarten Huygen, *NRC Handelsblad* (24 november 2000).

'Jezus christus, wat heb ik allemaal meegemaakt.' Caspar Janssen, *Volkskrant Magazine* (25 mei 2002).

'Voor je het weet ben je gekke Henkie.' Peter van Brummelen, *Parool PS* (20 juli 2002).

'Leren: Rijk doet er nu zelfs zijn best voor.' Corry Verkerk, *Het Parool* (17 augustus 2002).